Gault&Millau
Weinguide Deutschland

Mosel, Sachsen & Saale-Unstrut 2021

123 Weingüter beschrieben und bewertet,
750 Weinempfehlungen, davon 173 Weine bis 10€ und
150 Winzer-Tipps zum Essen, Schlafen und Einkaufen.

Liebe Leserin, lieber Leser, liebe Freunde des guten Weins,

für diesen fünften Gault&Millau Weinguide Deutschland für die Regionen Mosel, Sachsen und Saale-Unstrut haben wir mit großer Freude und ebenso großer Konzentration die Weine aus den **nördlichsten Anbaugebieten** Deutschlands verkostet. Dafür waren wir mit über 20 Winzerinnen und Winzern, Sommeliers und Mitgliedern des Gault&Millau-Verkosterteams einige Tage gemeinsam unterwegs: Es galt insgesamt 750 Weine zu probieren, zu besprechen und zu bewerten. Es waren intensive und spannende Tage!

Das Faszinierende am Wein ist seine Vielfalt. Mit der Zusammenfassung von Mosel, Sachsen und Saale-Unstrut in diesem Guide wird dies mehr als deutlich. Allein die **Mosel** hat eine beachtliche Varianz zu bieten. Um hier die Weine und ihre Herkunft noch präziser dokumentieren zu können, haben wir die Region weiter unterteilt: Wir präsentieren Ihnen die Südliche Weinmosel zusammen mit Saar und Ruwer, die Mittelmosel als „Herzstück" und die Terrassenmosel markiert schließlich das Ende des Anbaugebiets Richtung Koblenz, wo die Mosel in den Rhein mündet. Wenn man über die Mosel berichtet, gehört dem **Kabinett** ein eigenes Kapitel. Auch das bilden wir auf den entsprechenden Seiten in diesem Guide ab. Und dann gibt es da noch den Elbling – eine Rebe, die die Mosel mit Sachsen verbindet oder umgekehrt: Nur in diesen beiden Regionen wird die weiße Traubenart noch kultiviert. Mit **Sachsen** gehört auch **Saale-Unstrut** zu unseren nordöstlichsten Anbaugebieten: beide Regionen klein, fein, mit vielen Besonderheiten und ambitionierten Winzerinnen und Winzern gesegnet.

Die deutsche Weinwelt und alle benachbarten Genussbereiche, wie **Reisen, Kultur oder Kulinarik**, halten viel Lebensqualität für uns bereit. Das ist der Grund, warum die neue Generation der Gault&Millau-Weinguides sich vor allem auf **die Vielfalt der emotionalen Empfindungen** aus großen generationenübergreifenden Verkostungs-Panels und nicht auf Einzel-

urteile stützt. Mit dieser Ausgabe setzen wir eine neue Bewertungsweise fort – ohne die Idee einer mathematischen Superpräzision. **Genuss**, insbesondere beim Wein, ist ja zum Glück nicht auf die reine Sensorik beschränkt.

Weingenuss hat immer mit Menschen zu tun. Wein ist Kommunikation und geteilte Freude. Weingenuss für sich alleine im stillen Kämmerlein ist für uns nicht vorstellbar. Deshalb laden wir Sie mit unseren **„Tipps der Winzer“** dazu ein, die jeweilige Region mit ihrem ganz eigenen Charme zu erkunden und zu genießen. Gasthöfe, Restaurants, Hotels oder Wanderwege durch die Weinberge: Die deutschen Anbaugebiete haben so viel Schönheit und regionale Köstlichkeiten zu bieten.

Wir wünschen Ihnen mit diesem Buch als Guide hin zum guten Wein ebenso viel Vergnügen, wie wir es bei den Besuchen in den Anbaugebieten und im Gespräch mit den Winzerinnen und Winzern an **Mosel, Elbe, Saale und Unstrut** hatten.

In diesem Sinne legen wir Ihnen ans Herz, sich **auf die Reise zu begeben** und die hingebungsvolle Arbeit der Winzerinnen und Winzer, ihre stilvollen Vinotheken und die grandiosen Weine ganz persönlich zu erleben.

Otto Geisel

Ursula Haslauer

Inhaltsverzeichnis

Zeichenerklärung

WEINE

- Weißwein
- Rotwein
- Rosé
- Süßwein
- Sekt

♥ Lieblingswein des Winzers

WEINGÜTER

5 Trauben (rot)	Weltklasse
4 Trauben (rot)	deutsche Spitze
3 Trauben (rot)	ausgezeichnet
2 Trauben (rot)	sehr empfehlenswert
1 Traube (rot)	empfehlenswert

WEINE

5 Trauben (rot)	98–100 Punkte
5 Trauben (schwarz)	95–97 Punkte
4 Trauben (rot)	93–94 Punkte
4 Trauben (schwarz)	91–92 Punkte
3 Trauben (rot)	90 Punkte
3 Trauben (schwarz)	89 Punkte
2 Trauben (rot)	88 Punkte
2 Trauben (schwarz)	87 Punkte
1 Traube (rot)	86 Punkte
1 Traube (schwarz)	85 Punkte

DIE GAULT&MILLAU METHODE UND DIE EXPERTEN

Gault&Millau verkostet ab 2020 ausschließlich blind in Panels mit **mindestens sechs Verkostern.** Für die Verkostungen zu den regionalen Gault&Millau Weinguides werden die Teams zum einen aus der Stammmannschaft der Verkoster beschickt, zum anderen werden Gäste – Winzer und Experten aus der Region – dazu gebeten, um der **regionalen Typizität der Weine eine starke Stimme** zu verleihen.

Für die vorliegende Ausgabe konnten wir auf **Kenntnis, Erfahrung und Leidenschaft** dieser Experten bauen:

Die Gault&Millau-Verkoster für diesen Weinguide Mosel, Sachsen & Saale-Unstrut Eva Adler (München), Katja Apelt (Frankfurt), Jochen Benz (München), Gerhild Burkard (Köln), Thomas Hausmann (Seeshaupt), Thorsten Firlus (Düsseldorf), Daniel Kiowski (Bernkastel-Wehlen), Jochen Kreppel (München), Astrid Löwenberg (München), Jossi Loibl (München), Andreas Lutz (Stuttgart), Nina Mann (Saarburg), Jens Pietzonka (Dresden), Thomas Sommer (Köln), Herbert Stiglmaier (München), Melanie Wagner (Vogtsburg- Oberbergen), Klaus Wählen (Düsseldorf), Ronny Weber (Düsseldorf), Andreas Winkelmann (Klüsserath)

Die Gäste der Verkostungen in Eltville, München und Zeltingen-Rachtig Gert Aldinger (Fellbach), Magdalena Brandstätter (Dreis), Andreas Braun (Stuttgart), Clemens Busch (Pünderich), Max Härle (Heilbronn), Kai Hausen (Trier), Christoph Hinterleitner (Gmünd in Österreich), Hans Kilger (München), Gerhard Kofler (Girlan), Wolfgang Köhler (Stuttgart), Annette Köwerich (Leiwen), Max von Kunow (Konz), Christopher Loewen (Leiwen), Ulrich Mell (Deidesheim), Michaela Nübling (Bodenheim), Dr. Katharina Prüm (Bernkastel-Wehlen), Nick Pulina (Bochum), Volker Raumland (Flörsheim-Dalsheim),

Markus Reis (Zeltingen-Rachtig), Tanja Rosenthal (Eltville), Christian Stahl (Auernhofen), Armin Tement (Berghausen), Hans Terzer (St. Michael-Eppan), Carl von Schubert (Mertesdorf), Martin Waßmer (Bad-Krozingen-Schlatt), Nik Weis (Leiwen), Dorothee Zilliken (Saarburg)

Verkostet wurde in
ZALTO DENKART UNIVERSAL-GLÄSERN.

Die Verkostungen wurden strukturiert, geleitet und moderiert von Otto Geisel. Ursula Haslauer war verantwortlich für alles Organisatorische und dafür, dass aus den Verkostungsnotizen und Autorenbeiträgen ein Buch wurde.

Die mehrtägigen Tasting-Sessions fanden in Eltville, im Hotel Excelsior by Geisel und im Drivers & Businessclub München statt. **Wir bedanken uns für die hervorragende Unterstützung an all diesen Orten.**

MISSION STATEMENT

Die Gault&Millau Weinguides laden ihre Leser auf **eine Entdeckungsreise zu den Weinen Deutschlands und ihren Erzeugern** ein. Wir tun dies aus der tiefen Überzeugung heraus, dass sich die großartigen Weine dieses Landes mit allen Weinen der Welt messen können und dass Weintrinken ein Erlebnis für alle ist und nicht nur Experten vorbehalten bleiben darf.

Wein ist eines der ältesten Kulturgüter unserer Zivilisation, insofern sollten wir uns alle auch daran erfreuen.

Was macht Gault&Millau **anders als bisher:**

1. Gault&Millau verkostet ausschließlich blind.
2. Gault&Millau verkostet in Panels mit mindestens sechs Verkostern.
3. Gault&Millau verkostet in vergleichbaren Klassen – Qualitätsstufen, Rebsorten, Ausbauarten und Jahrgängen.
4. Gault&Millau geht mit den Verkosterteams wann immer möglich in die Regionen.
5. Die Gault&Millau-Verkosterteams bestehen aus ausgewiesenen Experten der deutschen Weinszene.
6. Gault&Millau sucht sich für die Verkostung der regionalen Weinguides Unterstützung aus der regionalen Weinszene, um der Typizität der Region eine starke Stimme zu geben.
7. Gault&Millau beschreibt die Weine sachlich und durchaus auch in einer emotionalen Sprache, die Neugierde weckt und verständlich ist.
8. Gault&Millau will das Erlebnis Wein durch das Herausstellen regionaler Spezialitäten stärken und zu Besuchen in den Weinbaugebieten und bei den Winzern einladen.
9. Gault&Millau sieht Wein und Kulinarik als ein Gesamterlebnis, deshalb findet man ab jetzt in allen regionalen Gault&Millau Weinguides Empfehlungen für Essen, Schlafen und Einkaufen.

Mosel

1 SÜDLICHE WEINMOSEL, SAAR & RUWER
2 MITTELMOSEL
3 TERRASSENMOSEL

1 SÜDLICHE WEINMOSEL, SAAR & RUWER

Landschaftlich und weinbaulich zeigt die Mosel im Dreiländereck Deutschland-Frankreich-Luxemburg ein besonderes Gesicht. Das Tal ist breiter, die Hänge weniger steil als am weiteren Flusslauf. Die Weinberge an der Saar liegen höher als die an der Mosel. Das Ruwertal östlich von Trier ist mit gut 180 Hektar Rebfläche die kleinste Teilregion des Mosel-Anbaugebiets. Namensgeber ist das kleine Flüsschen Ruwer, das aus dem Hunsrück kommt.

2 MITTELMOSEL

Bereich Bernkastel. Die Mittelmosel bildet das Herzstück des Anbaugebiets. Zwischen Trier und Reil stehen die meisten Weinreben auf 5.646 Hektar Rebfläche. Hier reihen sich entlang von fast 100 Fluss-Kilometern viele der bekanntesten Weinorte, Steillagen und Weingüter aneinander. Besonders sehenswert: Trier, die älteste Stadt Deutschlands, die 17 v. Chr. gegründet wurde und noch heute römische, mittelalterliche und barocke Baudenkmäler zeigt.

3 TERRASSENMOSEL

Bereich Burg Cochem. Der nördlichste Teil des Anbaugebiets liegt zwischen Zell und Koblenz. Ab Zell wird das Moseltal zunehmend enger. Vielfach sind die Hänge so steil, dass die Reben nur auf schmalen, durch Trockenmauern gesicherten Terrassen Platz finden. Die von Menschenhand in Jahrhunderten erbauten Terrassen, beispielsweise bei Winningen, sind ein eindrucksvolles Kulturdenkmal. Viele Burgen thronen über den Weinorten, in einem Seitental liegt die berühmte Burg Elz.

DIE BESTEN WEINE BIS 10€

Die hier vorgestellten Weine laden ein, die Region, ihre Winzer und Spezialitäten auf unkomplizierte wie köstliche Weise kennenzulernen. Es sind sehr preiswerte Weine **für jeden Tag**, die unsere ganz besondere Wertschätzung haben.

Rieslinge

TROCKEN

2019 Saar Riesling
7€ · 12% · Weingut Würtzberg

2019 Lieserer Schloßberg Riesling Spätlese trocken
8,50€ · 11,5% · P. Stettler-Söhne

2019 Goldtröpfchen Riesling Kabinett trocken
9€ · 11,5% · Weingut Hain

2020 Klottener Brauneberg Riesling „Loosen S"
9€ · 12,5% · Weingut Theo Loosen

2020 Detzemer Maximiner Klosterlay Riesling 1. Lage
9€ · 12% · Weingut Lorenz

2020 Graacher Himmelreich Riesling Kabinett trocken
9,50€ · 11% · Weingut Kerpen

2019 Pommerner Sonnenuhr Riesling Spätlese trocken
9,50€ · 12,4% · Paul Schunk

2020 Serriger Schloss Saarfelser Schlossberg Riesling
9,80€ · 11,5% · Stiftungsweingut Vereinigte Hospitien

2020 Mosel Riesling
9,80€ · 11% · Nik Weis – St. Urbans-Hof

2019 Klüsserather Bruderschaft Riesling „Vierpass"
10€ · 12,5% · Schlossgut Liebieg

2020 Riesling
10€ · 12% · Forstmeister Geltz Zilliken

RESTSÜSS

2019 Briederner Rüberberger Domherrenberg Riesling Spätlese
5,50€ · 9,5% · Otto Görgen

2020 Riesling „Trittenheimer" Kabinett
8€ · 8,5% · Weingut Lorenz

2019 Beilsteiner Silberberg Riesling „von alten Reben" Spätlese feinherb
8,50€ · 11,5% · Otto Görgen

2019 Trittenheimer Apotheke Riesling Spätlese
8,80€ · 7,5% · Weingut St. Nikolaus-Hof

2020 Riesling Kabinett feinherb
8,80€ · 9% · Weingut Willems-Willems

2019 Goldtröpfchen Riesling Kabinett
9€ · 8,5% · Weingut Hain

2019 Erdener Treppchen Riesling Spätlese
9,80€ · 8% · Weingut Meulenhof

2020 Saar Riesling feinherb
9,80€ · 9,5% · Nik Weis – St. Urbans-Hof

2020 Piesporter Gärtchen Riesling Spätlese feinherb
10€ · 11% · Weingut Blees-Ferber

2019 Piesporter Goldtröpfchen Riesling „***" Spätlese
10€ · 7,5% · Weingut Blees-Ferber

2019 Leiwener Laurentiuslay Riesling „Vor dem Stortel" Kabinett feinherb
7,80€ · 10,5% · Weingut St. Nikolaus-Hof

2019 Veldenzer Kirchberg Riesling „Blumenwiese" Spätlese
8€ · 9,5% · Ingo Norwig

2019 Erdener Treppchen Riesling Kabinett
8,50€ · 9,5% · Weingut Meulenhof

2020 Brauneberger Riesling „Schieferschatz" Spätlese trocken
8,90€ · 12% · Gehlen-Cornelius

2019 Erdener Treppchen Riesling Spätlese
9€ · 9% · Alter Weinhof

2019 Riesling „Apollo“ halbtrocken
9€ · 12% · Freiherr von Schleinitz

2019 Riesling „Scivaro“ halbtrocken
9€ · 12% · Weingut Würtzberg

2019 Kröver Letterlay Riesling „Bergblüter ®“ Spätlese feinherb
9,20€ · 13% · Michael Trossen

2019 Riesling „Saar Mineral“ feinherb
9,40€ · 11% · Weingut Reverchon

2019 Kaseler Nies'chen Riesling Kabinett feinherb
9,50€ · 10% · Erben von Beulwitz

2019 Oberemmeler Karlskopf Riesling „Rotschiefer“ Kabinett feinherb
9,80€ · 11,5% ·Agritiushof

2018 Bremmer Calmont Riesling Spätlese feinherb
9,80€ · 11% · Weingut Laurentiushof

2020 Thörnicher Ritsch Riesling Kabinett
9,90€ · 7,5% · Weingut Gebrüder Ludwig

2020 Brauneberger Juffer Riesling Kabinett
10€ · 8,9% · Willi Haag

VON WEINVERLIEBTEN RÖMERN, STEILEN WEINBERGEN UND RESTSÜSSEN RIESLINGEN

Von Anke Kronemeyer

Über 240 von ihren insgesamt 544 Kilometern fließt sie auf deutschem Gebiet von den **Vogesen bis Koblenz**, mündet dort in den Rhein und prägt auf ihrem Weg – und das eben schon seit Jahrtausenden – die Landschaft: die Mosel, im Französischen **La Moselle** genannt. Entlang des Flusses wächst Wein, ebenfalls seit Jahrtausenden, vorzugsweise im Steilhang. Die Mosel-Region ist Deutschlands ältestes Weinanbaugebiet, umfasst 8.680 Hektar Rebfläche und ist damit das fünftgrößte Anbaugebiet.

Da hoch sollen wir? Zu Fuß? Mit diesen leichten Turnschuhen? Niemals. Doch, doch. Die Gruppe marschiert los. Nix da, wir bleiben unten. Wie eine Fügung kommt genau in dem Moment ein junger Winzer vorbei und fragt: „Soll ich Euch mit hoch nehmen?" Noch bevor wir zustimmen können, quetschen wir uns in die Monorackbahn (später heißt sie bei uns nur noch Moonraker) und rattern mit ihr hoch. Ein bisschen flau ist uns schon, schwindlig auch, wir verstehen kaum noch unser eigenes Wort, der Jungwinzer steht vorn wie ein Kapitän auf hoher See und fährt uns mit seiner Zahnradbahn auf der einen Schiene hoch in den Weinberg. Vermutlich dauert die Fahrt nur Minuten, uns kommt sie vor wie Stunden. Egal: Wir sind oben angekommen, natürlich vor dem Rest der Gruppe und stehen staunend im 400 Millionen Jahre alten Bremmer Calmont, mit fast 70 Prozent Neigung eine der steilsten Weinlagen nicht nur an der Mosel, sondern in ganz Europa.

Steil, schroff, sonnig und nach Süden

Und damit sind wir mitten im Anbaugebiet: Denn steil ist hier eines der am häufigsten genannten Wörter, wenn man eine Beschreibung für die Mosel-Region mit ihrem zumeist schroffen Felsgestein sucht. Die Mosel prägt diese Landschaft. Sie suchte

Das liebt der Riesling

sich vor Jahrtausenden ihren Weg, wich dabei immer mal wieder den Felsen aus, schlängelte sich hierherum und dortherum, wand sich in vielen Schleifen, um letztendlich doch in den Rhein zu fließen. Trotz der Steillagen nutzten schon die Römer diese Landschaft, um an den zumeist nach Süden ausgerichteten Hängen Wein anzubauen. Von dieser Weinbautradition zeugen noch heute viele Kelteranlagen, zum Beispiel in Piesport. Dort entdeckte man eine 44 mal 20 Meter große Anlage aus dem 4. Jahrhundert nach Christus. Bis zu 130 Arbeiter waren dort einst an den sechs Becken der Anlage mit dem Auspressen des Weins beschäftigt, bis zu 60.000 Liter Wein wurden hier verarbeitet.

So mühsam auch die Arbeit im Steilhang ist, so optimal ist er für Wachstum und Reife der Reben. Denn der geneigte Hang sorgt für eine optimale Sonneneinstrahlung und damit ideale Bedingungen für den Wein. Die Mosel-Winzer verstehen sich als Riesling-Experten und bauen diese Sorte auf rund 5.400 Hektar an. Schieferhänge speichern tagsüber die Sonne und geben sie nachts wieder ab. Die Wurzeln der Reben dringen tief in den Boden ein, um sich mit Wasser und Mineralien zu versorgen. So gewinnen die Winzer einzigartig feine, fruchtige Weine, die oft wenig Alkohol haben.

Das Anbaugebiet ist unterteilt in den Bereich Burg Cochem, das ist die Terrassenmosel von Koblenz bis Zell. Der Bereich Bernkastel umfasst die Mittelmosel von Briedel bis Trier. Weitere Bereiche sind die Saar und die Ruwer. Obermosel und Moseltor bilden landschaftlich eine einheitliche Region, die „Südliche Weinmosel". Genau: Saar und Ruwer gehören weinrechtlich zur Mosel, stehen seit 2007 aber nicht mehr zwingend auf dem Etikett. Der Wein von der Saar hat gerade in den vergangenen Jahren einen enormen Bekanntheits- und Beliebtheitsschub erfahren. Und das aus verschiedenen Gründen: Zum einen haben Winzer wie Roman Niewodniczanski vom Weingut Van Volxem oder TV-Moderator Günther Jauch, der das Familienweingut Othegraven in Kanzem übernommen hat, viel Marketing für sich und die Region gemacht. Mittlerweile sind sie mit ihren Tropfen – wie viele andere Winzer auch – bundesweit in Discountern vertreten. Zum anderen sind es genau die leichten, frischen und meist alkoholarmen Weine, die vor allem bei jüngeren Endverbrauchern gut ankommen. Unkompliziert, trinkfreudig, typische „Easy-Drinking"-Weine, die auf Partys genauso schmecken wie auf der Terrasse.

Kleine feine Seitentäler: Saar und Ruwer

Die Saar hat 800 Hektar Anbaufläche, die unter 70 zumeist größeren Betrieben aufgeteilt ist. Weinorte sind Saarburg, Ayl, Kanzem, Serrig, Wiltingen, Ockfen, Oberemmel oder Niedermennig. Weine von der Saar gehören mittlerweile zu den qualitativ bedeutendsten Weinen von Deutschland, bei Auktionen werden oft sehr hohe Summen vor allem für süße Weine erbracht. Besonderes Merkmal der Saarweine ist ihre hohe Lagerfähigkeit. Das gilt auch für Weine von der Ruwer, wo der Wein ebenfalls auf Devonischem Schiefer wächst. Dort wird nur auf 180 Hektar Wein angebaut, dabei wird zu 87 Prozent Riesling geerntet. An der Ruwer betrieb übrigens im 19. Jahrhundert auch die Familie von Karl Marx, der in Trier geboren wurde, viele Jahrzehnte ein Weingut. Die schriftliche Erwähnung des Ruwer-Weinanbaus ist noch älter: Sie stammt aus dem Jahr 1116. Ruwer-Wein war es auch, der Hoffmann von Fallersleben zur Poesie für den Text des Ruwertalliedes inspirierte: „Wo grüne Berge, rebumkränzt,/wo Sonne auf den Höhen glänzt,/liegt meine Heimat, still und traut, mein Ruwertal von Gott erbaut." Er schwärmt darin weiter von „goldig gefangenem Sonnenschein" im Glas des Ruwer-Weins, das „ihm Freude ins Herz" bringe.

So wichtig Tradition und Historie im gesamten Anbaugebiet sind, so modern geht es im Weinbau zu. Bio-Weine gehören oft zum Selbstverständnis, immer mehr Winzer beschäftigen sich mit der Umstellung. Der Klimawandel spielt eine große Rolle, häufige Hagel- oder Starkregenfälle, aber auch die trockenen Sommer ändern das Bewusstsein für die Ökologie.

So wurde im Rahmen der Regionalinitiative Faszination Mosel das Projekt „Lebendige Moselweinberge" ins Leben gerufen,

durch das der Schutz von Flora und Fauna in den Weinbergen in den Mittelpunkt gerückt werden soll. „Leuchtpunkte der biologischen Vielfalt" sind über Wanderwege erreichbar und mit Infotafeln ausgestattet. Zum Beispiel kann man so erleben, dass Apollofalter, Smaragdeidechse oder Uhu an den Winninger Weinbergterrassen leben. Diese Terrassen sind außerdem noch etwas Besonders im Anbaugebiet: 29 Terrassen liegen übereinander, kilometerlange Trockenmauern durchziehen die Weinlagen Uhlen oder Brückstück. Ein Leuchtpunkt ist auch der Piesporter Moselbogen, der sich wie ein großes Amphitheater Richtung Süden öffnet und in dem Hunderte von Pflanzen- und Tierarten eine Heimat gefunden haben. Um die Kulturlandschaft weiter zu schützen, wurden rund 100 sogenannte Lebenstürme aufgebaut, sie bieten Schutzräume für Insekten, Reptilien, Vögeln und Kleinsäuger.

Egal, ob Trier, Cochem, Traben-Trarbach, Bernkastel oder Zell: Von jeher ist die Mosel beliebtes Reiseziel von Touristen. Pro Jahr kommen 2,7 Millionen Übernachtungsgäste, hinzu die Tagestouristen. Aber: Waren es früher Scharen von Kegelclubs, die vor allem an den Wochenenden die Weinstuben bevölkerten und sich am Kröver Nacktarsch oder dem Piesporter Goldtröpfchen fröhlich tranken, hat sich das Klientel hin zum anspruchsvollen Aktiv-Urlauber gewandelt. Der Tourist von heute will über den Moselsteig wandern, die vielfältige Natur erleben, Radfahren oder einfach nur spazieren gehen, ein bisschen Kultur in den größeren Orten erleben, vielleicht auch eine Wellness-Behandlung in einem der schickeren Hotels am Moselufer buchen und am Abend vor allem eins: ein schönes Glas Mosel-Wein zum Moselfisch oder dem Gräwes, einem deftigen Winzergericht aus Kartoffeln und Sauerkraut, trinken und den Tag in entspannter Runde ausklingen lassen.

Moselliebe ist restsüß

Und genau das ist in allen Orten an Mosel, Saar oder Ruwer möglich. Der Wein schmeckt einfach überall – hier ist es ein feinherber Riesling, dort ein fruchtiger Müller-Thurgau, woanders dann doch ein Spätburgunder oder ein kräftiger Dornfelder. Bei der großen Auswahl dürfte es nicht schwerfallen, „seinen" Mosel-Wein zu finden. Immer beliebter wird dabei die wahre Spezialität der Mosel, der restsüße Wein, der sich exzellent zu asiatisch inspirierten Gerichten eignet. Früher war genau dieser Wein verschrien, es war der Wein, den die Oma sonntags zum Essen öffnete, der eine Garantie für Kopfschmerzen war. Heute sind es vor allem junge Wein-Freaks, Sommeliers, Verkäufer, Liebhaber, die gerade diesen Wein, der dann schon etwas länger auf der Flasche liegt, schätzen. Es soll sogar so große Fans von restsüßen Mosel-Weinen geben, dass sie sich die Wehlener Sonnenuhr auf den Arm haben tätowieren lassen. Das ist echte Mosel-Liebe.

INTERNETADRESSEN

www.weinland-mosel.de
www. weinerlebnisbegleiter.de
www.lebendige-moselweinberge.de

Zahlen & Fakten

LAGE

Das Anbaugebiet Mosel liegt im Westen Deutschlands zwischen der deutsch-französischen Grenze und Koblenz. Nebenflüsse sind Saar und Ruwer.

REBFLÄCHE

8.680 Hektar, Weißwein 91 %, Rotwein 9 %

REBSORTEN

Riesling, Müller-Thurgau, Elbling, Spätburgunder, Weißburgunder und als Besonderheit der Elbling

BODEN

Von Trier bis Zell sowie an Saar und Ruwer überwiegend devonischer Tonschiefer, vereinzelt Vulkangestein, an der Terrassenmosel quarzitischer Sandstein mit Schiefer und an der südlichen Weinmosel Muschelkalk, Keuper und Mergel.

VOM CABINET ZUM KABINETTCHEN UND RETOUR

Von Astrid Löwenberg

Schatzkammerweine haben weltweit eine ganz klare Botschaft: Es sind die Feinsten, die Besten, die Weine, die der Winzer am liebsten selbst trinken mag. Das Wort Cabinet bezeichnet in diesem Zusammenhang einen ganz besonderen Ort, einen Platz, an dem Kleinode aufbewahrt werden. Unschätzbare wertvolle Kreszenzen. Bereits im 17. Jahrhundert war das Cabinet die Wein-Schatzkammer von geistlichen Würdenträgern und politisch Einflussreichen.

Was dem einfachen Winzer, dem kleinen Mann zu dieser Zeit an Mosel, Ruwer und Saar lange nicht erlaubt war, betrieben sowohl der Klerus als auch, nach der von Napoleon importierten Säkularisierung, die Weinguts-Großbesitzer. Sie ernteten ihre Trauben spät, Tage oder Wochen nach dem hochherrschaftlich erteilten, aber oft viel zu frühen Lesestart, der verpflichtend war und bei Nichteinhaltung unter Strafe gestellt wurde. Die Rieslingtrauben der „Großkopferten" verblieben zur Vollreife an den Reben im Weinberg und durften hängen, bis ein Anstieg des natürlichen Zuckergehalts zu erkennen oder gar ein Befall an Edelfäule eingetreten war. Letzterer sollte dazu dienen, die guten Inhaltsstoffe, explizit den natürlichen Zuckergehalt, durch Verdunstung der Flüssigkeit relativ zu erhöhen, wodurch die fertigen Weine gehaltvoll und am Ende süß schmeckten. Derart erzeugte Weine trugen zunächst den Namen Spätlese in Anlehnung an ihre spät erfolgte Lese. Gemein war all diesen Weinen, dass sie naturrein, also ohne die erst kürzlich eingeführte Chaptalisierung, hierzulande auch Verbesserung genannt, auf die Flaschen kamen.

Analog entwickelten sich auch feine oder feinste Auslese, die Beerenauslese und Goldbeerenauslese. Ohne qualitative Vorgaben, nur orientiert an der handwerklichen Sorgfalt. All diese auf besondere Art gelesenen Weine konnten nach Selektion und zur Krönung mit dem einzigartigen Attribut Cabinet ausgezeichnet werden. Und dann!?

Nach dem Zweiten Weltkrieg und der Formierung der Europäischen Wirtschaftsunion entwickelten alle Mitgliederländer neue Weingesetze, 1971 entstand das neue deutsche Weingesetz.

Neben der Herstellung gemeiner deutscher Qualitätsweine bestimmter Anbaugebiete, dem QbA, wurden nach bestem Wissen und Gewissen Prädikate definiert, die weltweit ihresgleichen suchen.

Der Cabinet als Zusatzprädikat entfiel, doch es wurde eine gesetzlich festgelegte erste Stufe der Prädikate gebildet, fortan Kabinett geschrieben und benannt. Die Latte zur Erreichung des Kabinett-Status wurde nicht sehr hoch gelegt, litten die deutschen Weinanbaugebiete des 20. Jahrhunderts doch an mittelmäßigen Sommern, frühen Kälteeinbrüchen und unstetem Wetter im Allgemeinen. Aus heutiger Sicht könnte man den Anspruch an die Reife und Mostgewichte als marginal betrachten. Da erstaunt es schon und ringt der Fachwelt größten Respekt ab, mit welcher Nonchalance es den Winzerinnen und Winzern gelungen ist, den Wandel der vergangenen Dekaden zu nutzen und entgegen aller klimatischen Herausforderungen die gleichbleibende feingliedrige Kabinett-Art zu erhalten.

Das Blatt hat sich gewendet, wir kämpfen nicht mehr gegen Unreife, wir kämpfen in vielen Jahresverläufen mit Wetterkapriolen, Hitzeperioden, Trockenheit und doch zeigte sich in fast jedem Herbst der vergangenen 20 Jahre am Laufe der Mosel ab September und zur Ernte hin eine Stabilisierung. Das bedeutet sonniges Wetter, Morgennebel und Wind, im Idealfall bis zur Lese im Oktober.

Hie und da findet man trocken ausgebaute Kabinettweine, die anders als Exemplare aus den 1970er- und 1980er-Jahren mit viel natürlichem Zucker ihrer Moste zu kämpfen haben, den sie notabene in Alkohol umwandeln. Weltweit unerreicht bleibt der restsüße Kabinett der Mosel und seiner Seitentäler. Von hier schenken uns die Winzer traumhafte Genüsse mit spannender Säurestruktur, hohen Restzuckerwerten bei sehr niedrigen Alkoholgraden von 7,5 bis 10 Volumprozent, eingebettet in gut ausgereifte Weine, die in ihrer elfenhaften Anmutung nirgends sonst zu finden sind.

In den frühen 2000er-Jahren kam es zum Showdown zwischen Qualität und Hype. Der Jeunesse dorée genügte es nicht mehr, einen zartgliedrigen köstlichen Kabinett im Glase schwenken zu dürfen, ein fetziger Name musste her – und wie konnte es schlimmer kommen, das Kabinettchen hielt in den Bars und Vinotheken Einzug. Inzwischen Kult, so waren doch die Verniedlichungen der Mosel und des Kabinetts seinerzeit wenig schmeichelhaft, insbesondere, wenn es sich um ein gereiftes Exemplar aus einem guten Jahrgang handelte.

Der Kabi mag der Apéro an einem sonnigen Sonntagmorgen sein, frisch und jung regt er den Appetit an und begleitet feine, durchaus anspruchsvolle Gerichte, die mit einer Sauce hollandaise, einer Nage, Beurre blanc oder Bisque von Krustentieren serviert werden.

Mosel Kabinett brilliert zu Geflügel in sahniger Sauce, gebratenen Lachsforellen oder Austern. Wenn sie reifen durften, dann Donna Diana, servieren Sie die Moselaner zur heimischen Rehkeule. Dann ist ein Riesling Kabinett von der Mosel aus dem Rausch, dem Himmelreich, der Sonnenuhr oder dem Abtsberg ein erwachsener Wein, kein Möselchen und keinesfalls ein Kabinettchen.

TOP 20 – RIESLING KABINETT

Das Markenzeichen der Mosel ist das **fein balancierte** Süße-Säure-Spiel ihrer **Kabinettweine**.

2019 Scharzhofberger (Versteigerungswein)

Weingut von Hövel, Konz-Oberemmel

Eine Klasse für sich, charaktervoll und dennoch verspielt, zart und kraftvoll markant zugleich, das ganze Spektrum der Faszination Riesling wird hier ausgepackt.

36€ · 8% · RZ 63 g · Säure 7,4 ‰

2019 Wehlener Sonnenuhr

Weingut Joh. Jos. Prüm, Bernkastel-Wehlen

Mosel pur. Lieblingswein. Potenzial. Extrem jung, man sollte diesem Wein Zeit geben. Wenn man will, lohnt auch jetzt schon ein Blick durch den jugendlichen Nebel – und der verspricht alles.

27€ · 9,5% · RZ 44,9 g · Säure 7,5 ‰

2018 Mehringer Blattenberg
♣♣♣♣ **12,95€** · 8% · RZ 55 g · Säure 8,5 ‰
Bender Wein, Leiwen
Ungemein dicht und cremig mit einem animierenden Spiel der Restsüße mit der Salzigkeit im Finale

2019 Trittenheimer Apotheke
♣♣♣♣ **13€** · 8,5% · RZ 49 g · Säure 8,2 ‰
Ansgar Clüsserath, Trittenheim
Enorm verspielte und animierende Aromatik, die auf einem fest konturierten Körper aufbaut und in ein schier endloses Finale mündet, am besten zu einem gelben Thai-Curry mit Kokosmilch

2019 Trittenheimer Apotheke
♣♣♣♣ **18,95€** · 11,5% · RZ 24,1 g · Säure 6,7 ‰
Weingut Clüsserath-Eifel, Trittenheim
Ein Kabinett zum Philosophieren, ungemein auf Harmonie angelegt, mit zurückhaltender Süße und sanfter Säure.

2019 Bremmer Calmont
♣♣♣♣ **13,90€** · 8,5% · RZ 50 g · Säure 6,4 ‰
Kilian Franzen, Bremm
Sehr feine, reife Frucht, durchwoben von ebenso feiner Säure und Mineralität. Millirahmstrudel auf Aprikosenkompott

2018 Herrenberg
♣♣♣♣ **16,90€** · 8% · RZ 73,2 g · Säure 8,8 ‰
Maximin Grünhaus, Mertesdorf
Ein zeitloser Klassiker, der seinen Jahrgang nicht versteckt und die Balance von balsamischen Noten und gebranntem Karamell perfekt hält. Wunderbare, nachhaltige und wärmende Süße.

2019 Karthäuserhofberg
♣♣♣♣ **16,90€** · 10,5% · RZ 24,9 g · Säure 7,9 ‰
Karthäuserhof, Trier-Eitelsbach
Sehr klar, herrlich duftige Aprikosen-Aromatik, ungemein finessenreich mit animierendem Finale

2019 Zeltinger Himmelreich
♣♣♣♣ **14,80€** · 9,5% · RZ 28,6 g · Säure 8,6 ‰
Markus Molitor, Bernkastel-Wehlen
Appetitanregende angenehme Bitterkeit, kraftvoll und dicht. Ein Wein, der Zeit braucht und noch eine lange Zukunft vor sich hat.

2019 Herrenberger Wawern
♣♣♣♣ **15€** · 8% · RZ 40 g · Säure 8 ‰
Weingut von Othegraven, Kanzem
Für Fans spontanvergorener Weine eine Offenbarung. In seiner kompromisslosen Würze und Rauchigkeit ein polarisierender Einzelgänger, den man sich erschließen muss und der am Gaumen geradezu kristallin glänzende Klarheit zeigt.

2019 Goldtröpfchen

Weingut Hain, Piesport

Einladende ätherische Nase und eine animierende Frische am Gaumen machen Lust auf mehr. Zweite Flasche bereithalten!

9€ · 8,5% · RZ 55 g · Säure 9 ‰

2020 Niederberg Helden

14,90€ · 8% · RZ 49 g · Säure 8,1 ‰

Schloss Lieser Thomas Haag, Lieser

Warum über diese Prädikatsbezeichnung in der Vergangenheit so kontrovers diskutiert wurde, versteht sowieso niemand. Wir schlagen vor, solch grandiosen Weine als Welt-Naturerbe zu klassifizieren.

2020 Schloss Saarstein

12,75€ · 10% · RZ 24 g · Säure 6,7 ‰

Schloss Saarstein, Serrig

Im Auftakt Noten von Earl Grey und Bergamotte. Ein Archetyp von Kabinett mit immens großer Strahlkraft und ganz eigenem Charakter.

2019 Zeltinger Schlossberg

12€ · 9,5% · RZ 51 g · Säure 8,3 ‰

Weingut Selbach-Oster, Zeltingen

Belebend, rassiger Ausdruck von frischen exotischen Früchten, die zarte Restsüße verfeinert asiatische Gerichte mit Chili-Schärfe.

2019 Badstube

17,50€ · 9,5% · RZ 55 g · Säure 8,4 ‰

Weingüter Wegeler – Gutshaus Mosel, Bernkastel-Kues

Fein strukturierter Kabinett. Leicht rauchig mit Eleganz und sehr langem Finale, der nicht zu kühl genossen werden sollte.

2019 Ockfener Bockstein
16,80€ · 7% · RZ 59 g · Säure 8 ‰
Nik Weis – St. Urbans-Hof, Leiwen
Bunter Früchtekorb, die Säure bringt Spannung und Trinkfluss zum geschmorten Kaninchen auf einem Petersilienbett.

2020 Oberemmeler Karlsberg
11€ · 9% · RZ 31,5 g · Säure 7,2 ‰
Weingut Willems-Willems, Konz-Oberemmel
Geradeheraus mit Druck und enormer Länge, viel Spannung und Tiefgang. Sollte nicht zu kühl getrunken werden.

2019 Serriger Würtzberg „Goldstück"
11€ · 11% · RZ 26,6 g · Säure 7,5 ‰
Weingut Würtzberg, Serrig
Kandierte Früchte, Feige, Marzipan, Kumquat, balsamische Würznoten

2019 Saarburg Rausch
20€ · 8,5% · RZ 59 g · Säure 7,4 ‰
Forstmeister Geltz Zilliken, Saarburg
Fein gezeichnete Litschi, Mandarinenschale und knackige, jedoch zarte Fruchtsäure adeln das Königinpastetchen.

2020 „Trittenheimer"

Weingut Lorenz, Detzem

Trotz seiner Jugend schon sehr saftig und man darf mit Spannung seine Entwicklung verfolgen. Ein Wein mit großem Potenzial, der schon jetzt sehr viel Spaß im Glas macht.

8€ · 8,5% · RZ 59 g · Säure 8,4 ‰

1 SÜDLICHE WEINMOSEL, SAAR & RUWER

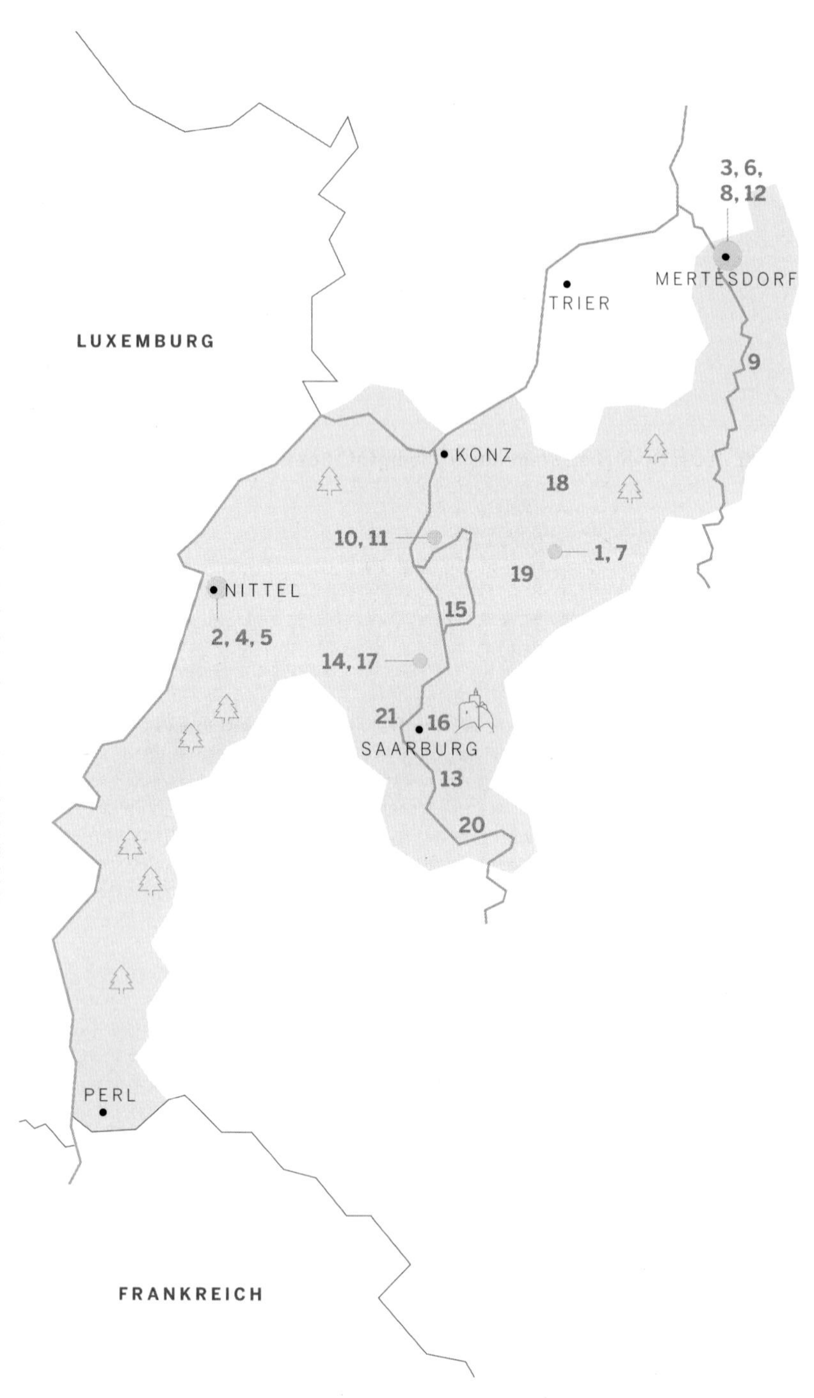
3, 6,
8, 12
MERTESDORF
TRIER
LUXEMBURG
9
KONZ
18
10, 11
1, 7
19
NITTEL
2, 4, 5
15
14, 17
21
16
SAARBURG
13
20
PERL
FRANKREICH

Mit der Südlichen Weinmosel „übergibt" Frankreich den bedeutenden Fluss an seine deutschen Nachbarn, die dort schon seit 2000 Jahren Wein anbauen. Im Dreiländereck mit Luxemburg und Frankreich wird die europäische Idee tagtäglich gelebt: Winzer aus Deutschland bewirtschaften auch Weinberge in den Nachbarländern und umgekehrt. Mit Saar und Ruwer erweitert sich die südwestliche Region der Mosel um zwei charakterstarke, individuelle Anbaugebiete – Heimat weltberühmter Weingüter. Die teuersten Weißweine der Welt kommen aus der Lage Scharzhofberger an der Saar.

Geografische Lage Die Südliche Weinmosel liegt im Dreiländereck Deutschland-Frankreich-Luxemburg zwischen der Saarmündung bei Konz und Perl im Saarland. Die Saar hat ihren Unterlauf südlich von Trier zwischen Serrig und Konz – wo sie in die Mosel mündet. Nur wenige Kilometer nordöstlich von Trier fließt die Ruwer bei Ruwer in die Mosel: Ihr Unterlauf erstreckt sich bis etwa Sommerau.

Klima Gemäßigt warm, von atlantischen Einflüssen geprägt, mit mäßig kalten Wintern und angenehm warmen Sommern. Die Temperatur liegt im Jahresdurchschnitt bei ca. 9,5 Grad Celsius. Die Niederschlagsmenge liegt an der Saar im Jahresschnitt in den vergangenen Jahren bei rund 700 mm. In Konz rund 2.200 Sonnenscheinstunden im Jahr.

Boden Die Südliche Weinmosel gehört geologisch zum Pariser Becken, die Weine wachsen auf Dolomitgestein mit Böden aus Muschelkalk, Keuper und Mergel. An Saar und Ruwer devonischer Schiefer sowie vereinzelt Vulkangestein, Diabas an der Saar.

Rebfläche **SÜDLICHE WEINMOSEL** 876 ha (davon 125 ha im Saarland), Weißwein 90 %, Rotwein 10 % **SAAR** 794 ha, Weißwein 94,6 %, Rotwein 5,4 % **RUWER** 180 ha, Weißwein 95,4 %, Rotwein 4,6 %

Rebsorten **SÜDLICHE WEINMOSEL** Elbling, Grauburgunder, Weißburgunder, Müller-Thurgau, Auxerrois, Spätburgunder **SAAR** Riesling, Weißburgunder, Grauburgunder, Müller-Thurgau, Spätburgunder **RUWER** Riesling, Weißburgunder, Spätburgunder

Geschichte Die Böden der Südlichen Weinmosel entstanden aus den Muschelablagerungen eines Urmeeres vor rund 250 Millionen Jahren. Die Schieferböden an Saar und Ruwer haben ihren Ursprung in einem 400 Millionen Jahre alten Urozean.

Besonderheit Spezialitäten der Südlichen Weinmosel sind die autochthone Rebsorte Elbling, die heute in größerer Ausdehnung nur noch an der Mosel vorkommt, sowie der Auxerrois, ein Verwandter des Weißburgunders, der an der französischen Mosel selektioniert wurde. Rieslingweine von Saar und Ruwer sind nicht nur besonders feingliedrig und mineralisch, sondern auch langlebig.

WEINGÜTER

1
AGRITIUSHOF
Galgenweg 1
54329 Konz-Oberemmel

2
WEINGUT BEFORT
Schulstraße 17
54453 Nittel

3
ERBEN VON BEULWITZ
Eitelsbacher Weg 4
54318 Mertesdorf

4
WEINGUT DOSTERT
Weinstraße 5
54453 Nittel

5
WEINGUT FRIEDEN-BERG
Weinstraße 19
54453 Nittel

6
MAXIMIN GRÜNHAUS – WEINGUT DER FAMILIE VON SCHUBERT
Maximin Grünhaus 1
54318 Mertesdorf

7
VON HÖVEL
Agritiusstraße 6
54329 Konz-Oberemmel

8
KARLSMÜHLE

Im Mühlengrund 1
54318 Mertesdorf

9
REICHSGRAF VON KESSELSTATT
Schlossgut Marienlay
54317 Morscheid

10
VON OTHEGRAVEN
Weinstraße 1
54441 Kanzem

11
REVERCHON
Saartalstraße 2–3
54329 Filzen-Konz

12
ALEXANDER RINKE
Weberbach 75
54318 Mertesdorf

13
SCHLOSS SAARSTEIN
Schloss Saarstein 1
54455 Serrig

14
VOLS
Zuckerberg 3a
54441 Ayl

15
VAN VOLXEM
Zum Schlossberg 347
54459 Wiltingen

16
WEINGUT DR. WAGNER
Bahnhofstraße 3
54439 Saarburg

17
MARGARETHENHOF – WEINGUT WEBER
Kirchstraße 17
54441 Ayl

18
UDO WILLEMS
Am Großschock 6
54329 Konz

19

WEINGUT WILLEMS-WILLEMS

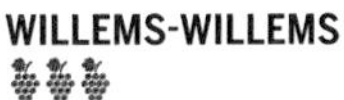

Mühlenstraße 13
54329 Konz-Oberemmel

20

WÜRTZBERG

Würtzberg 1
54455 Serrig

21

FORSTMEISTER GELTZ ZILLIKEN

Heckingstraße 20
54439 Saarburg

Agritiushof

Galgenweg 1,
54329 Konz-Oberemmel
T +49 (0) 6501 14350
www.saarweine.com

Inhaber Alfred Kirchen
Rebfläche 9 ha
Produktion 55.000 Flaschen
Verkaufszeiten
nach Vereinbarung

Oberemmel ist ein kleiner Ortsteil von Konz im Landkreis Trier-Saarburg. Und es ist ein Ort, der durch den Weinbau geprägt wird, der hier eine lange Tradition hat. Auf die schaut auch Winzer Alfred Kirchen zurück, der mit seinem Sohn Jonas neun Hektar Rebfläche in den besten Steillagen von Oberemmel bewirtschaftet. Zwei Generationen von passionierten Weinmachern, die im Familienbetrieb fast ausschließlich auf den Riesling setzen und die Rebsorte immer wieder fördern und fordern. Naturnahe Bewirtschaftung und nachhaltiges Arbeiten sind dafür die Voraussetzungen, um die bis zu 60 Jahre alten Rebstöcke fit zu halten und ihnen ihr ganzes Potenzial an reifen und aromatischen Trauben zu entlocken. Am Ende aller Mühen in Weinberg und Keller stehen Saarrieslinge mit Charakter und tiefgründiger Mineralität im Glas.

2019 Cuvée „Offbeat" feinherb
8€ · 11,5%

2019 Oberemmeler Karlskopf Riesling Spätlese halbtrocken
12,50€ · 12,5%
Da passt alles, Säure, Grip und Länge, dazu wunderbar würzig-pikante Noten und eine Nuance von Salzigkeit auf der Zunge.

2019 Oberemmeler Karlskopf Riesling „Grauschiefer" Kabinett trocken
9,80€ · 11,5%
Ambitionierter Kabinett-Riesling mit viel Kräuterwürze und pikant-vegetabilen Noten. Sehr selbstbewusst.

2019 Oberemmeler Karlskopf Riesling „PurSchiefer" Kabinett trocken
9,80€ · 11,5%
Dieser Wein zeigt klar seine Herkunft: die Saar. Kühler, erfrischender Kabinett mit tragendem Säuregerüst.

2019 Oberemmeler Karlskopf Riesling „Rotschiefer" Kabinett feinherb
9,80€ · 11,5%
Ein Wein, der einen gefüllten Teller braucht. Wir denken da an Coq au vin oder klassisches Ragout fin.

2019 Oberemmeler Karlskopf Riesling „vom Fels – 350 N. N." Spätlese feinherb
12,50€ · 11,5%
Rosenblüte und Litschi mit Schmelz und Würze vermählt. Durchaus mollig, aber mit viel Tiefgang.

♥ **2019** Oberemmeler Karlskopf Riesling Auslese
19,80€ · 9%
Gelbfruchtiger Strahlemann, der seine Herkunft deutlich zeigt und mit seiner animierenden Säure beschwingt und leicht wirkt. Dazu bitte ein reifer Ziegenkäse.

Weingut Befort
Schulstraße 17, 54453 Nittel
T +49 (0) 6584 422
www.befort.de

2019 Nitteler Leiterchen Sauvignon Blanc
9,50€ · 13%
Eine beeindruckende Extraktsüße, die sich – glücklicherweise – einer schönen Säure stellen muss.

Erben von Beulwitz

Eitelsbacher Weg 4,
54318 Mertesdorf
T +49 (0) 651 95610
www.von-beulwitz.de

Inhaber Herbert Weis
Verbände Bernkasteler RIng
Rebfläche 8,5 ha
Produktion 55.000 Flaschen
Verkaufszeiten
Mo–So 8–20 Uhr

Auch wenn seit dem Jahr 2006 das Anbaugebiet Mosel auf den Etiketten steht, kommen die Weine des Traditionsbetriebes von der Ruwer, einem kleinem Nebenfluss der Mosel. Und sie sind schon immer eine Klasse für sich, bereits auf der Pariser Weltausstellung 1867 wurden die Beulwitz-Gewächse für ihre besondere Qualität ausgezeichnet. Im Jahre 1982 übernahm Familie Weis den renommierten Betrieb, heute führt hier Herbert Weis Regie und ist Herr über beste Parzellen in der Spitzenlage Kassler Nies'chen. Die gehören natürlich ganz dem Riesling, nur ein paar kleine Chargen Burgunder hat Weis neben der klassischen Rebsorte stehen, die auch an der Ruwer Tradition hat. Ausgebaut werden die Rieslinge trocken, feinherb oder mit natürlicher Restsüße. Zum Weingut gehören auch ein Hotel mit Restaurant und Vinothek.

2019 Kaseler Kehrnagel Riesling Spätlese trocken
12,50€ · 12%
Saftige Aprikose und frische Minze, dazu eine gewisse Eleganz, die von der Säure getragen wird.

2019 Kaseler Nies'chen Riesling Kabinett
16,50€ · 8%
Molliger Riesling, der nach einiger Zeit im Glas reife gelbe Früchte zeigt.

2019 Kaseler Nies'chen Riesling Kabinett feinherb
9,50€ · 10%
Ein moderner Klassiker, der seine Muskeln spielen lässt, ohne es zu übertreiben. Sehr stimmig balanciert und mit langem Nachhall.

2019 Kaseler Nies'chen Riesling Spätlese feinherb
18,50€ · 10%
Ein einladend barocker Wein von der Ruwer mit viel Grip, balancierter Säure und würziger Wärme am Gaumen.

2019 Kaseler Nies'chen Riesling „Auf den Mauern GG"
21,50€ · 13%
Geprägt von einer zurückhaltenden Leichtigkeit mit eleganter Nase, einem Hauch von Schieferwürze am Gaumen und einer animierenden Bitterkeit im Nachhall.

♥ **2019** Kaseler Nies'chen Riesling „Im Steingarten" Spätlese trocken
12,50€ · 12%
Kräftiger, deftiger Jungwein, der eine gute Belüftung zu schätzen weiß und sich damit öffnet. Ein klarer fruchtiger Stil kommt zum Vorschein.

2019 Kaseler Nies'chen Riesling „Im Taubenberg GG"
19,50€ · 12%
Wachau meets Mosel. Konzentrierte Cassisnote, dazu floral und animierend trocken. Ein Wein mit großem Potenzial.

2019 Riesling „von Beulwitz"
8,50€ · 12%
Feine Mineralik und dezente Noten von Rauch und Speck können perfekt nach einem langen Arbeitstag für Entspannung sorgen. Kopf aus und relaxen.

1999 Kaseler Nies'chen Riesling „***" Auslese
48,70€ · 8%
Ein Botschafter reifer Moselweine. Immer noch eine enorme Strahlkraft mit Dörrobst, Kaffee und Kakaobruch, aber keineswegs müde, sondern nahezu quietschfidel!

2019 Kaseler Nies'chen Riesling „Faß Nr. 2 – Alte Reben" Beerenauslese
85,50€ · 7,3%
Feinherber Darjeeling first flush, vielschichtige Süße, starke Säure – gewaltig im Nachhall.

2019 Kaseler Nies'chen Riesling „Faß Nr. 4 – Alte Reben" Auslese
36€ · 8,5%
Große Fülle, Saft, Eleganz und deutlich definierte Mirabelle. Zum sommerlichen Mirabellen-Crumble mit Rahm.

2019 Kaseler Nies'chen Riesling „Faß Nr. 6" Spätlese
19,50€ · 8,5%
Kräftige Aromatik von gebranntem Karamell und Orangencreme, dann auch Waldhonig. Mit seiner dunklen Süße ein wunderbarer Begleiter für kräftige Käse. So kann man den Abend ausklingen lassen.

Weingut Dostert

Neueinsteiger

Weinstraße 5, 54453 Nittel
T +49 (0) 6584 91450
www.weingutdostert.de

Inhaber Matthias Dostert
Verbände Elblingfreunde
Rebfläche 22 ha
Produktion 240.000 Flaschen
Gründung 1980
Verkaufszeiten
Mo–Sa 9–12 Uhr und 13–18 Uhr
So 9–12 Uhr

Wer noch nie vom Ort Nittel gehört hat, muss sich ins Dreiländereck Deutschland-Luxemburg-Frankreich aufmachen und wird dort fündig. Nicht weit vom Moselufer entfernt liegt das Weingut der Familie Dostert, ein Traditionsbetrieb mit langer Geschichte. Und mit einer prickelnden Erfolgsstory, denn hier werden frisch gekelterte Moselweine zu Sekten verarbeitet, natürlich in traditioneller Flaschengärung. Stillweine gibt es bei den Dosterts natürlich auch, neben den Burgundern hat es vor allem der klassische Elbling in trockenen, feinherben und halbtrockenen Varianten der Winzerfamilie angetan. Und um den Genuss abzurunden, betreibt die Familie ein Restaurant mit herzhafter Küche aus saisonalen und regionalen Produkten.

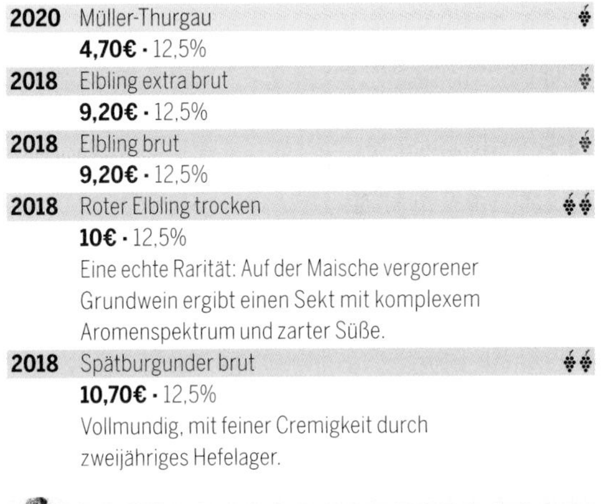

2020 Müller-Thurgau
4,70€ · 12,5%

2018 Elbling extra brut
9,20€ · 12,5%

2018 Elbling brut
9,20€ · 12,5%

2018 Roter Elbling trocken
10€ · 12,5%
Eine echte Rarität: Auf der Maische vergorener Grundwein ergibt einen Sekt mit komplexem Aromenspektrum und zarter Süße.

2018 Spätburgunder brut
10,70€ · 12,5%
Vollmundig, mit feiner Cremigkeit durch zweijähriges Hefelager.

Weingut Frieden-Berg

Neueinsteiger

Weinstraße 19, 54453 Nittel
T +49 (0) 6584 99070
www.frieden-berg.de

Inhaber Horst & Maximilian Frieden
Kellermeister Maximilian Frieden
Verbände Fair'n Green, Generation Riesling
Rebfläche 13 ha
Verkaufszeiten Mo–Fr 8–18 Uhr

Das modern gestaltete Weingut in Nittel fällt direkt ins Auge, hier hat die Familie Frieden ihren Stammsitz schon seit Generationen. Die Nähe zum frankophilen Sprachraum macht sich bei den Friedens auch im Rebsortenportfolio bemerkbar, das vor allem aus weißen Burgundersorten besteht. Aber auch der Elbling ist in den Weinbergen des 13 Hektar großen Familienweingutes noch zu finden, ein fast vergessener Klassiker, der lange Zeit vor dem Riesling die Moselweine dominierte. Französisch angehaucht sind die elegant feinfruchtigen Crémants, die Kellermeister Maximilian Frieden neben prickelnden Sekten auf die Flasche bringt.

2017 Grauburgunder „Max" (3 Trauben)
17€ · 13%
Salzige Meeresaromen, die an Muschelschalen erinnern und vorzüglich zu Pasta alle vongole munden.

2018 Chardonnay „Max" (3 Trauben)
17€ · 13%
Duftig floral, leichtes Toasting, feine Burgundernoten, Poulet à la crème.

2020 Grauburgunder (2 Trauben)
9,50€ · 12,5%
Prickelnd feines CO_2, saftige Würze, rund, ausgewogener Partner zu Forellen-Rillettes.

2018 Chardonnay „Pinot Crémant Max" brut (1 Traube)
17,50€ · 13%

Maximin Grünhaus – Weingut der Familie von Schubert

Maximin Grünhaus 1,
54318 Mertesdorf
T +49 (0) 651 5111
www.maximingruenhaus.de

Inhaber Maximin von Schubert
Betriebsleiter Stefan Kraml
Verbände VDP, Die Güter

Das Weingut der Familie von Schubert, seit 1882 in Familienbesitz, ist längst eine Legende. Und zwar eine lebende. Denn was in dem ehemaligen Kloster in die Flaschen gefüllt wird, ist von besonderem Format und der geschmackliche Beweis, dass Klassik und Moderne in jedem Schluck eine erfreuliche Liaison eingehen können. Chef im stattlichen Hause und Herr über 34 Hektar ist der junge Maximin von Schubert, der um die Verpflichtung weiß, diesen Traditionsbetrieb durch die Zeiten zu steuern und mit jedem Jahrgang wieder auf Kurs in Richtung Zukunft zu bringen. Das gelingt ihm und seinem Kellermeister Stefan Kraml mit Bravour, nach wie vor sind die Rieslinge aus der geschlossenen Weinbergslage Aushängeschilder für die ganze Region.

Rebfläche 34 ha
Produktion 150.000 Flaschen
Verkaufszeiten
Mai–Okt.
Mo–Fr 8–17 Uhr
Sa 10–16 Uhr
und nach Vereinbarung

2018 Riesling „Abtsberg“ GG (5 Trauben)
30€ · 13%
Was für ein markanter Auftritt! Dieser wirklich große Wein kommt nicht gerade auf Samtpfoten daher, mit etwas Luft und Zeit entwickelt sich von Schluck zu Schluck eine solch begeisternde Finesse und Komplexität, dass man fast ein Burgunderglas benötigt, um dieser Entwicklung Raum zu geben.

2018 Riesling „Herrenberg“ Kabinett (4 Trauben)
16,90€ · 8%
Ein zeitloser Klassiker, der seinen Jahrgang nicht versteckt und die Balance von balsamischen Noten und gebranntem Karamell perfekt hält. Wunderbare, nachhaltige und wärmende Süße.

2020 Riesling „Grünhäuser“ (4 Trauben)
16,90€ · 11,5%
Ein Mosel-Archetyp par excellence. Dezent kräuterige Noten, dazu ein salziges Finish. Ein Wein ohne viel Tamtam, dafür mit Ruhe und Selbstbewusstsein.

2020 Riesling „Schloss“ (3 Trauben)
11,90€ · 11,5%
Animierende Kräuterwürze, brillant in seiner Kategorie mit sehr hohem Genussfaktor.

Von Hövel

Agritiusstraße 6,
54329 Konz-Oberemmel
T +49 (0) 6501 15384
www.weingut-vonhoevel.de

Inhaber Maximilian von Kunow
Verbände VDP, Fair'n Green
Rebfläche 21,5 ha
Produktion 140.000 Flaschen
Verkaufszeiten
Mo–Do 8.30–12 Uhr
und 13–17 Uhr
Fr 8.30–12 Uhr
und nach Vereinbarung

Die Saar ist weinbaulich betrachtet eine Schatzkiste, die einmal im Jahr aufgemacht wird und ihre Goldstücke präsentiert. Das sind vor allem Rieslinge von besonderem Format, oft in der Stilistik kühle und schlanke Weine, bei denen es jedem Weinkenner warm ums Herz wird. Vor etwas mehr als 200 Jahren wurde in Konz-Oberemmel das Weingut von Hövel aus der Taufe gehoben, heute wird es von Maximilian von Kunow in der siebten Generation geführt. Grundlage für das perfekte Wachstum der Reben sind Parzellen im weltberühmten Scharzhofberg, die Lage Oberemmeler Hütte, die sich in Alleinbesitz des Weinguts befindet, sowie die Monopollage Hörecker im Kanzemer Altenberg. Maximilian von Kunow baut seine Rieslinge vorwiegend feinherb und mit natürlicher Restsüße aus, eine Reminiszenz an den typischen und klassischen Saar-Weinstil.

2019 Riesling „Hörecker GL“ feinherb (5 Trauben)
48€ · 12%
Großes Kino und der Film heißt: Schiefer pur. In seiner Härte und Kompromisslosigkeit beeindruckend. Dieser Wein denkt gar nicht daran, nachzugeben, und fordert die Aufmerksamkeit, die er verdient.

2019	Riesling „Hörecker" Spätlese	🍇🍇🍇🍇

48€ · 8,5%
Schießpulver und Safran in der Nase, ein flintiger Auftakt, der sich nicht sofort erschließt. Dieser Wein braucht Luft und Zeit. Am Gaumen sehr schlank mit straffem Gerüst und großer Klarheit. Nichts für Anfänger.

2019 Riesling „Krettnacher" 🍇🍇🍇
12,80€ · 11%

2019 Riesling „Niedermenniger" 🍇🍇🍇
12,80€ · 11%

2019 Riesling „Oberemmeler Hütte 26" Auslese 🍇🍇🍇🍇
42€ · 9%
Ausdrucksstarker Wein mit tragender Süße und feiner Safrannote. Größtes Reifepotenzial mit jetzt schon überragend harmonischer Ausstrahlung.

2019 Riesling „Oberemmeler Hütte" GG 🍇🍇🍇🍇
24€ · 12%
Zunächst eine etwas kitschige Maske, dahinter verbirgt sich aber eine ausgewogene tropische Frucht. Am Ende des Tages ein unkomplizierter und gut strukturierter Wein.

2019 Riesling „Oberemmeler Hütte" Kabinett feinherb 🍇🍇🍇
14,90€ · 10%
Feine Safrannoten, die sich am Gaumen fortsetzen und bis ins Finale präsent sind, zeichnen diesen ansonsten ungemein sanften Charakterwein aus, ein schlafender Riese.

2019 Riesling „Oberemmeler Hütte" Spätlese 🍇🍇🍇🍇
24€ · 10,5%
Hier hat sich der Riesling ein Mäntelchen aus Weißburgunder übergezogen. Weg von der Primärfrucht mit Noten von Lakritze und Brioche, breitschultrig und opulent. Da darf es zur Begleitung gleich so mit einem Schweinesteak und Ratatouille weitergehen.

♥ **2019** Riesling „Oberemmeler" 🍇🍇🍇
12,80€ · 11,5%
Würzig und pikant mit typischer Mineralität, ein ausgesprochener Charakter schon zum Einstieg in das von Hövel'sche Riesling-Universum.

2019 Riesling „Saar S" Kabinett feinherb 🍇🍇🍇
18,90€ · 8,5%

2019 Riesling „Scharzhofberger" (Versteigerungswein) Kabinett feinherb 🍇🍇🍇🍇
36€ · 8%
Eine Klasse für sich, charaktervoll und dennoch verspielt, zart und kraftvoll markant zugleich, das ganze Spektrum der Faszination Riesling wird hier ausgepackt.

2019 Riesling „Scharzhofberger" Auslese 🍇🍇🍇🍇
42€ · 8%
Beeindruckend in der Statur wie in der Ausstrahlung, viel Zukunft signalisiert dieser große Wein. Auch hier schweben feine Safrannoten auf der für die Saar typischen Auslese-Aromatik, am Gaumen pure Seide und eine schier endlose Länge, Chapeau!

2019 Riesling „Scharzhofberger" GG 🍇🍇🍇
36€ · 11%
Feine, helle Aromen wie Sauerampfer, herb und herzhaft, frische Zitrus- und kandierte Limettenschale, komplex.

2019 Riesling „Scharzhofberger" Kabinett feinherb 🍇🍇🍇🍇
20,90€ · 10%
Die Verspieltheit in der Aromatik führt zu einer geradlinigen Gefasstheit am Gaumen, der ideale Solist an einem sonnigen Nachmittag im Garten, dazu Aprikosen vom Baum, wunderbar!

2019 Riesling „Scharzhofberger" Spätlese 🍇🍇🍇🍇
32€ · 9%
Klar, sauber, etwas mollig, die animierende Säure gleicht aus, exotische Fruchtaromen krönen die Ananas-Sahnetorte.

2019 Riesling „Saar" Kabinett feinherb 🍇🍇🍇
10,80€ · 9%

2020 Riesling „Saar" Kabinett feinherb 🍇🍇🍇🍇
12,80€ · 10,5%
Floral und animierend. Typisch Saar, frischer Kabinett mit ungemein feinem Säurenerv und dezenter Süße. Dazu eine Ceviche vom Zander oder Wolfsbarsch, so herrlich kann ein „internationales" Food Pairing sein.

2020 Riesling „Saar" feinherb 🍇🍇🍇
10,80€ · 7,5%

Karlsmühle

Im Mühlengrund 1,
54318 Mertesdorf
T +49 (0) 651 5124
www.weingut-karlsmuehle.de

Inhaber Peter Geiben
Rebfläche 15 ha
Produktion 60.000 Flaschen
Verkaufszeiten
Mo–Fr 8–17 Uhr
Sa–So nach Vereinbarung

Peter Geiben ist ein erfahrener Winzer, der das Weingut bereits seit Ende der 1970er-Jahre führt und damit zum Urgestein des Weinbaus im Ruwertal gehört. Für ihn ist das handwerkliche Arbeiten der Schlüssel zum Erfolg, um sich mit dem Ökosystem Weinberg zu arrangieren, das am Anfang der Produktionskette steht und die Trauben als Basis für die Qualität und Authentizität der Weine liefert. Geibens Karlsmühle, deren Mühlentradition bis in die Römerzeit reicht, ist das einzige Weingut an der Ruwer, einem Nebenfluss der Mosel, das Weinberge an beiden Flussufern stehen hat. Geprägt sind die Böden vom allgegenwärtigen Schiefer, der den Ruwer-Weinen, die Peter Geiben vorwiegend im Edelstahltank ausbaut, ihre typische Mineralität mitgibt.

2018 Lorenzhöfer Riesling Spätlese trocken
13,50€ · 13%
Erst pfeffrig-würzig, dann mineralisch-rauchig. Ein unkomplizierter Zugang zum Wein, der kraftvoll, aber vollends harmonisch ist.

2018 Sauvignon Blanc
9€ · 14%
Feiner Tiefgang, nicht Everybody's Darling.

2019 Kaseler Nies'chen Riesling Kabinett feinherb
9€ · 10,5%
Amalfi-Zitrone pur in der Nase und am Gaumen, ergänzt durch süß-fruchtige Opulenz und schmelzige Textur. Dazu eine kaltgeräucherte Forelle und der Tag ist gut.

2019 Lorenzhöfer Riesling Kabinett trocken
9€ · 11,5%
Weinig und rund, mollige Nase, rustikal, ein wenig metallisch.

Reichsgraf von Kesselstatt

Schlossgut Marienlay,
54317 Morscheid
T +49 (0) 6500 91690
www.kesselstatt.com

Der Traditionsbetrieb im Schloss Marienlay zählt seit Jahrzehnten zu den Aushängeschildern der Region. Nur wenige Weingüter im Anbaugebiet Mosel verfügen über ein derart breit gefächertes Lagenpotenzial, darunter die einzigartige Monopollage Josephshöfer bei Graach. Seit Juli 2020 führt Dr. Karsten Weyand gesamtverantwortlich die Geschäfte des Weinguts und Wolfgang Mertes ist als Betriebsleiter für Weinbau und Önologie zuständig. Aktuell stehen 46 Hektar im Ertrag, die Rebfläche ist, bis auf ein paar wenige Partien Spätburgunder, mit dem klassischen Riesling bestockt. Zum umfangreichen Besitz zählen auch Parzellen im legendären Scharzhofberg, dessen markante Rieslinge weltberühmt sind.

Inhaber Familie Günther Reh
Betriebsleiter Karsten Weyand
Kellermeister Wolfgang Mertes
Verbände VDP
Rebfläche 46 ha
Produktion 300.000 Flaschen
Gründung 1349
Verkaufszeiten
Mo–Do 8–16.45 Uhr
Fr 8–13 Uhr
und nach Vereinbarung

2019 Josephshöfer Monopol Riesling Kabinett feinherb
15,70€ · 11,5%
Ganz auf Finesse aufgebauter feiner, nicht zu dichter Kabinett, der mit seiner schlanken und verspielten Art einen sonnigen Sonntagnachmittag zu verzaubern weiß.

2019 Josephshöfer Monopol Riesling Spätlese
23,20€ · 7,5%
Noble, zurückhaltende, fast diskrete Aromatik, elegant, pikanter feiner Duft. Weich und druckvoll am Gaumen mit glanzvollem Finale.

2019 Kaseler Nies'chen Riesling GG
31,50€ · 12,5%
Im Auftakt Hefezopf und getrocknete Aprikosen, am Gaumen klarer Schmelz und Zitrusfrucht. Ein Klassiker, der sich nicht in den Vordergrund spielt und mit seiner unaufdringlichen Art schnell neue Freunde findet.

REICHSGRAF
VON
KESSELSTATT

BEREICH RUWER
NIES'CHEN

GG
2019

VDP.GROSSE LAGE®

2018 Riesling „Majorat" brut
17,80€ · 13%
Eine duftige Nase nach Limette und Minze, Schmelz, Mineralität, Eleganz, Substanz, viel Druck, cremiges CO_2 und eine tolle Balance – ein hervorragender Sekt.

2019 Brauneberger Juffer-Sonnenuhr Riesling „#30" Beerenauslese
121,50€ · 7,5%
Ein wahres Sahnestückchen, feine Beeren, elegantissimo, hochfein ausgelesen, getrocknete Beeren, Würze. Sensationelle Tiefe und Zug.

Von Othegraven

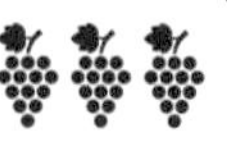

Weinstraße 1, 54441 Kanzem
T +49 (0) 6501 1500 42
www.von-othegraven.de

Inhaber Günther Jauch
Betriebsleiter Andreas Barth
Kellermeister Andreas Barth
Verbände VDP, Fair'n Green
Rebfläche 16 ha
Produktion 100.000 Flaschen
Gründung 1805
Verkaufszeiten
Mo–Fr 9–17 Uhr
und nach Vereinbarung

In den Listen der sogenannten „Promi-Weingüter" hat das Weingut Othegraven, das seit über zehn Jahren von Günther Jauch und seiner Frau Thea geführt wird, eigentlich immer einen festen Platz. Es mag daran liegen, dass es in Deutschland nicht so viele prominente Personen aus Film und Fernsehen gibt und wir deshalb so stolz darauf sind, irgendwo in der Riege zwischen Brad Pitt und Sting mitspielen zu können. Was bei Nicht-Sommeliers dann oft gar nicht mehr so viel Beachtung findet, sind die Qualitäten, die Jauch mit seinem Kellermeister Andreas Barth an der Saar hervorbringt. Die Weine sind nämlich nicht gerade „Everybody's Darlings", die sich auf den ersten Blick sofort erschließen. Konsequente Spontanvergärung, langes Hefelager und ein ganz klares Jahrgangsprofil sind die Säulen, auf denen die Othegrav'schen Weine stehen – und diese Säulen sind stabil und darauf ausgelegt, den Weinen ein möglichst langes Leben zu schenken. Da kann man die Fans der eher seichten Abendunterhaltung nur dazu ermutigen, sich mal ein wenig Action an den Couchtisch zu holen und um 20.15 Uhr einen Riesling vom Lieblingsmoderator einzuschenken. Dieser Abend dürfte einige Überraschungen bereithalten – ob man sich beim Genuss des Weins dann noch auf das Fernsehprogramm konzentrieren kann, steht auf einem anderen Blatt.

2019 Kanzemer Altenberg Riesling GG 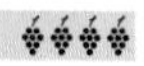
33€ · 13%
Wilde, salzige Würzigkeit mit Noten von Schießpulver und Rauch. Ein Wein, der sich kein bisschen zurückhält und die große Bühne nicht scheut. Trotz seiner Wucht bleibt er tänzerisch und animierend.

2019 Kanzemer Altenberg Riesling Kabinett
16€ · 8,5%
Saft, Kraft, der Wein rollt geschmeidig im Mund, zeigt fruchtige Spritzigkeit, der ideale Start in einen kulinarischen Sommerabend.

2019 Ockfener Bockstein Riesling GG
30€ · 12,5%
Extrem würziger Wein, der den Mund sofort wässrig macht und das Tischgespräch anregt. Wird noch viele Jahre lang begeistern.

2019 Riesling Kabinett feinherb
12,50€ · 9%
Klassischer Kabinett der alten Schule. Fast salzig und mit zarter Ananas. Sehr animierend.

2019 Riesling „Kanzemer"
15,50€ · 12%
Viel Rauch und Würze in der Nase, am Gaumen von einer animierenden Säure begleitet. Die feine Mineralik rundet diesen Riesling toll ab. Dazu geschmorten Fenchel mit Ziegenkäse und der Feierabend kann kommen.

2019 Wawerner Herrenberger Riesling Kabinett
15€ · 8%
Für Fans spontanvergorener Weine eine Offenbarung. In seiner kompromisslosen Würze und Rauchigkeit ein polarisierender Einzelgänger, den man sich erschließen muss und der am Gaumen geradezu kristallin glänzende Klarheit zeigt.

Reverchon Neueinsteiger

Saartalstraße 2–3,
54329 Konz-Filzen
T +49 (0) 6501 9235 00
www.weingut-reverchon.de

Betriebsleiter Ralph Herke
Kellermeister Ralph Herke
Verbände Bernkasteler Ring, Fair'n Green
Rebfläche 20 ha
Verkaufszeiten nach Vereinbarung

Es gibt in Deutschland nur wenige Weingüter, die dem mediterranen Flair und der Idee eines entspannten Urlaubstages auf dem Land so entsprechen wie das Gut in Konz-Filzen mit seinem Herrenhaus und dem ausgedehnten Park. Im Herzstück des Betriebs, einem gewaltigen Gewölbekeller, werden die Rieslinge und Burgunder vinifiziert, deren Trauben aus den divergenten Lagen Herrenberg und Bockstein stammen. Die Vinifizierung passiert je nach gewünschter Stilistik mit wilden Hefen im Edelstahltank oder in großen Holzfässern. Das aktuelle Wein-Sortiment wird ergänzt durch Premiumsekte, hergestellt im traditionellen Flaschengärverfahren, dazu sind noch gereifte Weine im Angebot.

2018 Filzener Herrenberg Riesling Spätlese
14,90€ · 8%
Animierend mit nicht zu aufdringlicher Süße. Floral mit deutlichem Grip am Gaumen.

2018 Filzener Herrenberg Riesling „GG"
23€ · 12,5%
Im Duft fast barock glänzend, mit Noten von Honigwabe und ganz saftig-reifem Pfirsich. Sehr kräftig und rund mit feinem Schmelz.

2018 Ockfener Bockstein Riesling Auslese
24€ · 7%
Ein schmelziger, zarter und feiner Vertreter seiner Art, der die Kunst der leisen Töne beherrscht und sich nicht am Gaumen festbeißt.

2018 Ockfener Bockstein Riesling „Alte Reben" halbtrocken
14,90€ · 12,5%
Sehr dicht und kraftvoll mit sehr eleganter Tropik. Ein Sommerwein für gesellige Grillabende.

2018 Ockfener Bockstein Riesling „GG"
25€ · 12,5%
Mineralische, blitzblanke Eleganz. Ein Wein mit Understatement. Eine wunderschöne Referenz an die Lage Ockfener Bockstein. Chapeau!

2019 Chardonnay
12,90€ · 12%

2019 Ockfener Bockstein Riesling Kabinett feinherb
11,90€ · 11%
Rauchig, mineralisch und komplex, alles sehr wohldosiert und abgestimmt.

2019 Riesling „Saar Mineral" feinherb
9,40€ · 11%
Dunkle würzige Düfte wie Cassis, Zimt und Schokolade. Zum orientalischen Lamm ein Hochgenuss.

2019 Saar Riesling
9,40€ · 11%

2019 Weißburgunder
9,40€ · 12%

2019 Weißburgunder „*"
14,90€ · 12%

2018 Filzener Herrenberg Riesling „Alte Reben" halbtrocken
14,90€ · 12,5%
Eine charmante, cremige Art macht sich gleich zu Beginn bemerkbar und mit eleganter Bitterkeit passt dieser Wein zu einer breiten Auswahl an Speisen.

2019 Filzener Herrenberg Spätburgunder „*"
15,90€ · 12,5%
Distinguiert, sonnig, spannend, filigrane Säure, fröhlich fruchtige Waldhimbeere.

2012 Spätburgunder „Blanc et Noir" brut
19€ · 11,5%
Perfekt gereift, ohne jegliche Müdigkeit beeindruckt dieser jugendlich frisch wirkende Sekt mit sanfter Cremigkeit, ein wunderbarer Begleiter von Sashimi und Sushi.

Riesling brut
14€ · 12,5%

Alexander Rinke

Weberbach 75,
54318 Mertesdorf
T +49 (0) 151 1118 1457
www.rinke-weine.com

Inhaber Marion & Alexander Rinke
Rebfläche 4,6 ha
Produktion 20.000 Flaschen
Gründung 2006
Verkaufszeiten
nach Vereinbarung und im Restaurant:
Grünhäuser Mühle
Hauptstraße 4,
54318 Mertesdorf
Do–Sa 18–22 Uhr
So 11–21 Uhr

Wovon viele träumen, haben Marion und Alexander Rinke realisiert. Sie wurden Winzer aus Leidenschaft, engagierte Quereinsteiger, die ein Weingut gründeten, um nach ihren Ideen eigene Weine zu produzieren. Alles begann im Jahr 2006, als die Rinkes Weinberge im Langsurer Brüderberg übernahmen, eine fast vergessene, steile und teils terrassierte Lage zwischen Igel und Wasserbillig nahe Luxemburg. Die „Neuwinzer" rodeten das muschelkalkhaltige Terrain, bepflanzten es mit Chardonnay und einigen ergänzenden Burgundersorten, darunter auch Spätburgunder. Mittlerweile ist das Weingut auf rund fünf Hektar gewachsen, zum Besitz gehören heute auch einige Steillagen an der Saar im Oberemmeler Altenberg, Wiltinger Klosterberg und Wiltinger Braunfels, die vorwiegend mit Riesling bestockt sind.

2018 Langsurer Brüderberg Chardonnay „Muschelkalk patience" 1. Lage
14,50€ · 13%
Bodenständiger und geradliniger Genuss zu Linsensuppe mit Reibekuchen.

2018 Langsurer Brüderberg Chardonnay „S Réserve GG"
22,50€ · 13,5%

2018 Langsurer Brüderberg Chardonnay „Terrassen S"
19€ · 13,2%

2018 Riesling „Wild auf Schiefer" Kabinett 1. Lage feinherb
11,50€ · 10,5%

2018 Wiltinger Klosterberg Riesling „Limited Edition 1963 – unfiltriert GG" feinherb
17,50€ · 11%

2020 Dornfelder „Rosé Schiefergestein"
9,90€ · 11%

2017 Riesling „Passion Saar" extra brut
21€ · 12,5%

Schloss Saarstein

Schloss Saarstein 1,
54455 Serrig
T +49 (0) 6581 2324
www.saarstein.de

Inhaber Christian Ebert
Verbände VDP
Rebfläche 11 ha
Produktion 90.000 Flaschen
Verkaufszeiten
Mo–Fr 9–16 Uhr
und nach Vereinbarung

Allein die Lage des Weinguts hoch über der Saar und den Rebhängen ist grandios und beeindruckend, den besten Blick über das ganze Tal hat man von der großen Terrasse aus. Das Gutshaus wurde Anfang des 20. Jahrhunderts gebaut und ist seit 65 Jahren im Besitz der Familie Ebert. Nach wie vor entstehen unter der Regie von Christian Ebert vor allem große Saar-Rieslinge, deren beste Exemplare aus der Monopollage Serringer Schloss Saarstein kommen. Ausschließlich ausgebaut im Edelstahltank, zeichnen sich die Weine durch ein enormes Lagerpotenzial aus und präsentieren sich auch nach Jahren noch in Bestform. Dabei sind alle Rieslinge individuelle Typen, die immer ein klares Profil zeigen. Darauf legt der Hausherr auf Schloss Saarstein in jedem Jahrgang besonderen Wert.

2020 Riesling „Saarstein"
9,50€ · 11%
Brombeerblätter, Cassis und Schiefer. Der Stoff, aus dem dieser komplexe und kraftvolle Saar-Riesling ist.

2020 Schloss Saarstein Riesling Kabinett feinherb
12,75€ · 10%
Im Auftakt Noten von Earl Grey und Bergamotte. Ein Archetyp eines Kabinetts mit immens großer Strahlkraft und ganz eigenem Charakter.

2020 Serriger Schloss Saarstein Riesling Kabinett
12,75€ · 8,5%
Verschlossene Nase, dennoch Mundfülle, die jugendlichen zitrischen Aromen passen zu Fromage blanc mit einer frischen Kräutermischung.

Vols Neueinsteiger

Zuckerberg 3a, 54441 Ayl
T +49 (0) 6581 9850 300
www.vols.de

Inhaber Helmut Plunien
Rebfläche 8,5 ha
Verkaufszeiten
nach Vereinbarung

Helmut Plunien bringt viel Erfahrung im Winzerhandwerk mit, lange Jahre war der ausgebildete Küfer und studierte Diplomingenieur Weingutsdirektor im Bürgerspital Würzburg. Doch irgendwann rief die Heimat und Plunien zog es zurück an die Saar, wo die Familie im Wiltinger Braunfels einige Weinberge besaß. Und wie das Leben so spielt, konnte Helmut Plunien eines Tages das Weingut Altenhofen in Ayl übernehmen und das Lagenpotenzial mit Weinbergen an der Ayler Kupp, Scheidt und Schonfels sowie an der Wiltinger Kupp erweitern. Das ist etwas mehr als zehn Jahre her, mittlerweile stehen 8,5 Hektar im Ertrag. Der engagierte Winzer kümmert sich um jeden noch so kleinen Aspekt der Weinbergs- und Kellerarbeit, nichts soll dem Zufall überlassen bleiben. Denn das große Ziel sind individuelle Weine mit unverwechselbarem Charakter, die unter dem Namen Vols auf den Markt kommen.

Vols Grand Rosé brut

15€ · 12%

Sanfte Anklänge an hellrote Früchte und eine fein ausbalancierte Herbheit machen diesen feinen Sekt zum idealen Begleiter von asiatisch inspirierten Fisch-Vorspeisen.

Vols brut

15€ · 12%

Gekonnt balanciert, cremig, fein, ganz ideal zum Apéro.

Vols brut nature

15€ · 12%

Sehr anspruchsvoll durch eine selten gewordene, ganz wundervolle geschmackliche Kargheit, dies zu roh mariniertem Fisch, herrlich!

Van Volxem

Zum Schlossberg 347,
54459 Wiltingen
T +49 (0) 6501 8022 90
www.vanvolxem.com

Inhaber
Roman Niewodniczanski
Betriebsleiter Dominik Völk
Verbände VDP
Rebfläche 80 ha
Produktion 400.000 Flaschen
Verkaufszeiten
Mo–Fr 9–16 Uhr
Vinothek
Di–So 11–18 Uhr

Roman Niewodniczanski backt keine kleinen Brötchen. Nichts Geringeres ist das Ziel, als Van Volxem zu einem der bedeutendsten Weißweingüter der Welt zu machen. Die Voraussetzungen könnten dafür kaum besser sein: Mit einem Sitz mitten in Wiltingen an der Saar verfügt das ehemalige Klosterweingut der Luxemburger Jesuiten über die besten Riesling-Lagen Deutschlands. Seien es der Scharzhofberg, Bockstein oder Gottesfuß – unter den 80 Hektar Rebfläche, die Niewodniczanski mit seinem Team bewirtschaftet, findet sich alles, was an Lagen an der Saar Rang und Namen hat. Seit 2019 gibt es die Manufaktur auf dem Wiltinger Schlossberg, die nicht nur durch ihre moderne Architektur beeindruckt, sondern auch ökologischen und sozialen Standards genügen soll. Im Weinberg legt man in Wiltingen ebenfalls Wert auf die naturnahe Bewirtschaftung der Reben. Man arbeitet mit strenger Selektion und Ertragsreduzierung im Weinberg, die Weine werden so gut wie möglich im Keller allein gelassen und nicht chemisch geschönt oder nachbehandelt. Dass Roman Niewodniczanski trotz klarer Bekenntnis zum naturnahen Weinbau und einer großen Leidenschaft für die kristallklare, fedrig-leichte und nie überbordend barocke Saar-Stilistik kein Weinromantiker im klassischen Sinne ist, tut der Qualität seiner Weine keinen Abbruch. Denn wer Weinmachen mit der Präzisionsarbeit vergleicht, mit der Schweizer Luxusuhren hergestellt werden, der hat erkannt, dass es auch dort auf jedes noch so kleine Detail ankommt.

2017 Saar Riesling 

12,90€ · 12%

Ein Wein, der einen direkt anspringt. Offene Art und leichte Reife bringen Trinkfreude mit, die Cremigkeit am Gaumen und der Anklang von Petrol sind stimmig ineinander verwoben. Ein Wein für jetzt und später.

2019 Riesling „Bockstein" GG

32€ · 12%

Sehr ernsthafter und athletischer Riesling-Typ, der seine Muskulatur spielen lässt und sich nicht mit Smalltalk aufhält. Geht aufs Ganze und kann den ganzen Abend lang beschäftigen.

2020 Wiltinger Riesling

15,90€ · 12%

Vielversprechend und vollkommene Frucht, Spannung und Druck, langer Nachhall.

2018 Scharzhofberger Riesling Trockenbeerenauslese

auf Anfrage · 6%

Jeder Tropfen auf der Zunge ist wie eine der kleinen eingetrockneten Trauben, die hierfür mühsam ausgelesen wurden. Darf und sollte noch Zeit bekommen, denn das Potenzial ist enorm!

Weingut Dr. Wagner

Bahnhofstraße 3,
54439 Saarburg
T +49 (0) 6581 2457
www.weingutdrwagner.de

Inhaber Christiane Wagner
Verbände VDP, Pro Riesling
Rebfläche 7 ha
Produktion 60.000 Flaschen
Gründung 1880
Verkaufszeiten
Mo–Fr 9.30–12 Uhr
und 13.30–17 Uhr
Sa 9.30–13 Uhr
und nach Vereinbarung

Wer Weingut Dr. Wagner sagt, meint eine Winzerdynastie, die am Nebenfluss der Mosel Geschichte geschrieben hat. Riesling-Geschichte. Denn die Saar-Weine der Wagners sind seit Jahrzehnten kinologische Aushängeschilder der Anbauregion und auch international geschätzt und gefragt. Seit fünf Generationen sind die Wagners dem Weinbau an der Saar verbunden, ihre Weinberge befinden sich in den Schiefersteillagen der Flussregion und fordern wie zu allen Zeiten mühevolle Handarbeit. Auch im Keller geht es eher konventionell zu, alle Rieslinge, nichts anderes wird hier angebaut, werden im traditionellen Fuderfass ausgebaut. Neben den Weinen kommen im 1880 gegründeten Weingut seit dem Jahre 1908 auch Sekte auf die Flasche. Damit kann man bestens auf die gemeinsame Zukunft anstoßen, denn standesamtliche Trauungen sind im Weingut möglich.

2019 Ockfener Bockstein Riesling Auslese

19,50€ · 8%

Getrocknete Aprikose, Feige, fein strukturiert und saftig – ein großer Wurf.

2019 Saarburger Kupp Riesling GG

25€ · 11,5%

Enormes Potenzial, explosiv, sublim, im feinsten Sinne erhabener Genuss.

2019 Saarburger Rausch Riesling Spätlese feinherb

17€ · 9%

2019 Saarburger Riesling „Alte Reben“

13,50€ · 10%
Klassischer Typ mit brillanter Frucht und dezenter Brioche-Note. Ein unanstrengender Begleiter für sehr feine Fischgerichte und anspruchsvolle Gäste.

2019 Saarburger Riesling „Laurentius“ Kabinett

17€ · 8,5%
Im Sauseschritt zeigen sich dezente Aprikosenfrucht, Eleganz und Länge. Der Wein für ein langes Sommernachtsfest.

Margarethenhof – Weingut Weber

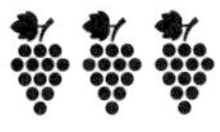

Kirchstraße 17, 54441 Ayl
T +49 (0) 6581 2538
www.margarethenhof-ayl.de

Inhaber Jürgen Weber
Rebfläche 23 ha
Produktion 180.000 Flaschen
Verkaufszeiten
Mo–Fr 9.30–12.30 Uhr
und 14–18 Uhr
Sa 9.30–17 Uhr
und nach Vereinbarung

Die Spitzenlage „Ayler Kupp“ ist für Rieslingfans und Weinkenner aus der ganzen Welt ein Begriff. In dieser berühmten Steillage hat auch das Weingut von Jürgen Weber einige Parzellen stehen, der ganze Stolz der Winzerfamilie, die seit drei Generationen im Weinbau tätig ist. Insgesamt bewirtschaften die Webers rund um die idyllische Gemeinde Ayl in der Saar-Obermosel-Region 23 Hektar, vorwiegend geprägt von mineralhaltigen Schiefer- und Muschelkalkböden. Der Riesling, ausgebaut in klassischer Moselstilistik, hat hier ebenso seine Heimat wie Burgundersorten und der Elbling, eine Rebsorte, die einst die Weinberge der Mosel dominierte. Seit dem Jahrgang 2020 ist Sohn Nicolas im elterlichen Betrieb am Werk und vinifiziert die Weine nach seinen Ideen. Zum Beispiel vegan, spontan vergoren und voll vibrierender Spannung.

2018 Ayler Kupp Riesling „GL“ Auslese

20€ · 9%
Mineralisch-würzig mit reifem Kernobst und Grip am Gaumen.

2018 Ayler Kupp Riesling „GL“ Auslese 1. Lage trocken

20€ · 12,5%
Ernsthafte Noblesse und aristokratischer Stil. Ein Wein, der in Begleitung mit Austern zeigt, was er kann.

2018 Ayler Kupp Riesling „GL“ Auslese feinherb

20€ · 12%
Musterbeispiel einer 2018er Auslese feinherb von der Saar. Zum einen jugendlich und geschmeidig, zum andern mit dem Potenzial, in Würde zu reifen.

2018 Ayler Kupp Riesling „Reserve“ Auslese trocken

23€ · 12,5%
Es mag sein, dass ein Aromenspiel von Vanillekipferln und Birnengeist eher nicht das Erste ist, woran man bei Riesling denkt. Wenn es dazu aber einen Seeteufel mit Bourbonvanille gibt, bekommen Sie von den Gästen Standing Ovations.

2019 Ayler Kupp Riesling „Hochgewächs"

9,50€ · 12%

Traubig, frisch und unbekümmert wirkt dieser fruchtige Riesling, der einen tollen Einstieg bietet und die sonnigen Tage des Jahres noch schöner macht.

2019 Chardonnay „Reserve"

16€ · 13%

Samtige Finesse, wird am Ende angenehm mollig – zu Stubenküken, Spargel, Sauce hollandaise.

2019 Sauvignon Blanc

12,90€ · 13%

In der Nase will sich dieser Wein nicht mit vordergründiger Primäraromatik einschmeicheln, er überzeugt dafür umso mehr mit beherzter Phenolik und Pfeffrigkeit am Gaumen.

2019 Weißburgunder „Reserve"

15€ · 13%

Ein außergewöhnlicher Brocken im Glas, der nach etwas Gegrilltem verlangt. Exotik gepaart mit deftigem Holzeinsatz.

2019 Spätburgunder „Vom Fels Reserve"

16€ · 12,5%

Ein ruhiger Zeitgenosse mit fester Tanninstruktur und reifer Kirscharomatik, runder, solider Speisebegleiter zur Wildpâté.

Udo Willems

Neueinsteiger

Am Großschock 6, 54329 Konz
T +49 (0) 6501 18933
www.willemshof.de

Inhaber Udo & Beate Willems
Betriebsleiter Udo & Martin Willems
Kellermeister Udo & Martin Willems
Rebfläche 10 ha
Produktion 45.000 Flaschen
Verkaufszeiten Mo–Sa nach Vereinbarung

Martin Willems ist mit seinen 26 Jahren noch ein Jungspund, aber spielt im elterlichen Weingut schon einige Jahre eine wichtige Rolle. Zusammen mit seinem Vater Udo ist er für Weinberg und Keller zuständig, vor allem „unter Tage" kann er sein Talent vollends ausspielen. Rund zehn Hektar haben die Willems an Rebfläche, auf der der Riesling eindeutig den Ton angibt. Ein bisschen Spielerei sind die Partien Grüner Veltliner, die klassische österreichische Sorte wird im ganzen Anbaugebiet nur bei Familie Willems angebaut. Auffällig geprägt vom blauen Tonschieferboden sind alle Weine aus dem Willems'schen Keller, die feine Mineralität ist mal mehr, mal weniger, aber immer unverkennbar in allen geschmacklichen Ausbaustufen zu erkennen.

2020 Grauburgunder
6€ · 12%

2020 Grüner Veltliner
7€ · 12,5%

2020 Riesling feinherb
7,50€ · 11%

2020 Riesling halbtrocken
5,50€ · 11,5%

2020 Riesling „Devonschiefer"
6€ · 12%
Feingliedriger und gleichzeitig ausdrucksstarker Riesling, ein idealer Begleiter mediterran inspirierter Vorspeisen, ein Wein, bei dem alles passt.

2020 Riesling „MW NO. 3" feinherb
8,50€ · 10,5%

2020 Weißburgunder
5,50€ · 12%

2020 Spätburgunder feinherb
5,50€ · 12%

2020 Spätburgunder halbtrocken
5,50€ · 12%

Weingut Willems-Willems

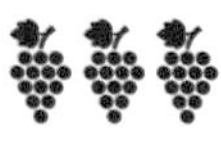

Mühlenstraße 13,
54329 Konz-Oberemmel
T +49 (0) 6501 15816
www.schiefer-trifft-muschelkalk.de

Inhaber Carolin & Jürgen Hofmann
Betriebsleiter Peter Thelen
Kellermeister Carolin Hofmann
Verbände Saarkinder, Moseljünger
Rebfläche 7 ha
Produktion 60.000 Flaschen
Verkaufszeiten
Mo–Fr 9–18 Uhr
Sa 10–17 Uhr

Der Slogan des Weinguts mag im ersten Moment verwirren: Schiefer trifft Muschelkalk? Diese auf den ersten Blick eher unübliche Verbindung lässt sich dadurch erklären, dass Carolin und Jürgen Hofmann gemeinsam gleich zwei Weingüter führen – das Weingut Willems-Willems aus der Familie von Carolin an der Saar und das Weingut Hofmann in Rheinhessen. Dort, in Appenheim, steht auch der gemeinsam genutzte Neubau für beide Weingüter. Zusammen mit ihrem Betriebsleiter Peter Thelen arbeiten die Hofmanns an der Saar bereits seit vier Jahren herbizidfrei und düngen nur noch organisch. Für 2022 wird die Bio-Zertifizierung angestrebt. Carolin Hofmann, die das elterliche Weingut bereits seit 2001 führt, hat ihren Fokus vor allem auf trockene und feinherbe Rieslinge gelegt – an der Saar nicht unbedingt selbstverständlich. Diese Fokussierung auf den eigenen Weg ist aufs Angenehmste spür- und schmeckbar: Willems-Willems-Weine zeigen einen durchgängigen Stil, ohne dabei je austauschbar oder redundant zu werden.

2018 Karlsberg Riesling 
22,50€ · 12%
Schweizer Chasselas-Stilistik von der Saar. Zarte Kargheit und feiner Duft sind etwas für Klassik-Liebhaber. Um beim Thema Schweiz zu bleiben, empfehlen wir diesen Wein zum klassischen Raclette.

2019 Herrenberg Riesling 
22,50€ · 12%
Pikant, animierend und laut wirkt dieser Riesling, der am Gaumen dann fast schon salzige Noten zeigt und das Thema Umami perfekt umsetzt. Sehr rund und balanciert.

2019 Oberemmeler Altenberg Riesling Auslese 
17,80€ · 8%
Spannungsvolle Größe mit Feinheit ohne Ende – vibrierende, rassige, spannende Säure.

2019 Oberemmeler Altenberg Riesling Spätlese 
13€ · 8%
Isotonische Animation mit Aromen von Ananas, Zitrus und festem Pfirsich. Sollte zur Grundausstattung beim Wanderausflug gehören und macht schon mittags Spaß.

2020 Niedermenniger Herrenberg Riesling Kabinett feinherb 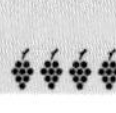
11€ · 9%
Saar und nicht weniger. Harmonie pur, ein Wechselspiel von Frucht und verspielter Schieferwürze und unglaublich charmant. Preis-Leistung unschlagbar.

2020 Oberemmeler Karlsberg Riesling Kabinett feinherb
11€ · 9%
Geradeheraus mit Druck und enormer Länge, viel Spannung und Tiefgang. Sollte nicht zu kühl getrunken werden.

2020 Riesling Kabinett feinherb
8,80€ · 9%
Elegant, oxidativer Ausbau, die Luft tut dem Wein gut und formt ihn rund, saftig und zugänglich. Ein Rhabarberkuchen-Wein.

2020 Riesling „Auf der Lauer" feinherb
10,70€ · 10%
Sehr elegantes und gut balanciertes Easy Drinking. Feine Fruchtsüße trifft auf schlanken Körper.

Würtzberg

Würtzberg 1, 54455 Serrig
T +49 (0) 6581 9200 992
www.weingut-wuertzberg.de

Inhaber Familie Heimes
Kellermeister Felix Heimes
Verbände Fair'n Green
Rebfläche 17 ha
Produktion 80.000 Flaschen
Verkaufszeiten
Do–Fr 14–18 Uhr
Sa 10–16 Uhr
und nach Vereinbarung

Dass die Preußen im Weinbau an der Saar die Finger im Spiel hatten und im Jahre 1898 mit der Pflanzung des ersten Rebstocks dieses Gut aus der Taufe hoben, ist nur noch eine Randnotiz der Geschichte. Heute steht das hoch über der Saar thronende Gebäude-Ensemble mit Château-Charakter unter Denkmalschutz und wird seit 2016 von Familie Heimes bewohnt und bewirtschaftet. Die Geschwister Annalena und Felix Heimes führen den 17 Hektar umfassenden Betrieb, der überwiegende Teil der Fläche befindet sich in Steilstlagen im Serriger Würtzberg und Serriger Herrenberg, die im Alleinbesitz des Guts sind. Handarbeit ist gesetzt, nach der selektiven Lese werden die Trauben schonend gepresst. Mithilfe wilder Hefen vergären die Moste im einzigartigen doppelgeschossigen Gewölbekeller im Edelstahltank oder Doppelstückfass, die dort in preußischer Ordnung aufgereiht stehen.

2019 Riesling „Scivaro" halbtrocken 
9€ · 12%
Ein isotonischer Wachmacher, der mit seiner akzentuierten Säure begeistert. Die Bitternote im Abgang wirkt mundwässernd und macht Lust auf mehr.

2019 Saar Riesling
7€ · 12%
Kräftig, deftiger Lorbeerduft. Ruhige Aromatik wie ein großer Schieferfelsen im Fluss.

2019 Serriger Herrenberg Riesling Spätlese 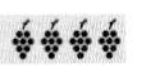
16€ · 10%
Dunkler Typ mit verführerischen Noten von hellroten Beeren. Reifenoten und Opulenz, am Gaumen entfaltet sich wuchtiger Schmelz.

2019 Serriger Würtzberg Riesling Kabinett
11€ · 10%
Honigton, Raffinesse, Würze, viel Frucht, gestützt von einer immensen Säure. Zu Vitello tonnato.

2019 Serriger Würtzberg Riesling Spätlese „GG" trocken
16€ · 12%
Moseltypisch von der Saar. Sie brauchen einen Wein zu Risotto mit Radicchio? Hier ist er und kann auch mit anderen Speisen glänzen.

2019 Serriger Würtzberg Riesling „Goldstück" Kabinett feinherb
11€ · 11%
Kandierte Früchte, Feige, Marzipan, Kumquat, balsamische Würznoten.

Forstmeister Geltz Zilliken

Heckingstraße 20,
54439 Saarburg
T +49 (0) 6581 2456
www.zilliken-vdp.de

Inhaber Dorothee Zilliken
Betriebsleiter Dorothee Zilliken
Kellermeister Hans-Joachim & Philipp Zilliken
Verbände VDP
Rebfläche 13 ha
Produktion 85.000 Flaschen
Gründung 1742
Verkaufszeiten
nach Vereinbarung

Dass der Namensgeber des Weinguts königlich-preußischer Forstmeister war, ist heute nur noch eine schöne Randnotiz. Die Nachfahren sind Winzer, heißen Zilliken und sind dafür bekannt, Saar-Weine zum Glänzen bringen zu können. Nicht laut, eher leise und bedächtig, dafür aber mit anhaltender Begeisterung für alle, die in den Genuss eines Rieslings aus dem Hause Zilliken kommen. Verantwortlich für den Betrieb ist Dorothee Zilliken, unterstützt wird sie dabei von ihrem Vater Hans-Joachim und Mutter Ruth sowie von Ehemann Philipp Zilliken. Ein generationsübergreifendes Teamwork, zu dem auch einige langjährige Mitarbeiter gehören, ohne deren Engagement das Weingut am Markt nicht so erfolgreich wäre und nicht diese herausragende Stellung eines Spitzenbetriebes an der Saar innehätte.

2018 Saarburg Riesling „Auf der Rausch" GG
50€ · 11%
Frische Eleganz, die sich im Mund mit fein gewobenen Aromen darstellt und enorm entwickelt.

2019 Saarburg Rausch Riesling Auslese
50€ · 8%
Ein spiritueller Wein, der zum Philosophieren und Nachdenken einlädt und den Trubel scheut. Sehr stilsicher, mit hohem Wiedererkennungswert, immensem Reifepotenzial und Tiefgang.

♥ **2019** Saarburg Rausch Riesling Kabinett
20€ · 8,5%
Fein gezeichnete Litschi, Mandarinenschale und knackige, jedoch zarte Fruchtsäure adeln das Königinpastetchen.

2019 Saarburg Rausch Riesling Spätlese 🍇🍇🍇🍇🍇

30€ · 8%

Ein schlanker Wein von geradezu kristalliner Eleganz und Klarheit, der schimmert und glänzt und dabei doch bescheiden bleibt. Ganz klassische, große Saar-Stilistik, die international zu Recht beneidet wird.

2020 Riesling 🍇🍇🍇

10€ · 12%

Fein und verspielt mit viel Grip und mineralischer Schiefernote. Saftig mit gutem Säuregerüst. Spaßfaktor: nachschenken!

2020 Riesling „Butterfly" halbtrocken 🍇🍇🍇

10€ · 11%

Dieser Schmetterling ist ein echter Hingucker. Gelber Pfirsich, Streuselkuchen und leiser Rauch im Auftakt, dann feiner Schmelz und Süße am Gaumen. Ein wunderschönes Exemplar.

2015 Riesling „Saarburger Rausch" brut 🍇🍇🍇

23€ · 12%

Nase Haselnussschalen, Pampelmuse, Ananas, saftig, feine Säure, gutes Spiel im Mund. Der Sekt behält eine wunderbar schlanke Linie im Gesamtbild.

2015 Riesling „Saarburger Rausch" brut nature 🍇🍇🍇

23€ · 12%

Gelbfruchtig im Auftakt zeigt der Sekt dezente Reifenoten. Das Mundgefühl ist buttrig, zeigt einen definierten Körper mit Nachhall und Druck, das CO_2 ist wunderbar eingebunden.

2018 Saarburg Rausch Riesling Beerenauslese 🍇🍇🍇🍇🍇

auf Anfrage · 7,5%

Konzentrat eines Blütenhonigs, Lebkuchen, lebendige Säure, Walnuss, Birne, vollreife Aprikose. Großartig zu Blauschimmelkäse oder Époisses.

DIE TIPPS DER WINZER

Wo gibt es den besten Moselfisch, die beste Riesling-Kartoffelsuppe oder das perfekte Gräwes mit Sauerkraut, Speck, Kartoffeln und Blutwurst? Wo den besten Blick in die Weinberge, wo das schönste Hotel? Wo kann ich Weine verkosten, regionale Produkte einkaufen? Wer, wenn nicht der **Winzer vor Ort** kennt sich bestens in seiner Region aus? Darum haben wir Winzer und ihre Familien nach **ihren persönlichen Tipps** gefragt.

P.S. Prüfen Sie bitte vor Ihrem Besuch, ob alle Lokale und Geschäfte wieder geöffnet haben und welche aktuellen Öffnungszeiten gelten.

Essen

LINDEN'S RESTAURANT

Neustraße 2,4,5 54441 Ayl
T +49 (0) 6581 4105
www.pension-linden.de

In diesem modern eingerichteten, familiengeführten Restaurant wird eine regionale, saisonal frische Küche serviert. Es gibt Flammkuchen ebenso wie Wild- und Fischgerichte, Semmelknödel mit Waldpilzrahm oder – für den, der sich nicht entscheiden kann – ein Sechs-Gänge-Menü in kleinen Portionen. Dazu kommen Weine aus der direkten Nachbarschaft ins Glas. Zum Restaurant gehört eine Pension, ebenfalls im Ortskern gelegen.

Empfohlen von
Weingut Würzberg

WEINHAUS NEUERBURG

Bahnhofstraße 2, 54317 Kasel
T +49 (0) 651 9955 0088
www.weinhaus-neuerburg.de

Hier, im romantischen Ruwertal, lässt es sich wunderbar in einer früheren Kelter- und Abfüllhalle Station machen. Die Flammkuchen heißen Venus, El Toro oder Meerjungfrau, es gibt Kalbsschnitzel, Rieslingsülze oder einen Tierfreund-Burger. Im früheren Pferdestall ist jetzt eine Vinothek eingerichtet, in der es Weine, aber auch Gelees, Schnäpse, Traubenkernprodukte, Winzerbier und Wurstwaren gibt.

Empfohlen von
Weingut Karlsmühle

GRÜNHÄUSER MÜHLE

Hauptstraße 4,
54318 Mertesdorf
T +49 (0) 651 52434
www.gruenhaeuser-muehle.de

Dieses Restaurant wird vom Weingut Rinke betrieben. Es befindet sich in einem um 1750 erbauten historischen Gebäude direkt am Fahrradweg, der entlang der Ruwer bis nach Hermeskeil führt. Auf der zur Ruwer gelegenen Terrasse können bei schönem Ausblick in die Weinberge regionale Gerichte wie Weinsülze, moselländische Zwiebelsuppe oder Spargelsalat genossen werden.

Empfohlen von
der Redaktion

CULINARIUM IM WEINGUT DOSTERT

Weinstraße 5, 54453 Nittel
T +49 (0) 6584 91450
www.culinarium-nittel.de

Die österreichischen Wurzeln von Küchenchef Walter Curmann lassen sich nicht verleugnen und strahlen charmant bei vielen Gerichten durch – nicht nur beim Wiener Schnitzel, sondern auch beim steirischen Backhendl oder dem Alt Wiener Kaiserschmarrn. Ansonsten ist die Küche in diesem schicken Restaurant im Weingut bodenständig, aber doch sehr gehoben. Dazu wird dann ein Elbling oder Burgunder vom eigenen Weingut eingeschenkt. Wer übernachten will, findet in einem der 20 Gästezimmer entweder im Weingut oder 300 Meter weiter im Schlafgut einen gemütlichen Platz.

Empfohlen von
der Redaktion

VICTOR'S FINE DINING BY CHRISTIAN BAU

19,5 | 20

Schloßstraße 27–29, 66706 Perl
T +49 (0) 6866 79118
www.victors-fine-dining.de/restaurant

Hier steht – zwar schon im Saarland, aber zum Weinanbaugebiet Mosel gehörend – mit Christian Bau einer der höchstdekorierten Köche Deutschlands am Herd. Leidenschaft und der Hang zur Perfektion treiben ihn und sein Team an, dem Gast jeden Abend aufs Neue die besten Zutaten in den intensivsten Geschmackskomponenten und Kompositionen zu servieren. 85 Prozent der Menüs stammen aus dem Meer und werden mit japanischen, aber auch französischen Komponenten zu spektakulären Kunstwerken auf dem Teller angerichtet, die man nach dem Genuss einfach nicht mehr vergisst. Sommelière Nina Mann versteht es in der gleichen Perfektion wie der Künstler am Herd, die passenden Weine zu jedem Gang auszusuchen.

Empfohlen von
Dorothee Zilliken

BURGRESTAURANT DI VINCENZO DI TUORO

Auf dem Burgberg 1,
54439 Saarburg
T +49 (0) 6581 9998 585
www.burgrestaurant-vincenzo.de

Über den Dächern Saarburgs lässt sich hier authentisches Dolce vita genießen. Gastgeber Tatjana Meyer und Vincenzo Di Tuoro und ihr Team laden zu gehobener, süditalienischer Küche ein. Es gibt Antipasto oder Insalata, Pappardelle aus der Kupferpfanne, gegrillten Tintenfisch oder Saltimbocca alle romana. Zu allem werden Weißweine aus der Region sowie Rotweine aus Italien eingeschenkt.

Empfohlen von
Dorothee Zilliken

Schlafen

WEINHOTEL AYLER KUPP

Trierer Straße 49a, 54441 Ayl
T +49 (0) 6581 9883 80
www.saarwein-hotel.de

Das Hotel befindet sich zwar auf dem Gelände des Weinguts der Familie Lauer, wird aber von Familie Diekert betrieben. Es liegt von Weinbergen umgeben inmitten der Saar-Landschaft, aus den modernen Zimmern hat man zum Teil direkten Blick in die Lage Ayler Kupp. Gegenüber des Hotels wird außerdem eine Ferienwohnung vermietet. Im eigenen gehobenen Weinrestaurant steht regional-bodenständige Küche auf der Karte: Wild aus heimischen Wäldern, Forelle aus dem Leukbach oder Kalbsrücken mit Steinpilzen. Auf der Weinkarte finden sich vor allem – aber nicht nur – Weine aus dem hauseigenen Weingut Lauer.

Empfohlen von
der Redaktion

GÄSTEHAUS CANTZHEIM

Weinstraße 4, 54441 Kanzem
T +49 (0) 6501 6076 635
www.gaestehaus-cantzheim.de

Gästehaus, Vinothek, außerdem ein Ort für Genuss und Kultur: All das wurde nach umfangreichen denkmalgerechten Sanierungen und Umbauten aus dem spätbarocken Einhaus aus dem Jahr 1740, das inmitten der Weinberge von Kanzem liegt. Die fünf Zimmer, sowohl im Haupthaus als auch in der einem Weinbergshäuschen angelehnten Remise, sind hochwertig und luxuriös eingerichtet. Das Gut, das von Familie Reimann betrieben wird, lädt mit seiner Mischung aus historischem Ambiente und moderner Architektur zu privaten Feiern oder Firmenevents ein. Im Gebäude finden Literatur- und Musikveranstaltungen statt, außerdem kann man an Kochkursen oder Weinproben teilnehmen.

Empfohlen von
der Redaktion

HOTEL WEIS

Eitelsbacherweg 4,
5431 Mertesdorf
T +49 (0) 651 95610
www.hotel-weis.de

Ein Vier-Sterne-Hotel mit eigenem Weinberg: Bereits in zweiter Generation führt Familie Weis das Hotel, dem sie 1982 das Weingut Erben von Beulwitz eingegliedert hat. Die Zimmer und Suiten sind nach Weinbergslagen benannt. Zum Haus gehören auch ein Restaurant, in dem unter anderem ein Ruwer Regional-Menü mit Wildkraftbrühe und Rehragout serviert wird, sowie eine Weinstube und eine Vinothek.

Empfohlen von
Bischöfliche Weingüter Trier

SAARBURGER HOF

Graf-Siegfried-Straße 37,
54439 Saarburg
T +49 (0) 6581 92800
www.saarburger-hof.de

Dieses Hotel aus dem Jahr 1906 liegt ganz zentral, unweit der Lage Saarburger Rausch, von dort sind auch viele namhafte Weingüter der Region erreichbar. Familie Diewald führt das Haus in vierter Generation. Die Zimmer sind gemütlich eingerichtet. Zum Haus gehören auch ein Restaurant mit regionalen Gerichten, ein Weinkeller, eine Kneipe und eine Sommerterrasse.

Empfohlen von
Dorothee Zilliken

VILLA KELLER

Brückenstraße 1, 54439 Saarburg
T +49 (0) 6581 92910
www.villa-keller.de

Direkt am Ufer der Saar liegt dieses Drei-Sterne-Hotel mit malerischem Blick auf die Altstadt von Saarburg und auf die Burg. Bevor das Haus vor mehr als 20 Jahren als Hotel eröffnet wurde, hat es eine wechselvolle Geschichte erlebt. 1801 erbaut, war im Herrenhaus bis Mitte der 1950er-Jahre eine Lohgerberei. Jetzt kann man dort mit schönem Blick auf die Altstadt übernachten, aber auch im Restaurant oder im urigen Wirtshaus mit Biergarten bodenständige Küche wie Flammkuchen, Steaks oder Bauernsülze bestellen.

Empfohlen von
Dorothee Zilliken

Einkaufen

HOTEL ST. ERASMUS

Kirchstr. 6a, 54441 Trassem
T +49 (0) 6581 9220
www.st-erasmus.de

Stilvoll wohnt man in diesem Vier-Sterne-Hotel inmitten der Natur im kleinen Örtchen Trassem, ist Gast der Familie Boesen, die ihren Gästen Ruhe und Erholung bieten will. Die eleganten Zimmer und Suiten befinden sich entweder im Stammhaus, im Landhaus oder im Gästehaus, ganz nagelneu ist die Ferienwohnung Erasmus Lodge. Den Gästen steht ein schicker, ebenfalls ganz neuer Spa mit Sauna und Außenpool zur Verfügung. Hirschkalb, Trassemer Lachsforelle oder ein Erasmus-Schnitzel stehen auf der Karte des hoteleigenen Restaurants. Auf der Weinkarte finden sich Rieslinge von den Schieferböden an der Saar oder Burgunderweine von der Obermosel.

Empfohlen von
Dorothee Zilliken

MANNEBACHER KÄSE

Brunnenstraße 1,
54441 Mannebach-Kümmern
T +49 (0) 352 661 3358 42
www.mannebacherkaese.com

Hier dreht sich alles um Ziegenkäse: Marco Carpi, der die Tradition des Käse-Pioniers Peter Büdinger weiterführt, betreut eine eigene Ziegenherde mit 80 Tieren, um aus deren Milch Käse herzustellen. Dabei lehnt er sich an Vorbilder seiner italienischen Heimat an, verbindet die natürliche Landwirtschaft mit dem Erbe der italienischen Käseherstellung. Und so gibt es einen Primosale, einen Ricotta, sogar Joghurt und auch Frischkäse. Der Ziegenkäse aus dieser privaten Produktion wird auf Märkten in Trier, Perl und Mannebach verkauft.

Empfohlen von
der Redaktion

KÄSEREI ALTFUCHSHOF

Saargaustraße 19 a,
54439 Saarburg-Kahren
T +49 (0) 651 9706 7260
www.altfuchshof.de

Schnittkäse mild oder geräuchert, gewürzt mit Bockshornklee oder Chili, Weichkäse nach Camembert-Art, Frischkäse mit Schnittlauch oder Datteln und Chili: Aus der Milch vom benachbarten Saargauhof macht Familie Fuchsen hier in Handarbeit die vielfältigsten Käsesorten, insgesamt 32. Verkauft wird direkt auf dem Hof, aber auch am Käsemobil, das auf verschiedenen Wochenmärkten steht. Der Altfuchshof selbst, ein Familienbetrieb in sechster Generation, liegt umgeben von Wäldern, Streuobstwiesen und Feldern mit Blick auf die Weinberge. Dort werden Ackerbau und Bullenmast betrieben.

Empfohlen von
der Redaktion

Empfehlenswerte Bäckerei

De Bääker
54311 Sirzenich,
(Hauptstraße 22a)
www.fleischerei-sopp.de

Empfehlenswerte Metzgereien

Familienfleischerei Könen
54439 Saarburg,
(Industriestraße 2a)
www.fleischerei.koenen.de

Artemis Wild
54344 Kenn,
(Am Kenner Haus 5–11)
www.artemis-wild.de

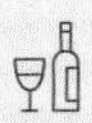

Vinothek

Viele Winzer von Mosel, Saar und Ruwer öffnen die ganze Woche über ihre Türen, um ihre Weine in den hauseigenen Vinotheken verkosten zu lassen. Ein Besuch (nach dem Blick auf die Internetseite oder einem kurzen Anruf) lohnt in jedem der Weinorte. Weitere Infos zu Vinotheken auch auf der Internetseite www.weinland-mosel.de/de/weingueter

BONSAI & WEIN
Kunohof 20, 54439 Saarburg
T +49 (0) 6581 9886 13
www.vinothek-saar.de
Weine zu Weingutspreisen werden hier von Familie Klein angeboten. Dabei sind die meisten Winzer der Region vertreten, man kann vor dem Kauf verkosten. Zum Sortiment der Vinothek gehören aber auch selbst gezüchtete Bonsai, Keramik, Spiegel, Blumenbilder sowie viele Accessoires rund um den Wein.
Empfohlen von
Dorothee Zilliken

2 MITTELMOSEL

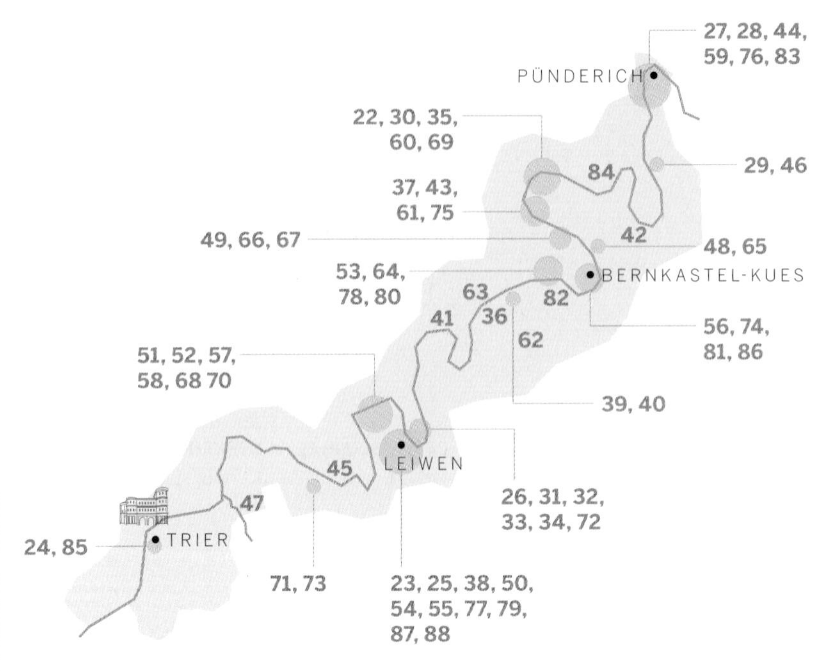

Egal, ob Trier, einstige Hauptstadt des weströmischen Reiches und Geburtsort von Karl Marx, das malerische Bernkastel mit der teuersten deutschen Weinlage, dem „Doctor", oder die Jugendstilstadt Traben-Trarbach, um 1900 eines der Zentren des weltweiten Weinhandels, mit ihrer „Unterwelt" – hier wird immer noch Geschichte gelebt

Geografische Lage Das Herzstück des Anbaugebiets liegt um den 50. Grad nördlicher Breite und erstreckt sich von Trier aus moselabwärts bis zum Weinort Reil oberhalb Zell.

Klima Gemäßigt warm, von atlantischen Einflüssen geprägt, mit mäßig kalten Wintern und angenehm warmen Sommern. Die Temperatur liegt im Jahresdurchschnitt bei zehn Grad. Die Niederschlagsmenge liegt im Jahresdurchschnitt bei etwa 650 bis 700 mm.

Boden An den Steilhängen überwiegend verwitterter, grauer und blauer devonischer Tonschiefer, vereinzelt Rotschiefer sowie bei Ürzig rotes vulkanisches Rhyolithgestein; in den flachen Lagen in der Talsohle Sedimente der Ur-Mosel aus Kies, Sand und Lehm, teilweise vermischt mit Schiefer.

Rebfläche 5.650 ha, Weißwein 91 %, Rotwein 9 %

Rebsorten Riesling, Müller-Thurgau, Spätburgunder, Weißburgunder, Dornfelder

Geschichte Hier begegnet man Geschichte auf Schritt und Tritt. Römische Villen und Kelteranlagen, Fachwerkdörfer, barocke Gutshäuser und Weinhändlervillen aus der Gründerzeit reihen sich aneinander.

Besonderheiten In vielen Steilhängen stehen Rieslingreben, die bereits vor 100 bis 150 Jahren gepflanzt wurden und deren kleine, aromatische Beeren Weine mit besonderem Charakter hervorbringen.

WEINGÜTER

22
ALTER WEINHOF
Hauptstraße 69
54492 Erden

23
BENDER WEIN
Ausoniusstraße 25
54340 Leiwen

24
BISCHÖFLICHE WEINGÜTER TRIER
Gervasiusstraße 1
54290 Trier

25
WEINGUT BLEES-FERBER
Liviastraße 1a
54340 Leiwen

26
HERIBERT BOCH
Moselweinstraße 62
54349 Trittenheim

27
FRANK BROHL
Zum Rosenberg 2
56862 Pünderich

28
CLEMENS BUSCH
Kirchstraße 37
56862 Pünderich

29
WEINGUT CASPARI-KAPPEL
Am Steffensberg 29
56850 Enkirch

30
JOH. JOS. CHRISTOFFEL ERBEN
Mönchhof
54539 Ürzig

31
ANSGAR CLÜSSERATH
Spielesstraße 4
54349 Trittenheim

32
WEINGUT CLÜSSERATH-EIFEL
Im Hof 6
54349 Trittenheim

33
WEINGUT CLÜSSERATH-WEILER
Brückenstraße 9
54349 Trittenheim

34
FRANZ-JOSEF EIFEL
Engelbert-Schue-Weg 2
54349 Trittenheim

35
MÖNCHHOF ROBERT EYMAEL
Mönchhof
54539 Ürzig

36
WEINGUT GEHLEN-CORNELIUS
Weingartenstraße 33
54472 Brauneberg

37
ALBERT GESSINGER
Moselstraße 9
54492 Zeltingen

38
WEINGUT GRANS-FASSIAN
Römerstrasse 28
54340 Leiwen

39
WILLI HAAG
Burgfriedenspfad 5
54472 Brauneberg

WEINGÜTER

40
FRITZ HAAG – DUSEMONDER HOF
Dusemonder Straße 44
54472 Brauneberg

41
WEINGUT HAIN
Am Domhof 5
54498 Piesport

42
C. A. HAUSSMANN
Bernkasteler Weg 15
56841 Traben-Trarbach

43
HEINRICHSHOF
Chur-Kölner-Straße 23
54492 Zeltingen

44
DIETER HOFFMANN
Kettergasse 24
54498 Piesport

45
CLASSISCHES WEINGUT HOFFRANZEN
Schulstraße 22
54346 Mehring

46
WEINGUT IMMICH-BATTERIEBERG
Im Alten Tal 2
56850 Enkirch

47
KARTHÄUSERHOF
Karthäuserhof 1
54292 Trier-Eitelsbach

48
WEINGUT KEES-KIEREN
Hauptstraße 22
54470 Graach

49
WEINGUT KERPEN
Uferallee 6
54470 Bernkastel-Wehlen

50
NIKOLAUS KÖWERICH
Maximinstraße 11
54340 Leiwen

51
WEINGUT GESCHWISTER KÖWERICH
Beethovenstraße 27
54340 Köwerich

52
SCHLOSSGUT LIEBIEG
Krainstraße 5
54340 Klüsserath

53
SCHLOSS LIESER THOMAS HAAG
Am Markt 1–5
54470 Lieser

54
WEINGUT LOERSCH
Tannenweg 11
54340 Leiwen-Zummethöhe

55
CARL LOEWEN
Matthiasstraße 30
54340 Leiwen

56
WEINGUT DR. LOOSEN
St. Johannishof 1
54470 Bernkastel-Kues

57
WEINGUT LORENZ
Neustraße 6
54340 Detzem

WEINGÜTER

58
WEINGUT GEBRÜDER LUDWIG
Im Bungert 10
54340 Thörnich

59
WEINGUT MELSHEIMER
Dorfstraße 21
56861 Reil

60
WEINGUT MEULENHOF
Zur Kapelle 8
54492 Erden

61
MARKUS MOLITOR
Haus Klosterberg
54470 Bernkastel-Wehlen

62
INGO NORWIG
Am Frohnbach 1
54472 Burgen

63
PAULINSHOF
Paulinstraße 14
54518 Kesten

64
AXEL PAULY

Hochstraße 80
54470 Lieser

65
WEINGUT PHILIPPS-ECKSTEIN
Panoramastraße 11
54470 Graach-Schäferei

66
JOH. JOS. PRÜM
Uferallee 19
54470 Bernkastel-Wehlen

67
S. A. PRÜM
Uferallee 25–26
54470 Bernkastel-Wehlen

68
WEINGUT FAMILIE RAUEN
Hinterm Kreuzweg 5
54340 Thörnich

69
REBENHOF
Hüwel 2–3
54539 Ürzig

70
F-J REGNERY

Mittelstraße 39
54340 Klüsserath

71
RÖMERHOF
Burgstraße 2
54340 Riol

72
CLAES SCHMITT ERBEN
Moselweinstraße 43
54349 Trittenheim

73
WEINGUT SCHMITT-KRANZ
Hauptstraße 20
54340 Riol

74
WEINGUT SCHMITZ-HERGES
Goethestraße 2
54470 Bernkastel-Kues

75
WEINGUT SELBACH-OSTER
Uferallee 23
54492 Zeltingen

WEINGÜTER

76
SORENTBERG
Fischelstraße 26
56861 Reil

77
ST. NIKOLAUS-HOF
Mühlenstraße 44
54340 Leiwen

78
P. STETTLER-SÖHNE

Moselstraße 10
54470 Lieser

79
RIESLING-WEINGUT ALFONS STOFFEL
Maximinstraße 15
54340 Leiwen

80
WEINGUT THANISCH
Moselstraße 57a
54470 Lieser

81
WWE. DR. H. THANISCH ERBEN THANISCH
Saarallee 31
54470 Bernkastel-Kues

82
DR. H. THANISCH, ERBEN MÜLLER-BURGGRAEF
Junkerland 14
54470 Bernkastel-Kues

83
JULIUS TREIS
Fischelstraße 24–26
56861 Reil

84
MICHAEL TROSSEN
Jesuitenhofstraße 42
54536 Kröv

85
STIFTUNGSWEINGUT VEREINIGTE HOSPITIEN
Krahnenufer 19
54290 Trier

86
WEINGÜTER WEGELER – GUTSHAUS MOSEL
Martertal 2
54470 Bernkastel-Kues

87
NIK WEIS – ST. URBANS-HOF
Urbanusstraße 16
54340 Leiwen

88
WEINGUT WERNER
Römerstraße 17
54340 Leiwen

Alter Weinhof

Neueinsteiger

Hauptstraße 69, 54492 Erden
T +49 (0) 6532 4026
www.alter-weinhof.de

Verbände Ecovin, Demeter
Rebfläche 2,7 ha
Verkaufszeiten
nach Vereinbarung

Der Alte Weinhof, den Familie Krämer bewirtschaftet, ist längst nicht „old fashioned“, ganz im Gegenteil. Hier wird zeitgemäß biodynamisch gewirtschaftet, seit 2018 ist das Weingut offiziell zertifiziert und gehört dazu der Vereinigung Demeter an, die für die Weinproduktion strenge Richtlinien vorschreibt. Zwar sind es nur rund drei Hektar, auf denen die Reben der Krämers wachsen, aber das Angebot an trocken bis lieblich ausgebauten Weinen ist dank der unterschiedlichen Rebsorten umfangreich und vielfältig. Ausgebaut werden alle Weine im Schongang und vergären spontan ohne Zugabe von chemischen Hilfsmitteln. Zum Weingut gehört auch ein Gästehaus mit gemütlich eingerichteten Zimmern. Von der Terrasse aus hat man einen herrlichen Blick auf die Felsen der Erdener Weinlagen.

2019 Erdener Busslay Kerner Spätlese 
6,50€ · 9,5%
Ungemein saftig und gehaltvoll, feine Würze gepaart mit ordentlich Süße, ideal zu mehrjährig gereiftem Bergkäse.

2019 Erdener Treppchen Riesling Spätlese 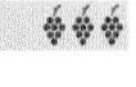
9€ · 9%
Der herrliche Duft von getrockneten Aprikosen und Feigen steht im Vordergrund, Restsüße und eine passable Säure kommen hinzu. Das schenkt dem Wein Stabilität für eine lange Lagerung.

2019 Zeltinger Schloßberg Riesling Spätlese feinherb 
8€ · 11,5%
Straffer jugendlicher Auftritt, reife kandierte Ananas – Apéro to go!

Bender Wein

Neueinsteiger

Ausoniusstraße 25,
54340 Leiwen
T +49 (0) 6507 9397 046
www.bender-wine.com

Andreas Bender kann man getrost einen Wanderer zwischen den Welten nennen. Denn einerseits fühlt sich der junge Winzer der handwerklichen Tradition des Weinbaus verpflichtet und legt besonderen Wert auf sorgfältige Weinbergsarbeit und eine zurückhaltende, aber zielgerichtete Kellerarbeit. Auf der anderen Seite propagiert er ein neues urbanes „Wein-Denken“ und setzt auf modernes Marketing. Die Weine kommen nicht nur von eigenen Trauben, Andreas Bender kooperiert auch mit Traubenproduzenten, mit denen er im ständigen Austausch steht und die seine hohen Qualitätsvorgaben erfüllen. An Erfahrung bringt Bender einiges mit, nach lehrreichen Stationen in mehreren deutschen Weingütern verfeinerte er sein Wissen bei Aufenthalten in den USA, Frankreich, Österreich und Italien. Ein junger Winzer, der mit Leidenschaft sein Ziel verfolgt, Weine für ein modernes und kosmopolitisches Publikum zu produzieren.

Inhaber Andreas Bender
Rebfläche 22 ha
Produktion 180.000 Flaschen
Gründung 2010
Verkaufszeiten
nach Vereinbarung

2014 Dhron Hofberger Riesling Spätlese
15€ · 8%
Große Harmonie mit einem traumhaften Säurespiel zeichnen diesen Wein aus. Ein guter Zug beschleunigt den Trinkfluss, der in einen fantastischen Nachhall mündet.

2018 Leiwener Laurentiuslay Riesling Kabinett
12,95€ · 7,5%
Reife Aromatik mit Akazienhonignoten, kompakt und druckvoll am Gaumen mit feiner Salzigkeit im Finale.

2018 Mehringer Blattenberg Riesling Kabinett
12,95€ · 8%
Ungemein dicht und cremig, mit einem animierenden Spiel von Restsüße und Salzigkeit.

♥ **2019** Riesling „Dajoar Zenit GG" feinherb
14,95€ · 11,5%

2019 Riesling „Dajoar" halbtrocken
8,95€ · 11,5%

2019 Riesling „Paulessen Zenit GG"
14,95€ · 13%

2019 Riesling „Paulessen"
8,95€ · 12%

2019 Schweicher Annaberg Riesling
12,95€ · 12%

2019 Weißburgunder
9,95€ · 13%

2015 Dhron Hofberger Riesling Auslese
17,50€ · 8%
Große Dichte und feine Cremigkeit mit guter Länge empfehlen diesen ungemein harmonisch gebauten Riesling.

2018 Leiwener Laurentiuslay Riesling Auslese
30€ · 7,5%
Ein kraftvoller Auftritt, gepaart mit einer schönen Lebendigkeit. Ein bezauberndes Finale und eine goldene Zukunft zeichnen diesen großen Wein zusätzlich aus.

2018 Leiwener Laurentiuslay Riesling Trockenbeerenauslese
150€ · 7,5%
Die ungemein schöne Bernsteinfarbe betört zuerst einmal das Auge, dann folgte eine große zuckersüße Dichte, gepaart mit einer unerwarteten Frische, die im Finale überraschend mit Salzkaramell wunderschön aufgelöst wird.

2018 Riesling „Hofpäsch Zenit" Auslese
25€ · 8%
Kraftvolle Süße gepaart mit einer fast ungeheuerlichen Perspektive in die Zukunft, zum Niederknien.

2018 Schweicher Annaberg Riesling Beerenauslese

95€ · 7%

Safran-Noten in der Nase, gefolgt von Maracuja am Gaumen, mit über 200 g Zucker ordentlich süß, aber durch ein feines Gerbstoffgerüst gar nicht opulent.

2018 Schweicher Annaberg Riesling Trockenbeerenauslese

auf Anfrage · 8%

Ungemein reif und doch jugendlich frisch ist diese Beerenauslese, für uns der stärkste Wein im edelsüßen Benderschen Riesling-Kosmos.

Bischöfliche Weingüter Trier

Gervasiusstraße 1, 54290 Trier
T +49 (0) 651 1457 60
www.bischoeflichewein gueter.de

Inhaber Bischöfliches Priesterseminar Trier, Bischöfliches Konvikt Trier, Hohe Domkirche Trier
Betriebsleiter Julia Lübcke
Kellermeister Johannes Becker
Rebfläche 130 ha
Produktion 620.000 Flaschen
Verkaufszeiten
Mo–Fr 9–18 Uhr
Sa 10–14 Uhr

Die alte Römerstadt Trier ist voller Spuren der Kirche, dazu gehören nicht nur eindrucksvolle Palais und Gotteshäuser, sondern auch ein stattliches Weingut, das insgesamt 130 Hektar Rebfläche bewirtschaftet. Nicht kleckern, sondern klotzen, die Lagen erstrecken sich von Erden im Norden bis Ayl im Süden und liegen in allen drei Flusstälern Mosel, Saar und Ruwer. Da hat der liebe Gott sein Füllhorn ausgeschüttet und das Weingut mit reichlich Potenzial für gute und beste Weine gesegnet. Eine neue Führungsmannschaft mit Bodenhaftung ist seit dem Jahrgang 2020 unter der Leitung von Julia Lübcke für Produktion und Vermarktung der Weine verantwortlich, die in den Qualitäten Guts- und Ortsweine zur Hälfte spontan vergoren und im Edelstahl ausgebaut werden. Alle Lagenweine werden in den historischen Kellergewölben unterhalb der Stadt in traditionellen Fuderfässern spontan vergoren und bis Sommer auf der Feinhefe belassen.

2017 Trittenheimer Apotheke Riesling „Reserve"

29€ · 12%

Ready, steady – go! Ein würziger, offener Wein, der mit Mundfülle und Trinkfluss aufwartet.

2019 Ayler Kupp Riesling Kabinett

10,90€ · 8,5%

Etwas Botrytis, die gut eingepackt ist von Fenchel, Anis und Bohnenkraut, die Säure gibt den entscheidenden Kick. Hervorragend zum Lamm-Navarin.

2019 Kaseler Nies'chen Riesling Spätlese feinherb
13,90€ · 11%
Ein Klassiker von der Ruwer. Cremig, kühl und enorme Länge.

2019 Wiltinger Riesling Kabinett trocken
9,90€ · 12%

2020 Bernkasteler Riesling feinherb
8,90€ · 12%
Coole Spontinase und sehr charaktervoll. Ein Mix aus Frucht und herzhafter Schieferwürze.

2018 Spätburgunder „Pinot Noir"
18€ · 14%
Lagerfeuer-Romantik im Glas. Tolle Balance von Eleganz und Finesse, die in einigen Jahren erst ihr volles Potenzial zeigen wird.

Weingut Blees-Ferber

Liviastraße 1a, 54340 Leiwen
T +49 (0) 6507 3152
www.blees-ferber.de

Inhaber Stefan Blees
Verbände Leiwener Jungwinzer
Rebfläche 11 ha
Produktion 80.000 Flaschen
Verkaufszeiten
nach Vereinbarung

Wie schön und praktisch, wenn man einen Weinberg direkt vor der Tür hat. Wie etwa das Weingut von Stefan Blees, das am Ortsrand von Leiwen liegt und umgeben ist vom Hausweinberg, dem Leiwener Klostergarten. Aber das ist natürlich noch nicht alles. Blees hat noch Parzellen in exponierten Lagen der Mittelmosel, seine Rieslinge stehen in Piesporter, Trittenheimer und Neumagener Weinbergen, immer in Steilhängen und immer auf mineralischen Schieferböden. Ihren besonderen Schliff bekommen die Gewächse aus der Idee heraus, ihnen Zeit zu geben, um zu charaktervollen Weinen reifen zu können. Denn Stefan Blees sieht seine vornehmliche Aufgabe als Winzer darin, das unverwechselbare Terroir der exponierten Mosel-Lagen durch eine behutsame und geduldige Vinifizierung zu erhalten und am Gaumen deutlich zu machen.

2019 Neumagener Sonnenuhr Riesling „Non Plus Ultra" 
15,50€ · 12,5%
Die Aromen öffnen sich gemächlich und spannen einen weiten Bogen, buttriger Schmelz erinnert an köstliches Popcorn und bildet einen reizvollen Kontrapunkt zur straffen Säure.

2020 Piesporter Gärtchen Riesling Spätlese feinherb
10€ · 11%
Verhaltene Nase, im Mund holt der Wein aus und schleudert mit aller Kraft seine feinsten Aromen ins Glas, Power pur.

2019 Neumagener Sonnenuhr Riesling „Non Plus Ultra" Trockenbeerenauslese

69€ · 6,5%

Eine Trockenbeerenauslese mit Feuer! Noch ein wilder Jugendlicher, rauchig und fast scharf, aber mit hoher Komplexität und dem Potenzial, noch ganz groß zu werden.

♥ **2019** Piesporter Goldtröpfchen Riesling „***" Spätlese

10€ · 7,5%

Wunderbare Aromatik von Akazienhonig, die von leicht rauchigen Noten begleitet wird. Ganz frisch am Gaumen durch seine vitale Säure und die toll balancierte Fruchtsüße.

Heribert Boch

Moselweinstraße 62,
54349 Trittenheim
T +49 (0) 6507 2713
www.weingut-boch.de

Inhaber Michael Boch
Rebfläche 9,5 ha
Produktion 70.000 Flaschen
Verkaufszeiten
Mo–Sa 9–12 Uhr und 14–18 Uhr
So 10–14 Uhr
und nach Vereinbarung

1989 übernahm Winzermeister Michael Boch das (damals noch sehr) kleine Familienweingut in Trittenheim, seit 1999 wird er von seiner Frau, der Betriebswirtin Anne Boch, unterstützt. Und die nächste Generation ist ebenfalls mit Herzblut im Thema, Sohn Maximilian sammelte seine Erfahrungen unter anderem im St. Urbanshof, bei Wittmann und Egon Müller und ist nun auf dem Weg, Weingutstechniker zu werden. Knappe zehn Hektar Rebfläche bewirtschaftet die Familie Boch vor allem in den Lagen um Trittenheim – auch in den absoluten Prestigelagen Apotheke und Altärchen. Der Fokus liegt mit 60 Prozent Anteil klar beim Riesling, der naturnah angebaut wird und seine Sorten- und Lagentypizität immer zeigen soll. Wir hatten die große Freude, drei Rieslinge aus der Trittenheimer Apotheke verkosten zu dürfen, die uns blind bereits vollumfänglich überzeugen konnten. Beim Blick auf die sehr humanen Preise kann man nicht umhin und muss das eher strapaziert klingende Wort vom Preis-Leistungs-Verhältnis bemühen, das selten so überzeugt wie bei den Boch-Weinen. Ein echter Geheimtipp an der Mosel – zumindest noch.

2019 Trittenheimer Apotheke Riesling Kabinett trocken
7,90€ · 12%
Rustikaler Kabinett mit Konzentration und vom Schiefer geprägt. In geselliger Runde am Esstisch ein perfekter Begleiter.

2019 Trittenheimer Apotheke Riesling „Urstück" Spätlese trocken
10,20€ · 13%
Ein großer Wein. Bleistift, Streichholz und Schießpulver im Auftakt, unfassbar mundwässernd und freudig, explosiv und mineralisch. Ein vielschichtiger, emotionaler und mitreißender Riesling, der mit viel Mut sein Ding durchzieht.

2019 Trittenheimer Apotheke Riesling Auslese
18€ · 7,5%
Die pure Exotik im Glas. Am Gaumen dann so verspielt und frei, dass es eine Freude ist. Ein Wein mit großer Zukunft.

Frank Brohl Neueinsteiger

Zum Rosenberg 2,
56862 Pünderich
T +49 (6542) 22148
www.weingut-brohl.de

Inhaber Frank & Jutta Brohl
Verbände Ecovin
Rebfläche 7 ha
Produktion 50.000 Flaschen
Gründung 1983
Verkaufszeiten
Mo–Fr nach Vereinbarung

Das Weingut von Frank und Jutta Brohl sollte man auf der Liste haben, wenn man die Mittelmosel besucht und auf der Suche nach guten Weinen durch die bekannten und weniger bekannten Beriebe tingelt. Denn die beiden engagierten Winzer holen aus den steilen, naturnah ökologisch bearbeiteten Pündericher Schieferhängen regelmäßig vollreife gesunde Trauben, aus denen sie charaktervolle Weine vinifizieren. Das klingt relativ einfach, ist aber jedes Jahr eine neue Herausforderung, die Frank und Jutta Brohl immer wieder aufs Neue meistern. In ihrem attraktiven Angebot finden sich auch noch ältere gereifte edelsüße Schätzchen bis zurück in den 2010er Jahrgang. Mit zwei schick ausstaffierten Ferienwohnungen bietet der Familienbetrieb einen zusätzlichen Anreiz für einen ausgedehnten Besuch.

2019 Pündericher Marienburg Riesling „Rosenberg" Spätlese trocken

12,90€ · 12,8%
Back to the 90s. Messerscharfe Säure und frische animierende Frucht. Dazu Anklänge von Kräutern und Süßholz.

2019 Pündericher Marienburg Riesling „S-Sential" Kabinett feinherb

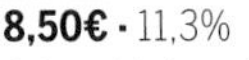

8,50€ · 11,3%
Scheu blicken die Aromen aus dem Glas hervor. Sehr leise, aber dennoch spielerisch, fast filigran auf der Zunge.

2019 Pündericher Nonnengarten Riesling Spätlese trocken

11€ · 12,3%
Liebstöckel, Schießpulver und mineralisch im Auftakt, viel Spannung und Zug am Gaumen. Im Abgang ein gewisser Biss und richtig viel Substanz, die diesem Wein ein sehr langes Leben ermöglichen werden.

2019 Reiler Goldlay Riesling Spätlese feinherb

11€ · 12,4%
Verschlossen, geheimnisvoll, fordernd. Große Freude wird der Wein in der Reife schenken.

2019 Riesling „Alte Reben 1889" Spätlese trocken

12,90€ · 12,5%
Verspielt und filigran, duftet wie ein Schieferhang nach einem Sommerregen.

2020 Riesling „Heartbreak"

8€ · 11%
Fruchtgummi, moderner Sommerwein, der Spaß macht und als Solist durchaus gut unterhalten kann.

Clemens Busch

Kirchstraße 37,
56862 Pünderich
T +49 (0) 6542 1814 023
www.clemens-busch.de

Inhaber Clemens Busch
Betriebsleiter Clemens & Johannes Busch
Kellermeister Clemens & Johannes Busch
Verbände VDP, respekt-BIODYN, Renaissance des Appellations
Rebfläche 17 ha
Produktion 100.000 Flaschen
Verkaufszeiten
Mo–Sa nach Vereinbarung

Clemens Busch gehört zweifellos zu den kompromisslosesten Winzern an der Mosel. Ein Mann wie seine Weine: eher karg und ein bisschen schwer zugänglich am Anfang, aber am Ende, wenn man ein wenig Zeit mitbringt, nicht nur faszinierend, sondern auch unvergesslich in der Charakteristik. Dass er zu den absoluten Bio-Revoluzzern und Innovatoren gehört, ist längst wohl bekannt. Die Arbeit am Weingut erfolgt rein biodynamisch, sei es durch das Ausbringen von Tees und Extrakten zur Pflanzenstärkung, der Pflege von Insekten und Nützlingen, um ein biologisches Gleichgewicht im Weinberg zu erhalten, oder den Einsatz von Thüringer Waldziegen, die ganz natürlich der Verbuschung der Weinberge entgegenwirken. Im Keller werden die Weine – zu 99 % Riesling – im traditionellen Fuderfass spontan vergoren und mit langem Hefelager und viel Zeit ausgebaut. Handarbeit ist am Weingut obligatorisch – auch weil Busch ausschließlich Steillagen bewirtschaftet. Dass die Weine von Busch weit über die Landesgrenzen hinaus bekannt geworden sind, liegt nicht nur am Eigensinn des Winzers. Sie zeigen selbst so etwas wie einen persönlichen Charakter, der sie unverwechselbar macht. Und das nicht nur, weil die jeweiligen Schieferarten, auf denen der Riesling gewachsen ist, an der Kapselfarbe erkennbar sind. Die Busch-Weine sind lebendig. Zum Glück für uns alle ist die Nachfolge in Pünderich gesichert. Inzwischen werden Clemens und seine Frau Rita Busch auch von ihrem Sohn Johannes unterstützt, der das Weingut übernehmen wird.

2019 Marienburg Riesling „Fahrlay" GG

32€ · 13%
Animierend elegante und feine Exotik balanciert im Wechsel verspielt mit typischer Schieferaromatik. Ein Wein, der mit Luft sein ganzes Potenzial zeigt.

2019 Marienburg Riesling „Rothenpfad" GG

28€ · 12,5%
Komplexe Schieferwürze, frische Kräuter und Limette, pikant zum Sauerampfersüppchen.

2019 Marienburg Riesling „vom blauen Schiefer"

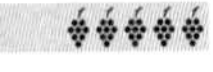

18,50€ · 12,5%
Schon beim ersten Schluck sehr ausdrucksstark und zum nächsten einladend. Fast seidig wie ein ganz glatter Schieferstein.

2019 Marienburg Riesling Trockenbeerenauslese

auf Anfrage · 6%
Bei einer Trockenbeerenauslese denkt man erst an honigartige Tropfen. Dieser ist schlank und unaufgeregt, schon fortgeschritten für 2019, aber lässt keine Zweifel am steigenden Potenzial aufkommen.

Weingut Caspari-Kappel
Am Steffensberg 29,
56850 Enkirch
T +49 (0) 6541 6348
www.caspariwein.de

2019 Sauvignon Blanc

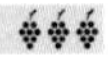

8,50€ · 13%
Grünere Paprika als hier in der Nase gibt es nur gefüllt in der Kantine. Aber – selten sind sie so gut gemacht.

Joh. Jos. Christoffel Erben

Mönchhof, 54539 Ürzig
T +49 (0) 6532 93164
www.moenchhof.de

Inhaber Weingüter M&C Management GmbH
Betriebsleiter Philippe Conzen
Kellermeister Philippe Conzen

Tradition ist für das nur rund vier Hektar große Weingut in Ürzig die Grundlage, auf der Riesling in modernem Stil vinifiziert wird. Mehr als 400 Jahre Weinbaugeschichte sind ein Pfund. Betriebsleiter und Kellermeister Philippe Conzen nutzt für seine Weine die herausragenden Lagen, die im Laufe der Jahrhunderte zusammengetragen wurden und heute das solide Fundament des Weingutes bilden. Alle Weinberge liegen denn auch in den besten Steillagen von Ürzig und Erden, teilweise sind die wurzelechten Rebstöcke 100 Jahre alt. Wie zu allen Zeiten im Traditionsbetrieb, so baut auch Philippe Conzen die spontan vergorenen Weine im moseltypischen Fuderfass aus, frei von jeglichen chemischen Zusatzmitteln. Mosel pur, mit klaren Aromen der Schieferböden, Weine, die seit vier Jahrhunderten ihren angestammten Platz in der Region haben.

Rebfläche 4 ha
Produktion 35.000 Flaschen
Verkaufszeiten
Mo–Fr 9–16 Uhr
und nach Vereinbarung

♥ **2019** Ürziger Würzgarten Riesling Spätlese 🍇🍇🍇
14,90€ · 8%
Eingelegter Pfirsich und Karamell als Kopfnote und dann mit einem Zug am Gaumen, der einfach Spaß macht.

2019 Ürziger Würzgarten Riesling „GG" 🍇🍇🍇
17,90€ · 13%
Eigensinnig und anspruchsvoll, dieser Riesling aus dem Ürziger Würzgarten wirkt mit einer gewissen Tendenz zum Polarisieren. Sehr jodig und salzig am Gaumen, vielleicht nicht für jeden etwas, aber für Riesling-Fans genau das Richtige.

2019 Ürziger Würzgarten Riesling Auslese 🍇🍇🍇🍇🍇
29,90€ · 8%
Im Auftakt Noten von Lakritze, Pastis und Anis, die einen opulenten ersten Eindruck machen. Am Gaumen dann so klar und tief wie ein Bergsee mit beeindruckender Balance.

Ansgar Clüsserath

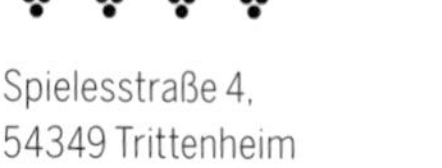

Spielesstraße 4,
54349 Trittenheim
T +49 (0) 6507 2290
www.ansgar-cluesserath.de

Inhaber
Eva Clüsserath-Wittmann
Rebfläche 5 ha
Produktion 38.000 Flaschen
Gründung 1670
Verkaufszeiten
nach Vereinbarung

Der Clan der Clüsseraths hat einige bekannte Weingüter an der Mosel hervorgebracht, so auch den Betrieb von Ansgar Clüsserath und seiner Tochter Eva. Die wiederum hat ihre zweite Heimat in Rheinhessen gefunden, seit sie mit dem Winzer Philipp Wittman verheiratet ist und ihn in seinem Weingut in Westhofen unterstützt. Eine Wanderin zwischen den Weinwelten, denn auch in ihrem elterlichen Betrieb an der Mosel ist Eva Clüsserath aktiv und für den Keller verantwortlich. Und aus dem kommen Jahr für Jahr elegante Rieslinge in betörender Leichtigkeit, unkompliziert, aber dennoch facettenreich und vor allem konzentriert auf den Punkt gebracht, um viel Trinkfreude in Glas und Gaumen zu bringen. Eva Clüsserath-Wittmann steht für eine neue Winzergeneration und deren typischen Moselweine in moderner Stilistik, die den einzigartigen Charakter der Steillagen und die Typizität des Bodens spiegelbildlich im Wein abbilden.

2018 Trittenheimer Apotheke Riesling Spätlese 🍇🍇🍇
15,50€ · 8,5%
Gut entwickelte, reife Rieslingnoten prägen diese Bilderbuch-Spätlese. Am Gaumen weich und saftig, alles ist da und wird so noch lange bleiben, dazu frische Himbeeren, am besten aus dem Wald, sonst bitte nichts!

2019 Riesling „Vom Schiefer"
9,50€ · 11%
Fantastischer „Einstiegswein" mit großen kulinarischen Verwendungsmöglichkeiten, vom anregenden Aperitif zum Begleiter von Sashimi und Sushi bis hin zum Solisten für eine lange Nacht.

2019 Trittenheimer Apotheke Riesling Kabinett
13€ · 8,5%
Enorm verspielte und animierende Aromatik, die auf einem fest konturierten Körper aufbaut und in ein schier endloses Finale mündet, am besten zu einem gelben Thai-Curry mit Kokosmilch.

2019 Trittenheimer Apotheke Riesling „Apotheke"
26,50€ · 12%
Was für ein Auftritt, muskulös, ohne muskelbepackt zu sein. Hier trifft maximale Eleganz auf eine straff gebaute Statur, die sehr fokussiert in die Zukunft zeigt.

2019 Trittenheimer Riesling „Steinreich"
14,60€ · 11,5%
Herrlich saftig mit gutem Druck am Gaumen besticht dieser harmonisch ausbalancierte Riesling mit viel Finesse am Gaumen. Mundwässernd, deshalb am besten gleich zum Auftakt eines festlichen Abends.

2019 Trittenheimer Apotheke Riesling Auslese
23€ · 8,5%
Die mit einem wunderbar klaren Säurenerv fein verwobene Süße ist schon in der Nase spürbar und setzt sich am Gaumen druckvoll fort, bevor sie in ein endloses Finale mündet. Harmonie pur!

Weingut Clüsserath-Eifel

Im Hof 6, 54349 Trittenheim
T +49 (0) 6507 99001
www.cluesserath-eifel.de

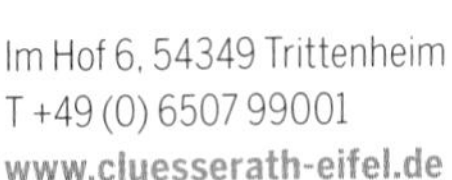

Gerhard Eifel hat sein kleines Weingut vor rund zwei Jahren an Stefan und Dr. Karin Lergenmüller verkauft, die auch im Besitz des Weinguts Schloss Reinhartshausen im Rheingau sind. Damit ging zwar die Ära der Winzerfamilie Clüsserath-Eifel zu Ende, aber das exklusive Weingut, das nur etwas mehr als vier Hektar Rebfläche bewirtschaftet, wird weiter unter dem traditionsreichen Namen geführt. Gerhard Eifel weiß seinen Betrieb nun in guten Händen und die Lergenmüllers, die ursprünglich aus der Pfalz stammen, wissen die Weinberge in den Steillagen zu schätzen, in denen noch teils 120 Jahre alte wurzelechte Reben stehen. Die Umstellung auf eine biologische Bewirtschaftung ist eingeleitet. Stefan Lergenmüller setzt bei der Ernte auf kerngesunde und vor allem handverlesene Trauben, die im historischen Gewölbekeller der Gutsvilla ohne jegliche Zusätze und ohne modernen Technikeinsatz vinifiziert werden.

Inhaber Stefan Lergenmüller
Verbände Bernkasteler Ring
Rebfläche 4,2 ha
Produktion 25.000 Flaschen
Gründung 1745
Verkaufszeiten
nach Vereinbarung

2019 Klüsserather Bruderschaft Riesling „Treppenwingert GG" ♦♦♦
42,95€ · 12,5%
Generation Riesling! Gute Reife, feine Säure, viel Saft und große Balance geprägt von 70 Jahre alten Reben, dazu Risotto mit Grünspargel.

2019 Leiwener Laurentiuslay Riesling „Alte Reben" Kabinett ♦♦♦
17,95€ · 9,5%
Ein Wein, der zuerst hoch fliegt und hell leuchtet und dann Tiefgang und Länge zeigt. Nimmt einen mit auf eine wilde Reise.

2019 Lorenziusberg Riesling „Trittenheimer Apotheke GG" ♦♦♦♦
39,95€ · 12,5%
Grandioser, linearer Wein mit zarter Restsüße, die gehalten wird von feingliedriger Säure. So entsteht ein filigranes Geschmacksbild.

2019 Neumagener Rosengärtchen Riesling Kabinett feinherb ♦♦♦
21,95€ · 11,5%
Explosive Frucht, hohe Saftigkeit mit expressiver Säure von perfekt gereiften Beeren, dennoch ein verspielter Nachhall – das ergibt ein rundes klares Riesling-Bild.

2019 Trittenheimer Altärchen Riesling 1. Lage ♦♦♦
17,95€ · 12%
Sehr konzentriert und mineralisch, der Schieferboden schimmert durch und zeigt einen Mosel-Riesling wie gemalt.

2019 Trittenheimer Apotheke Riesling Kabinett feinherb ♦♦♦♦
18,95€ · 11,5%
Ein Kabinett zum Philosophieren, ungemein auf Harmonie angelegt, mit zurückhaltender Süße und sanfter Säure.

2019 Trittenheimer Apotheke Riesling „Fährfels Anno 1900 GG" ♦♦♦♦
auf Anfrage · 12,5%
Mosel-Gôut par excellence. Zarte Aromen von Veilchen, viel Harmonie und sehr großes Potenzial. Jeder Schluck versetzt einen sofort auf diesen eindrücklichen Felsvorsprung.

2019 Trittenheimer Apotheke Riesling „Kaulsbohr – uralte Reben" ♦♦♦
29,95€ · 12%
Jugendliche Spannung von 88 Jahre alten Reben, die schöne Saftigkeit macht große Freude.

2019 Trittenheimer Apotheke Riesling „in den Gähteilen" Spätlese
auf Anfrage · 9,5%
Die hohe Süße findet ihren Gegenpart in ausgereifter Säure, einem gewaltigen Extrakt und Aromen von getrockneten Trauben.

Weingut Clüsserath-Weiler

Brückenstraße 9,
54349 Trittenheim
T +49 (0) 6507 5011
www.cluesserath-weiler.de

Inhaber Verena Clüsserath
Betriebsleiter Helmut Clüsserath
Kellermeister Verena Clüsserath
Verbände Moseljünger
Rebfläche 6,5 ha
Produktion 40.000 Flaschen
Gründung 1670
Verkaufszeiten April–Okt.
Mo–Fr 10–12 Uhr und 14–17 Uhr
Sa 10–12 Uhr
und nach Vereinbarung

Überreden mussten Helmut und Hilde ihre Tochter Verena nicht, Winzerin zu werden. Sie wusste schon von Kindesbeinen an, dass ihr beruflicher Platz im Familienweingut sein würde, und übernahm nach Studium von Weinbau und Önologie und diversen Stationen im In- und Ausland schließlich 2015 den elterlichen Betrieb. Eine gute Entscheidung für das kleine Weingut, das ausschließlich Riesling anbaut und diesen in besten Trittenheimer und Mehringer Lagen stehen hat. Doch nicht nur der Wein steht im Mittelpunkt des Familienguts. Weil Liebe eben doch durch den Magen geht, ist Verenas Ehemann Raphael Ianniello ein talentierter Spitzenkoch, der mit unterhaltsamen Kochkursen und Kochevents das Weingut zusätzlich bereichert. Eine gelungene Liaison, die für vinologisches und kulinarisches Gaumenkitzeln sorgt.

2019 Mehringer Zellerberg Riesling „Alte Reben" halbtrocken

17€ · 12,5%
Exotische reife Früchte wie Mango und Papaya, Currywürze und Koriander, zur Ente süßsauer.

2019 Riesling „Trittenheimer HC"
9,50€ · 12%
Moselanisch, angenehm trocken und mit viel Trinkfluss. Der Wein für spontane Treffen im Park, am Wasser oder zum Wandern.

♥ **2019** Trittenheimer Apotheke Riesling „Alte Reben"

17€ · 12%
Kräuterigkeit und Würze pur mit salziger Note am Gaumen. Ein freudiger Riesling-Typ für gesellige Stunden.

2019 Trittenheimer Apotheke Riesling „Fährfels" halbtrocken
29€ · 12,5%

2019 Trittenheimer Apotheke Riesling „Primus"
21€ · 12,5%
Etwas Tannin, gutes Säuregerüst, sehr reife Frucht mit einem Hauch Botrytis, Mandel und Marzipan.

Riesling „HC" brut
14€ · 12,5%
Eine richtige Aromabombe, voll Frucht und Leichtigkeit. Zum Apéro!

Franz-Josef Eifel

Engelbert-Schue-Weg 2,
54349 Trittenheim
T +49 (0) 6507 70009
www.fjeifel.de

Inhaber Franz-Josef Eifel
Verbände Ecovin
Rebfläche 5 ha
Produktion 35.000 Flaschen
Verkaufszeiten
nach Vereinbarung

Ob trocken, feinherb, feinfruchtig oder edelsüß ausgebaut: Franz-Josef Eifel ist auf allen geschmacklichen Terrains ein Meister seines Faches. Er selbst bezeichnet sich als Winzer aus Leidenschaft, und das muss er auch sein. Denn seine Reben stehen auf Kleinstterrassen in besten Trittenheimer Lagen, teilweise schwer zugängliche Steilhänge, die aufwendige und anstrengende Handarbeit erfordern, und das bei jedem Wetter. Dazu bewirtschaftet der Winzer seine Reben nach ökologischen Prinzipien, da ist ohnehin Fingerspitzengefühl gefragt. Was Franz-Josef Eifel nach selektiver Lese in den Keller bringt, sind denn auch vollreife aromatische und gesunde Trauben, die er schonend weiterverarbeitet. Vergoren wird mit der eigenen Hefe. Eifels Rieslinge sind ein Spiegelbild seiner Handarbeit und seiner Lagen, die zu den besten Riesling-Weinbergen der Welt zählen.

2019 Trittenheimer Apotheke Riesling Kabinett trocken
11€ · 11%
Charakterstarker junger Wilder mit markanter Säure.

2019 Trittenheimer Apotheke Steilhang Riesling „Alte Reben"
19€ · 12%
Opulente Frucht mit feinen frischen Aromen, Karamell und eine stabile Textur formen einen trockenen Wein mit großem Trinkfluss.

2019 Trittenheimer Apotheke Steillage Riesling „Sonnenfels GC“

35€ · 12,5%
Ein richtiger Bodybuilder, der seine Muskeln auch ohne Aufforderung spielen lässt. Klar definiert und ganz bei sich, dieser Wein muss sich keine Freunde suchen, sie finden ihn.

Mönchhof Robert Eymael

Mönchhof, 54539 Ürzig
T +49 (0) 6532 93164
www.moenchhof.de

Inhaber Weingüter M&C Management GmbH
Betriebsleiter Philippe Conzen
Kellermeister Philippe Conzen
Rebfläche 8 ha
Produktion 75.000 Flaschen
Verkaufszeiten
Mo–Fr 9–16 Uhr
und nach Vereinbarung

Was für eine erstaunliche Historie steckt hinter diesem altehrwürdigen Weingut. Ende des 12. Jahrhunderts als Besitz der Zisterzienserabtei Himmerod urkundlich erwähnt, kommt es erst im Zuge der Säkularisierung unter Kaiser Napoleon im Jahre 1804 in die Hände der Familie Eymael. Moselgeschichte zum Greifen, eingefangen in Rieslingen, die seit Jahrhunderten in den erstklassigen Ürziger und Erdener Lagen angebaut werden. Sie haben den acht Hektar großen Betrieb, den Philippe Conzen leitet, in aller Welt bekannt gemacht. Ausschließlich wurzelechte Reben stehen in den aufwendig bewirtschafteten Steilhängen, teilweise sind die Stöcke mehr als 100 Jahre alt. Der sehenswerte Gutshof ist immer eine Reise wert, die markanten Rieslinge des Mönchhofs ohnehin.

2019 Ürziger Würzgarten Riesling „Alte Reben“ Spätlese trocken 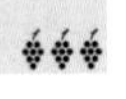

15,90€ · 12%
Brotkruste, Lindenblütenduft, sehr dichte Fruchtaromen. Bitte servieren zu Fleischküchle auf Frühlingslauch.

2019 Ürziger Würzgarten Riesling „Fass 33“ Spätlese feinherb 

14,90€ · 11%
Langanhaltend mit weißem Pfirsich und grünem Tee. Nicht der Klassenprimus, aber auch nicht viel weniger.

2019 Erdener Prälat Riesling Auslese 

29,90€ · 8%
Mit Rauch in der Nase und erfrischender Primärfrucht zeigt sich der Wein noch jugendlich, aber bereits kraftvoll und vielschichtig.

Weingut Gehlen-Cornelius

Weingartenstraße 33,
54472 Brauneberg
T +49 (0) 6534 496
www.gehlen-cornelius.de

Betriebsleiter Daniel Gehlen
Rebfläche 22 ha
Produktion 60.000 Flaschen
Gründung 1962
Verkaufszeiten
April–Okt.
Mo–Fr 8–18 Uhr
Sa–So 8–17 Uhr

Im Schatten der illustren Nachbargemeinden stehen die Weinberge rund um Brauneberg schon lange nicht mehr. Der kleine verträumte Weinort hat sich zu einem echten und verlässlichen Qualitätsfaktor an der Mittelmosel entwickelt, hier hat auch das Weingut der Familie Gehlen seine Heimat. Deren Rebhänge sind rund um den Betrieb angelegt, der stolze 22 Hektar Rebfläche besitzt, aus denen im Jahr circa 60.000 Flaschen Wein kommen. Zum großen Teil sind es klassische Rieslinge, aber Daniel Gehlen, der Chef im Weingut, hat auch Burgundersorten im Anbau, dazu einige kleine Partien Blaufränkisch und Syrah, zwei Rebsorten, die für die Mosel untypisch sind. Auch wenn die Brauneberger Juffer die bekannteste Lage des Ortes ist, holt Daniel Gehlen aus seinen Parzellen im Wintricher Ohligsberg ebenfalls bestes vollreifes Traubenmaterial, das im Keller sorgfältig und schonend vinifiziert wird. Das gutseigene Hotel ist von April bis Dezember geöffnet.

2019 Brauneberger Juffer Riesling Spätlese trocken
12€ · 13%
Kernig-herzhaft changierend, ebenso wechseln Würze und saftige Säure. Erbsenvelouté mit Eismeerkrabben.

2019 Sauvignon Blanc
7,90€ · 14%
Gewinnt einen Hauch Spannung durch seine Andersartigkeit, bevor der Alkohol übernimmt.

2020 Brauneberger Riesling „Schieferschatz" Spätlese feinherb
8,90€ · 12%
Das ist Preis-Leistung pur: saftig, animierend und grandios klassisch feinherb. Machen Sie Platz im Kühlschrank.

2018 Syrah „Cerberus"
19,90€ · 14,5%
Wilde Blaubeeren, Brombeeren und die Süße der Vollreife bringen genügend aromatischen Stoff zum cremigen Beerensüppchen mit Schmand.

Albert Gessinger

Moselstraße 9,
54492 Zeltingen
T +49 (0) 6532 2369
www.weingut-gessinger.de

Inhaber Sarah Gessinger
Verbände Bernkasteler Ring
Rebfläche 2,9 ha
Produktion 25.000 Flaschen
Gründung 1680
Verkaufszeiten
nach Vereinbarung

An guten Ideen mangelt es dem freundlichen Familienbetrieb in Zeltingen nicht. So hat man vor rund 20 Jahren im hauseigenen Brunnen eine limitierte Anzahl einer 1998er Zeltinger Sonnenuhr Riesling Auslese versenkt und parallel dazu den Wein im unterirdischen Gewölbekeller gelagert. Heute kann man die Vergleichsverkostung beider Rieslinge im Weingut machen oder für zu Hause bestellen. Es gibt aber im knapp drei Hektar großen Betrieb auch „normale" Weine. Aus den handwerklich bearbeiteten Parzellen in der Steillage Zeltinger Sonnenuhr kommen von wurzelechten Rebstöcken die Trauben, die zu Most verarbeitet im traditionellen Fuderfass spontan vergären und denen Sarah Gessinger ein langes Hefelager gönnt, um die lagenspezifischen Besonderheiten herauszuarbeiten und deutlich zu machen.

2019 Zeltinger Sonnenuhr Riesling „56 Grad" Spätlese feinherb

10,50€ · 11%
Konzentriert und animierend saftig, dabei an Holunderblütensirup erinnernd und schließlich in einem prägnanten Finale den Höhepunkt erreichend.

2019 Zeltinger Sonnenuhr Riesling „Hifflay GG"

18€ · 13,5%
Barock, tolle reife Frucht wie ein Aprikosenkompott, gewürzt mit feinem Waldhonig, die Säure macht Druck.

2019 Zeltinger Sonnenuhr Riesling „Rothlay" Spätlese trocken

9,90€ · 12,5%
Zu Beginn schon anspruchsvoll mit viel Fülle, zeigt sich mit Luft das große Entwicklungspotenzial. Als Speisebegleiter zu deftigen Gerichten ideal.

2018 Zeltinger Himmelreich Spätburgunder „Réserve privée"

13,50€ · 14%
Tiefenentspannter Rotwein, der mit Nuancen von Rosenholz, Rosine und Dörrpflaume ein eher dunkles Aromenspektrum bedient und wunderbar zu einer gebratenen Wachtel mit Balsamico-Linsen serviert werden kann.

♥ **2019** Zeltinger Sonnenuhr Riesling „Caldo Infernale®" Auslese

16€ · 7,5%
Sehr geheimnisvoll offenbart er sich nur nach und nach. Dabei kräuterig-nussig mit Karamell und enormem Tiefgang. Kaufen und im Keller vergessen.

Weingut Grans-Fassian

Römerstrasse 28,
54340 Leiwen
T +49 (0) 6507 3170
www.grans-fassian.de

Inhaber Gerhard Grans
Betriebsleiter Catherina Grans
Kellermeister Catherina Grans & Kilian Klein
Verbände VDP, Moseljünger
Rebfläche 12 ha
Produktion 100.000 Flaschen
Gründung 1624
Verkaufszeiten
nach Vereinbarung

Der kleine malerische Moselort Leiwen hat in Sachen Wein einiges zu bieten. Unter anderem das Weingut Grans-Fassian, das heute in 13. Generation von Catherina Grans geleitet wird. Einer sympathischen Powerfrau, die nach dem Studium von Weinbau und Önologie und einigen Praktika den Weg nach Hause gefunden hat. Für die Familie ein Glücksfall, denn die Erfolgsstory des Traditionsbetriebs geht damit nahtlos weiter. Mit der Hauptrebsorte Riesling ist man auf zwölf Hektar moseltypisch aufgestellt, ergänzt wird das Sortiment durch einige Burgundersorten. Außergewöhnliche Spitzenweine in unterschiedlichen Geschmacksstilistiken zu produzieren stand schon immer auf der Agenda des Betriebes, mit Kellermeister Kilian Klein und seiner Chefin Catherina Grans sind zwei ausgewiesene Spezialisten am Werk, die den hohen Anspruch mit jedem Jahrgang Realität werden lassen.

2019 Dhroner Hofberg Riesling GG

30€ · 12,5%
Komplexe feinkräuterige Nase, kraftvoll mit guter Länge und ebenso gutem Potenzial für eine lange Flaschenreife. Sehr gut vorstellbar zu einem Salat mit gebratenen Steinpilzen.

2019 Leiwener Laurentiuslay Riesling GG

30€ · 12,5%
Kraftvoller Auftritt, der eine ganz auf Zukunft gebaute Entwicklung erahnen lässt. Am Gaumen druckvoll mit aufregendem Spiel von strammer Säure und zarter Süße, ein Hoffnungsträger zum Weglegen.

2019 Piesporter Goldtröpfchen Riesling GG

30€ · 12,5%
Sanfte, harmonische Nase mit dezentem Fruchtspiel, das sich am Gaumen fortsetzt und gepaart mit einer beherzten Säure in ein vielversprechendes Finale mündet. Eine Ceviche als Food Pairing, wunderbar.

2019 Trittenheimer Apotheke Riesling GG

30€ · 12,5%
Feine, reife Riesling-Noten gefolgt von einer spürbar straffen Struktur am Gaumen mit markanter Säure bis ins Finale. Ideal zu Klassikern aus der Fischküche, wie Seezunge „Müllerin“.

Willi Haag

Burgfriedenspfad 5,
54472 Brauneberg
T +49 (0) 6534 450
www.willi-haag.de

Inhaber Marcus Haag
Verbände VDP
Rebfläche 7 ha
Produktion 45.000 Flaschen
Gründung 1600
Verkaufszeiten
nach Vereinbarung

Schon seit etwas mehr als 20 Jahren macht Marcus Haag mit seinen Weinen auf sich aufmerksam. Den Betrieb, der nach seinem Großvater Willi benannt ist und der heute rund sieben Hektar Rebfläche umfasst, hat er nach erfolgreichem Abschluss seines Weinbaustudiums 1997 übernommen und zu neuem Glanz geführt. Ein Geheimnis dafür gibt es nicht, Marcus Haag verbindet geschickt und erfolgreich die weinbauliche Tradition mit modernen Ansätzen der Technik in Weinberg und Keller. Ein Balanceakt, der Früchte trägt und der ihm Jahr für Jahr hervorragend gelingt. Haags Rieslinge gehen zur Hälfte in den Export, was die hohe Quote an restsüßen Weinen erklärt. Denn im Ausland wird die klassische und unverwechselbare Moselstilistik besonders geschätzt und Marcus Haag ist darin ein wahrer Meister seines Faches.

2019 Brauneberger Juffer-Sonnenuhr Riesling Spätlese
13,50€ · 8,1%
Sehr floral und finessenreich tänzelt diese Spätlese über die Zunge. Mit ihrer unaufdringlichen Frische animiert sie zum nächsten Schluck.

2020 Brauneberger Juffer Riesling Kabinett
10€ · 8,9%
Wunderbar ausgewogen mit zartem weißen Pfeffer, zeigt sich dieser feingliedrige Kabinett mit einer unaufdringlichen Süße.

2020 Brauneberger Juffer-Sonnenuhr Riesling Auslese
22€ · 7,9%
Hocharomatisch mit deutlich exotischen Fruchtaromen von Banane, Mango und Papaya, glänzt am Gaumen mit sehr präsenter Süße und stellt eine perfekte Ergänzung zum salzigen Finale des Menüs dar.

Fritz Haag – Dusemonder Hof

Dusemonder Straße 44,
54472 Brauneberg
T +49 (0) 6534 410
www.weingut-fritz-haag.de

Inhaber Oliver Haag
Verbände VDP
Rebfläche 25 ha
Produktion 170.000 Flaschen
Gründung 1605
Verkaufszeiten
nach Vereinbarung

Als Oliver Haag im Jahre 2005 das elterliche Weingut übernahm, trat er in die großen Fußstapfen seines Vaters Wilhelm, der vor allem mit seinen restsüßen und edelsüßen Rieslinge Akzente in der Weinszene gesetzt hat. Doch der ambitionierte Sohn, der sich seine ersten Sporen im Rheingau verdient hat, erweiterte die Phalanx der außergewöhnlichen Haag-Weine um trocken ausgebaute Varianten, die heute zu den großen Riesling-Ikonen der Mosel gehören. Oliver Haag hat mit seinen puristisch trockenen Weinen das Haag'sche Erfolgskonzept nicht auf den Kopf gestellt, im Gegenteil. Nach wie vor kommen aus dem 25 Hektar großen Betrieb erstklassige feinherbe und restsüße Rieslinge, gewachsen in besten Brauneberger Lagen. Die komplexen und feinen Edelsüßen sind nach wie vor eine Klasse für sich, ein vererbtes Talent vom Vater auf den Sohn.

2019 Brauneberger Juffer Riesling GG
24€ · 13%
Animierender Auftakt mit Noten von weißem Pfirsich und Kräutern, flankiert von feiner Mineralik. Dieser Wein ist jetzt schon so freudig und hat doch noch so viel Zeit.

2019 Brauneberger Juffer Sonnenuhr Riesling Auslese
29,50€ · 7,5%
Große Frucht mit guter Spontistruktur und pikante Säure. Hervorragend zu gebratener Gänsestopfleber und karamellisierten Maroni.

2019 Brauneberger Riesling „J"
15,50€ · 12,5%
Warm und weich, duftet nach wilden Rosen und Efeu, zeigt noch lange nicht alles, was er kann.

Weingut Hain

Am Domhof 5, 54498 Piesport
T +49 (0) 6507 2442
www.weingut-hain.de

Weinberg oder Keller ist für Gernot Hain keine Frage. Er fühlt sich in beidem pudelwohl und begleitet seine Weine vom ersten Moment an bis zur Vermarktung. Hains weinbauliches Jahresprogramm umfasst die naturnahe Pflege seiner Weinberge, vor allem die Böden als Grundlage der Stilistik bekommen dabei viel Beachtung. Da der Betrieb seine knapp zwölf Hektar große Rebfläche vor allem in den bekannten Piesporter Steillagen besitzt, ist aufwendige und zeitintensive Handarbeit ein Muss. Das gilt auch für die selektive Ernte, die Hain mit Argusaugen überwacht. Denn nur gesunde und vollreife Trauben stehen Pate für seine charaktervollen und facettenreichen Weine, die zu 80 Prozent aus der Rebsorte Riesling vinifiziert sind. Zum Weingut gehört auch ein Hotel mit angeschlossenem Restaurant.

Inhaber Gernot Hain
Rebfläche 11,5 ha
Produktion 80.000 Flaschen
Verkaufszeiten
Mo–Fr 9–18 Uhr
Sa–So nach Vereinbarung

2019 Domherr Riesling 🍇🍇
13,50€ · 12,5%
Das große Holzfass gut in Szene gesetzt. Zarte Vanille mit einem Anklang von Exotik. Spannender Wein mit enormer Länge.

2019 Domherr Riesling Spätlese 🍇🍇🍇🍇
13,50€ · 8%
Leichtfuß mit Biss, karg in der Nase, verspielter kleiner Wolf im Schafspelz, freut sich auf die Zukunft.

♥ **2019** Goldtröpfchen Riesling Kabinett 🍇🍇🍇🍇
9€ · 8,5%
Einladende ätherische Nase und eine animierende Frische am Gaumen machen Lust auf mehr. Zweite Flasche bereithalten!

2019 Goldtröpfchen Riesling Kabinett trocken 🍇🍇🍇
9€ · 11,5%
Durch und durch kompakt im Mund wie ein üppiges Fruchtbouquet. Fein zu Spargel mit Sauce hollandaise.

2019 Goldtröpfchen Riesling „Alte Reben" feinherb 🍇🍇🍇🍇
14,50€ · 11,5%
Ein wunderbar eigenständiger Wein. Schnörkellos, geradlinige Säure, Mineralik und weißer Pfirsich.

2019 Goldtröpfchen Riesling „Felsterrassen" Spätlese 🍇🍇🍇🍇
14,50€ · 8%
Kabinettgleiche Gestalt, grazil wie eine Weinberg-Eidechse.

2019 Goldtröpfchen Riesling „GG" 🍇🍇🍇
25€ · 12,5%
Warmer Typ mit Noten von Honigmelone und Bratapfel, der seine intensive Aromatik auch am Gaumen fortsetzt. Viel Spannung und Animation hinten raus.

2019 Riesling ♦♦♦
7€ · 12,5%
Grüne Reflexe, tänzelt mit frischer Säure und kristalliner Rieslingfrucht, der hohe Extrakt spiegelt den sonnengewärmten Schiefer wider.

2018 Falkenberg Pinot Noir ♦♦♦
18,50€ · 13,5%
Kantiger Burgunder mit Schlehe und Kakao im Auftakt und sehr viel Kraft am Gaumen. Ein toller Begleiter ist reifer Pecorino, dazu sollte man Zeit mitbringen und dem Wein Luft zum Atmen geben. Bitte karaffieren!

Riesling „Prestige" brut ♦♦♦
13,50€ · 12,5%
Fruchtbetont mit dezenter Süße, dabei komplex und harmonisch am Gaumen.

2019 Domherr Riesling Auslese ♦♦♦♦
21€ · 8%
Weiche und reife Säure, hohe Konzentration, wenn auch noch nicht zugänglich – lagern bis zur Volljährigkeit des Weins.

2019 Goldtröpfchen Riesling Auslese ♦♦♦♦
21€ · 8%
Fruchtiger, kerniger und saftiger Typ, der mit seiner nektarartigen Süße und dem festen Biss einen großartigen Antagonisten zu asiatisch angehauchten Gerichten darstellt.

C. A. Haussmann

Bernkasteler Weg 15,
56841 Traben-Trarbach
T +49 (0) 6541 1543
www.ca-haussmann.de

Inhaber Stefan Stassen
Rebfläche 5 ha
Produktion 45.000 Flaschen
Gründung 1559
Verkaufszeiten
Mo–Fr 8.30–12 Uhr
und nach Vereinbarung

Seit Ende des Jahres 2019 hat das kleine Weingut ein neues Zuhause in Traben-Trabach und ausreichend Platz für seine Weine, aber auch für Veranstaltungen und Events. Dazu gibt es schicke Appartements für den entspannten Kurzurlaub auf dem Weingut, die mit modernem Komfort ausgestattet sind. Alles in allem ein attraktives Gesamtkonzept für Weinliebhaber und solche, die es werden möchten. Denn Stefan Stassen vinifiziert in seinem Gewölbekeller mit moderner Technik, aber dennoch behutsam und schonend respektable Weine mit Lagerpotenzial in den Geschmacksrichtungen trocken bis fruchtsüß. Auch mit schäumenden und prickelnden Weinen ist man hier gut bedient, die hauseigenen Winzer-Sekte werden vornehmlich aus Rieslingtrauben produziert.

2019 Riesling „Schieferjuwel" ♦
8,60€ · 12%

2019 Riesling „Schieferjuwel" feinherb ♦♦
8,60€ · 11%

2019 Traben-Trarbacher Kräuterhaus Riesling „Schieferjuwel GG“ Auslese trocken
19,90€ · 13%
Dezent exotischer Duft, dann auch Cassisblätter und weiße Johannisbeeren. Kräftige und vitale Säure mit Nachhall und leisem Schmelz am Gaumen.

2019 Traben-Trarbacher Würzgarten Riesling Spätlese 1. Lage trocken
9,20€ · 12%

2019 Traben-Trarbacher Würzgarten Riesling „Alte Rebe“ Kabinett trocken
7,60€ · 11%

2019 Ürziger Würzgarten Riesling „Schieferjuwel GG“ Spätlese trocken
11,90€ · 12%

2020 Spätburgunder „Club Rosé“
7,90€ · 12,5%

Heinrichshof

Chur-Kölner-Straße 23,
54492 Zeltingen
T +49 (0) 6532 3151
www.weingut-heinrichshof.de

Im Heinrichshof hat sich in den letzten Jahren einiges getan. Vor sieben Jahren haben die Brüder Peter und Ulrich Griebeler den elterlichen Betrieb übernommen und nach und nach weiter modernisiert und ausgebaut. Aus drei Hektar Rebfläche sind mittlerweile acht geworden, die Hälfte der Reben wächst in renommierten Steillagen wie der Zeltinger Sonnenuhr und dem Zeltinger Himmelreich. Schon immer dominierte der klassische Mosel-Riesling das Rebsortenportfolio, doch auch einige Burgundersorten haben mittlerweile ihren Platz in den Weinbergen der Winzer-Brüder. In der Stilistik setzen Peter und Ulrich Griebeler in erster Linie auf puristisch trockene Weine ohne Schnörkel, ausgebaut wird im 500 Liter fassenden Tonneau, das im Weingut unter seinem historischen Namen Zulast geführt wird, und dem traditionellen Fuderfass.

Inhaber Peter & Ulrich Griebeler
Rebfläche 8 ha
Produktion 70.000 Flaschen
Verkaufszeiten
Mi–Sa 14–18 Uhr
und nach Vereinbarung

2018 Sauvignon Blanc
7,50€ · 12,5%
Straff und saftig, ein Wachmacher.

2019 Riesling „Tonneau"
13,50€ · 12,5%
Starker Holzeindruck, gibt dem Wein einen internationalen Anstrich – unbedingt noch ein paar Jahre im Keller zurücklegen.

2019 Sonnenuhr Rotlay Riesling
14,90€ · 12%
In der Nase Bananenshake und Blümchenwiese. Ein Schmeichler für Aromafreunde, der sein Konzept voll durchzieht und auch eine große Schar an Gästen problemlos unterhält.

2019 Zeltinger Sonnenuhr Riesling „Zulast"
19,80€ · 12,5%
Gute Balance, wunderbar eingebundenes Holz umhüllt elegant zurückhaltende Zitrusaromen.

2020 Riesling „Römische Kapelle"
8,20€ · 12,5%
Easy-Drinking-Wein zur Gartenparty. Frisch, cremig, einladend und trotzdem ausdrucksstark.

2020 Sauvignon Blanc
8,70€ · 13%

2020 Schlossberg Riesling
9,70€ · 12%
Filigran und fein, aber auch saftig. Ein verspielter Riesling, der noch viel Spaß machen wird.

2020 Weißburgunder
7,70€ · 13%
Elegant und unkompliziert. Ein ansprechender Weißburgunder.

Dieter Hoffmann

Kettergasse 24, 54498 Piesport
T +49 (0) 6507 5025
www.hoffmann-simon.de

Weinproben mit Dieter Hoffmann haben ihren besonderen Reiz, denn man bekommt alle Informationen von dem Mann aus erster Hand, der selbst Winzer, Kellermeister und Vermarkter in einer Person ist. Ein Tausendsassa im besten Sinne des Wortes. Dieter Hoffmann lebt seinen Beruf mit sichtbarer Freude, seit fast zehn Jahren arbeitet der Winzer nach den strengen Richtlinien des ökologischen Weinbaus, um sein Handwerk im Einklang mit der Natur zu halten. Die richtige Balance spielt auch im Keller eine wichtige Rolle, hier werden die Trauben sorgsam zu Most verarbeitet und anschließend zu sortentypischen und lagentypischen Weinen vinifiziert. Bis Februar haben Hoffmanns Gewächse Zeit, auf der Hefe ihre

Inhaber Dieter Hoffmann
Verbände Ecovin
Rebfläche 11,5 ha
Produktion 65.000 Flaschen
Gründung 1950
Verkaufszeiten
nach Vereinbarung

strukturelle und aromatische Balance zu finden, bevor sie ohne Schönungsmittel auf die Flaschen gezogen werden und in den Verkauf kommen. Seit einigen Jahren werden ausgesuchte Rieslinge wieder im Holzfass ausgebaut.

2018 Piesporter Goldtröpfchen Riesling Spätlese „GG" trocken 🍇🍇
18€ · 13,5%
Eine Elsässer Stilistik scheint man mit diesem Riesling zu verfolgen, der mit Aromen von getrockneten Blüten und Honig bezaubert und seinen Holzeinsatz nicht versteckt. Dazu eine gebratene Entenleber.

2019 Klüsserather Bruderschaft Riesling Spätlese trocken 🍇🍇🍇
9,90€ · 12,5%
Zarte gelbe Frucht, duftiger Frühlingsstrauß, verspielter langer Nachhall, hinterlässt einen fein mineralischen Eindruck.

2019 Köwericher Laurentiuslay Riesling Spätlese feinherb 🍇🍇
9,90€ · 12%
Ein kleines Rumpelstilzchen, das erobert und beruhigt werden will. Kantiger Typ mit Charakter und sehr knackiger Säure. Mit einem fein abgeschmeckten Ofenhuhn macht das richtig Spaß.

2019 Maringer Honigberg Sauvignon Blanc 🍇🍇🍇
7,50€ · 12,5%
Ein schlanker feiner Auftrifft, fast zart – kann sich aber behaupten!

2015 Spätburgunder „Barrique unfiltriert" 🍇🍇🍇
19,50€ · 12,5%
Herrliche Transparenz in der Nase, saftig, jung und doch auch geheimnisvoll zurückhaltend im Mund.

2020 Spätburgunder 🍇
7,50€ · 11,5%

2019 Piesporter Goldtröpfchen Riesling „***" Spätlese 🍇🍇🍇
13,90€ · 9%
Kühle Mineralik, fein, ausgereifte rassige Eleganz, viel Spiel und Fülle.

Classisches Weingut Hoffranzen Neueinsteiger

Schulstraße 22, 54346 Mehring
T +49 (0) 6502 8441
www.weingut-hoffranzen.com

Betriebsleiter
Carolin Hoffranzen
Gründung 1601
Verkaufszeiten
nach Vereinbarung

Mitten im Ortskern von Mehring gelegen, ist das Weingut ein wahrhafter Mosel-Klassiker, der seit 420 Jahren in Familienbesitz ist. Mit so viel Tradition und Historie hat man immer etwas Rückenwind, Carolin Hoffranzen, die den Betrieb leitet, weiß um die Verantwortung gegenüber den 16 Generationen, die vor ihr am Ruder waren. Bewirtschaftet werden naturnah und umweltschonend nur Weinberge im Eigenbesitz, die sich in den steilen Flussufern rund um Mehring gruppieren. Natürlich spielt der klassische Rieslinge die wichtigste Rolle im Weingut, doch auch weiße und rote Burgundersorten werden in dem Traditionsbetrieb kultiviert. Alles natürlich in aufwendiger und kostenintensiver Handarbeit wie in den Jahrhunderten zuvor. Auch die Gastfreundschaft kommt im Familiengut nicht zu kurz, neben unterhaltsamen Weinproben werden auch liebevoll eingerichtete Gästezimmer angeboten.

2020 Mehringer Blattenberg Riesling „Caro" Spätlese 
9€ · 7,5%
Trinkfreudige Spätlese, die an saftigen roten Apfel erinnert. Gut gekühlt in der Sommersonne genießen.

2020 Riesling „Einmaleins"
5,90€ · 11,5%
Unaufdringlich floral, dabei saftig und ausdrucksstark. Klassisch moseltrocken und ein Wein für alle Fälle.

2020 Riesling „Manufact" feinherb
7,50€ · 11%
Wenn man viele Geschmäcker vereinen will, liegt man hier goldrichtig. Sehr klar und puristisch.

Weingut Immich-Batterieberg

Im Alten Tal 2, 56850 Enkirch
T +49 (0) 6541 8159 07
www.batterieberg.com

Inhaber Volker Auerbach & Roland Probst
Betriebsleiter Gernot Kollmann
Kellermeister Gernot Kollmann

Benannt nach seiner bekanntesten Lage, gehört das Weingut zu den ältesten an der Mosel. Der Name des Weinbergs Batterieberg, der sich im Alleinbesitz des Betriebes befindet, stammt allerdings erst aus der Mitte des 19. Jahrhunderts, als zur besseren Bearbeitung der Parzellen herausstehende Felsformationen mithilfe sogenannter Sprengbatterien beseitigt wurden. Heute bewirtschaftet das Weingut insgesamt 13 Hektar Rebfläche, die ausschließlich mit Riesling bestockt ist. Eingeteilt ist das Sortiment in drei Kategorien, neben Gutsweinen und Ortsweinen bilden die Erste und Große Lage die Spitze des Angebotes. Kellermeister Gernot Kollmann ist ein Verfechter eines puristischen und ungeschminkten Riesling-Stils, alle Weine baut er ohne Verwendung von Reinzuchthefen sowohl im Holzfass als auch weitgehend ungesteuert im Edelstahltank aus.

Rebfläche 13 ha
Produktion 50.000 Flaschen
Gründung 908
Verkaufszeiten
Mo–Sa nach Vereinbarung

2019 Briedeler Herzchen Riesling 1. Lage ❦❦❦
18€ · 12%
Reife und Würze, Blütenstaub, Orangenzesten, Grapefruit, der Wein zeigt Verschlossenheit, hat aber auch eine große Spannung.

2019 Enkircher Batterieberg Riesling feinherb ❦❦❦❦
45€ · 12,5%
Auf sehr sanften Pfoten schleicht dieser Riesling heran mit Noten von Zuckeraprikose und Akazienhonig. Am Gaumen bleibt er sanft und überrascht im Abgang mit einer eleganten Bitternote. Für Fans der leisen Töne, dazu Musik von Bach und ein cremig-frischer Käse.

2019 Enkircher Ellergrub Riesling feinherb ❦❦❦❦
35€ · 12,5%
Ein Dandy, der mit seinem gepflegten Auftreten alle begeistert. Sehr gut balanciert mit betörender Süße und fruchtig-saftigem Zug am Gaumen.

2019 Riesling „CAI" Kabinett trocken ❦❦❦
12€ · 11,5%
Der Wein macht Dampf, hat Würze und Zug, auch florale Aromen und Kiefernharz.

2019 Riesling „Detonation" ❦❦
15€ · 12%
Weicher Typ mit guter Balance, der sich offen und entwickelt zeigt und mit reifer Frucht punkten kann. Perfekter Partner zum klassischen Wiener Schnitzel.

2019 Riesling „Escheburg" ❦❦❦
18€ · 12%
Sehr eigene Stilistik, die geprägt ist von vegetabilen Noten, einer starken Säure und einem wilden Weinbergspfirsich. Der Zugang zum Wein ist steinig – es lohnt sich indes, ihn zu beschreiten.

2019 Spätburgunder „Rob" ❦❦
12€ · 12,5%

2015 Riesling „Jour Fixe" brut nature ❦❦
25€ · 12%
Hochreife Trauben, Rosinenaromen, Waldhonig, Herbstdüfte wie nasses Laub. Ein großes Glas macht den Sekt zugänglich, auch das CO_2 profitiert davon.

Karthäuserhof

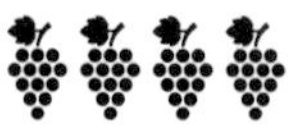

Karthäuserhof 1,
54292 Trier-Eitelsbach
T +49 (0) 651 5121
www.karthaeuserhof.com

Inhaber Albert Behler
Kellermeister
Mathieu Kauffmann
Verbände VDP, Fair'n Green
Rebfläche 27 ha
Produktion 150.000 Flaschen
Gründung 1335
Verkaufszeiten
Mo–Fr 8.30–17 Uhr
Sa nach Vereinbarung

Der Karthäuserhof ist ein echtes Schmuckstück, das im Zuge der Säkularisierung im Jahre 1811 an den französischen Generalintendanten Valentin Leonardy veräußert wurde, dessen Nachfahren bis heute die Eigentümer sind. Seit 2019 ist der Elsässer Mathieu Kauffmann als Technischer Direktor für die legendäre Qualität der Weine verantwortlich. Mit dem Jahrgang 2020 ist die Handschrift von Kauffmann, nun Partner der Eigentümerfamilie Albert Behler, schon deutlich spürbar geworden. Aktuell wird das denkmalgeschützte Ensemble des achtältesten Weinguts der Welt bis zum Herbst 2023 um neue Produktionsflächen sowie um ein Gästehaus erweitert und die Monopollage am hauseigenen Weinberg wird um weitere Rebflächen ergänzt.

2003 Karthäuserhofberg Riesling „No. 18" Auslese
89€ · 7,5%
Der heiße Jahrgang 2003 zeigt sich hier von seiner besten Seite. Sehr elegant gereift mit Karamell und reifer Exotik.

2019 Karthäuserhofberg Riesling Auslese feinherb
39,90€ · 8,5%
Spielerische Auslese, die es schafft, die Süße präzise mit Finesse und Substanz einzubinden und mit einer fast vibrierenden Säure zu ergänzen.

2019 Karthäuserhofberg Riesling GG ●●●●
45€ · 13%
Messerscharf gebaut mit animierender Säure, feiner Mineralik und leise cremigem Schmelz.

2019 Karthäuserhofberg Riesling Kabinett ●●●
16,90€ · 10,5%
Sehr klare Aromatik mit Aprikosen-Note.

2019 Karthäuserhofberg Riesling Spätlese ●●●●
21,90€ · 9%
Animierend und fast cremig mit enormer Länge. Kann jetzt getrunken werden, kann aber auch noch einige Jahre liegen.

2019 Riesling „Bruno Dry" ●●
9,90€ · 11,5%
Ein Früchtekorb gefüllt mit weißen Pfirsichen, Mirabellen garniert mit pikanten Kräutern, die dem Wein eine definierte Struktur verleihen, der enorme Trinkfluss macht Freude.

2019 Riesling „Schieferkristall" ●●●
13,90€ · 11,5%
Ansprechende Schieferwürze. Gewinnt mit Temperatur an Spannung und Komplexität.

2020 Riesling „Bruno KAB" Kabinett feinherb ●●●
9,90€ · 10,5%
Feiner Kabinett-Riesling, der seine Jugend genießt und deutlich zeigt. Sehr fein auf der Terrasse im Sommer.

2020 Weißburgunder „Bruno" ●●
9,90€ · 13%
Frischer Alltagswein mit zarter Vanille. Aufmachen, trinken, entspannen.

2019 Riesling „Eitelsbacher Alte Reben" ●●●
17,90€ · 12%
Kraftvoll und stoffig! Flüssiger Schiefer mit Spaßgarantie.

2007 Karthäuserhofberg Riesling „No. 12" Spätlese ●●●●
69€ · 8%
Sehr herzhafte und feine Spätlese mit Nuancen von Akazienhonig.

1999 Karthäuserhofberg Riesling „No. 38" Beerenauslese ●●●●●
249€ · 7,5%
Zedernholz, kandierte Orange, Tabak, doch filigran, vollendet, ganz großer Stoff!

Weingut Kees-Kieren

Hauptstraße 22, 54470 Graach
T +49 (0) 6531 3428
www.kees-kieren.de

Inhaber Ernst-Josef & Werner Kees
Betriebsleiter Ernst-Josef & Werner Kees
Kellermeister Ernst-Josef Kees
Verbände Bernkasteler Ring
Rebfläche 7,5 ha
Produktion 60.000 Flaschen
Gründung 1648
Verkaufszeiten Mo–Sa 9–18 Uhr
So und Feiertag nach Vereinbarung

Der Name Kees-Kieren klingt irgendwie niederländisch, doch die Familie betreibt schon seit über 300 Jahren Weinbau an der Mosel und gehört zum harten Kern der angestammten Moselwinzer. Das erklärte Faible der Familie ist der klassische Riesling in all seinen Facetten und Geschmacksrichtungen von trocken bis edelsüß, vom einfachen Qualitätswein für jeden Tag bis zur komplexen Trockenbeerenauslese für besondere Anlässe. Die edle, aber auch launische Rebsorte erwartet natürlich beste Wachstumsbedingungen, und die können ihr Ernst-Josef und Werner Kees in besten Steillagen bieten. Die exponierten Weinberge des 7,5 Hektar großen Betriebes stehen im Graacher Himmelreich, dem Graacher Domprobst und dem Erdener Treppchen. Neben dem reinen Weinerlebnis – in der schmucken Vinothek können alle Weine verkostet werden – bietet Familie Kees ihren Gästen auch Übernachtungsmöglichkeiten im Gutshaus an.

2019 Graacher Domprobst Riesling Kabinett trocken
9,30€ · 12,5%
Im Auftakt Holunderblüte und frische Aprikosen, dann setzt sich eine dezente Mineralik durch. Straffe Mitte und klare Frucht mit leiser Bitternis passen toll zur Forelle blau.

2019 Graacher Domprobst Riesling „*" Spätlese feinherb 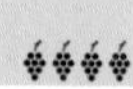
12,30€ · 12%
Ein Gespann aus reifen Aromen, kräftiger Säure und mineralischer Wucht vermittelt Trinkreife.

2019 Graacher Domprobst Riesling „S" Spätlese trocken 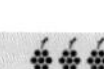
13,50€ · 13,5%
Der Wolf im Schafspelz. Beginnt mit feiner Kräuternote und und baut seine Kraft ganz langsam auf. Gerne ein paar Grad kühler genießen, um den Wolf nicht zu wecken.

2019 Graacher Himmelreich Riesling „**" Spätlese 
13,50€ · 8,5%
Glockenklar, frisch, langer Nachhall und köstlicher Trinkfluss.

Weingut Kerpen

Uferallee 6,
54470 Bernkastel-Wehlen
T +49 (0) 6531 6868
www.weingut-kerpen.de

Inhaber Martin Kerpen
Verbände Bernkasteler Ring
Rebfläche 8 ha
Produktion 60.000 Flaschen
Gründung 1750
Verkaufszeiten
Mo–Fr 8–18 Uhr
Sa 9–16 Uhr
und nach Vereinbarung

„Wir lieben Riesling", heißt der Slogan der Familie Kerpen und das nimmt man ihnen ohne Zweifel ab. Denn keine andere Sorte außer Riesling steht in ihren Weinbergen, seit Generationen bestimmt die klassische Rebsorte das Leben der Kerpens in Wehlen. In ihrem schicken Gutshaus am Moselufer öffnet im Sommer die Straußwirtschaft „Riesling Café", die zum Kuchen vor allem Wein anbietet. Natürlich aus den eigenen Weinbergen, die sich in den renommierten Lagen der Mittelmosel befinden. Klangvolle Namen wie Graacher Himmelreich oder Wehlener Sonnenuhr verheißen elegante und mineralisch geprägte Spitzenweine, und genau die bekommt man bei Familie Kerpen in vielen Geschmacksrichtungen und Prädikatsstufen. Seit Kurzem besteht die Möglichkeit, im Weingut eine aufwendig im Jugendstil renovierte Ferienwohnung zu mieten.

2019 Wehlener Sonnenuhr Riesling „*" Spätlese 
13,50€ · 7,5%
Die tropischen Aromen werden von einer lebendigen Säure balanciert. Sehr animierend und mit Trinkfluss.

2019 Wehlener Sonnenuhr Riesling „GG" 
18,50€ · 12,5%
Faszinierender Drahtseilakt. Im Auftakt viel reife Frucht und Extrakt, am Gaumen dann zuerst schmelzig, bevor salzig-mineralische Töne durchschlagen und einen Abgang mit Trommelwirbel hinlegen.

2020 Graacher Himmelreich Riesling Kabinett trocken 
9,50€ · 11%
Sehr üppiger Blumenstrauß, der mit Luft immer eindeutiger wird. Viel Schmelz und Länge mit zarter Vanille und viel Fülle.

2020 Riesling „Blauschiefer" ♣♣
7,50€ · 11,5%
Würzig und animierend mit Charisma. Ein universell einsetzbarer Wein, der als Solist auf der Terrasse sowie als Begleiter zu Salaten und Pasta immer passt.

2018 Riesling „Kerpen's Cuvée" brut ♣
13€ · 12%

2019 Wehlener Sonnenuhr Riesling „**" Auslese ♣♣♣♣♣
22€ · 8%
Everybody's Darling. Tropisch, elegant, mit sehr guter Länge und sehr großem Potenzial.

Nikolaus Köwerich

Maximinstraße 11,
54340 Leiwen
T +49 (0) 6507 4282
www.weingutkoewerich.de

Inhaber Nick Köwerich
Betriebsleiter Annette & Nick Köwerich
Kellermeister Nick Köwerich
Verbände Vinissima
Rebfläche 10,5 ha
Produktion 100.000 Flaschen
Verkaufszeiten nach Vereinbarung

Wer in der Weinbranche arbeitet, der wird oft von anderen fast neidisch angeschaut ob des wunderbaren Themas, mit dem man sich nicht nur privat, sondern beruflich – ergo: immer – beschäftigen darf. Und genau das kann die berufliche Realität oft weit wegbringen von jeglicher Wein-Romantik. Falls einen die graue (Wein-)Realität mal wieder zu eng im Griff hat, sei ein Blick auf die Homepage und in die Weinliste der Familie Köwerich empfohlen, am besten gleich ein Besuch in Leiwen. Nick Köwerich übernahm Mitte der 1990er-Jahre das Weingut von seinen Eltern und hat sich auf Riesling in all seinen Facetten spezialisiert. Seien es leichte Kabinett-Weine, vollmundige Spätlesen oder trockene und süße Lagenweine vom Leiwener Laurentiuslay (übrigens auch mit Jahrgangstiefe am Weingut zu erwerben), hier wird ein jeder fündig. Für die kreativen und liebevoll gestalteten Etiketten, Weinnamen wie „Für Feen und Elfen" oder „Fräulein Mosel" zeichnet seine Frau Annette verantwortlich, die mit einer solchen Leidenschaft von den Moselaner Rieslingen erzählt, dass selbst Riesling-Skeptiker neugierig werden. Auch die diversen Veranstaltungen am Weingut, seien es Lesungen oder Food-Pairing-Degustationen, machen einen Besuch bei Annette und Nick Köwerich unvergesslich.

2019 Leiwener Laurentiuslay Riesling Auslese ♣♣♣♣
38€ · 8%
Sehr konzentriert mit Honig und reifer gelber Frucht. Gutes Potenzial zum Reifen.

2019 Leiwener Laurentiuslay Riesling Spätlese ♣♣♣♣
22€ · 8,5%
Fast trockener Nachhall, enorme Spannung, florales Bouquet von Veilchen und Flieder.

2019 Leiwener Laurentiuslay Riesling „GG“

22€ · 12,5%

Die karge Mineralität bringt den Grip, der mit Luft seine Struktur offenbart.

2009 Leiwener Laurentiuslay Riesling Beerenauslese

68€ · 8,5%

Oolong-Tee, goldgelb, hohe Reife, Kamille, Feinheit, Eleganz.

Weingut Geschwister Köwerich

Neueinsteiger

Beethovenstraße 27,
54340 Köwerich
T +49 (0) 172 6532 819
www.weingut-geschwister-koewerich.de

Inhaber Marcus Regnery
Verkaufszeiten
Mo–Fr 8–18 Uhr
und nach Vereinbarung

Dass das Konterfei von Ludwig van Beethoven auf den Etiketten des Weinguts zu finden ist, ist kein Zufall und auch keinem Jubiläum geschuldet. Vielmehr gibt es direkte Familienbande zwischen den Köwerichs und dem Komponisten, denn die Mutter Beethovens war eine geborene Keverich, wie damals der Name geschrieben wurde. Heute leitet Marcus Regnery das traditionsreiche Weingut und hält die Erinnerung an Beethoven und seine Mutter Maria Magdalena aus Köwerich wach. Nicht nur Rieslinge, die zwar nicht die gewaltige Tonalität einer Beethoven-Symphonie in sich tragen, sondern eher einer filigranen Sonate gleichen, entstehen hier, sondern auch schäumende und prickelnde Sekte, die eine geschmackliche Ode an die Freude sind.

2019 Laurentiuslay Riesling Spätlese trocken 

9,80€ · 12,2%

Ein Animateur für große Runden mit viel fruchtiger Saftigkeit und Zug.

2019 Sauvignon Blanc

9,10€ · 11,9%

Ein aromatischer Spaziergang durch den Obstgarten, ideal zum Picknick oder in lockerer Runde am Stehtisch.

2020 Riesling „Ludwig van Beethoven“ 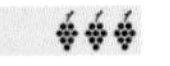

7,10€ · 12,2%

Juicy mit guter Säurestruktur. Unkompliziert mit enormem Trinkfluss. Erfrischt an heißen Sommertagen.

2020 Riesling „Ludwig van Beethoven“ feinherb 

7,10€ · 10,7%

Holunderblüte und Zitrusfrüchte bringen eine Frische und Leichtigkeit an den Gaumen, die sofort an einen Sommertag denken lassen. Klare Balance und feinnerviges Säurespiel inklusive.

2020 Sauvignon Blanc

9,10€ · 12,5%

2015 Gewürztraminer „Ludwig van Beethoven" brut
18,50€ · 12,6%
Frucht pur: Quitte, Stachelbeere, Litschi und Rosenblätter. Dazu ein Dessert mit Salztopping.

2016 Sauvignon Blanc „Ludwig van Beethoven" brut
14,50€ · 12,9%

2018 Riesling „Ludwig van Beethoven" brut
13€ · 12%
Muskatnuss und reifer saftiger Pfirsich dominieren die Statur. Säure und rauchige Aromen geraten in den Hintergrund. Interessante Ergänzung für jedes Sektsortiment.

2019 Thörnicher Ritsch Riesling Auslese
13,50€ · 9,5%
Liebe auf den ersten Blick zum Soundtrack der 80er-Jahre. Da sind Maracuja und reife Aprikose, bezaubernde Süße und so viel Freude im Glas, dass man gar nicht mehr ins Hier und Jetzt zurückwill.

Schlossgut Liebieg

Krainstraße 5,
54340 Klüsserath
T +49 (0) 6507 99115
www.schlossgut-liebieg.de

Betriebsleiter Bernhard Kirsten
Verbände Fair'n Green
Rebfläche 30 ha
Verkaufszeiten
nach Vereinbarung

Aufwendige und kostenintensive Weinbergsarbeit in Steillagen, teils mit extremem Gefälle, ist in der Winzerszene an der Mosel nicht uneingeschränkt beliebt. Doch Bernhard Kirsten liebt diese Herausforderung und bewirtschaftet zusammen mit seiner Partnerin Inge von Geldern auf rund 180 Kilometern entlang der Mosel über 30 Hektar Weinberge in Steil- und Steilstlagen. Dafür braucht man viel Leidenschaft und den unbedingten Willen, mit massivem handwerklichem Einsatz und persönlichem Engagement außergewöhnliche und eigenständige Weine zu produzieren. In der Mehrzahl sind das Rieslinge, neben der Weinproduktion stellt Kirsten auch handgerüttelte Sekte aus ausgesuchten Grundweinen in traditioneller Flaschengärung her.

♥ **2018** Klüsserather Bruderschaft Riesling „Free Run" Spätlese halbtrocken
24€ · 13,5%
Kein Leichtgewicht, aber mit viel Kraft, ohne hart zu sein, und einem harmonischen und sehr langen Nachhall.

2018 Klüsserather Bruderschaft Riesling „Herz aus Holz" Spätlese trocken
24€ · 13,5%

2018 Klüsserather Bruderschaft Riesling „Herzstück" Spätlese trocken ♣♣♣♣
19,50€ · 13%
Opulent gelbe Exotik mit einer Nuance Orangen schale lädt zum gegrillten Huhn mit Knoblauch-Kräuter-Baguette ein.

2018 Klüsserather Bruderschaft Riesling „Pur" Spätlese trocken ♣♣♣♣
18€ · 13,5%
Fein und elegant legt sich das gekonnt eingesetzte Holz um die Frucht. Schon sehr ausdrucksstark, aber mit großem Potenzial für die Zukunft.

2018 Klüsserather Bruderschaft Weißburgunder „Barrique" ♣♣♣
16€ · 13%
Dieses Gesamtpaket aus Struktur, Länge, ausgewogenem Holzeinsatz und mit Zukunftsambitionen zeigt gelungenes Winzerhandwerk.

2018 Longuicher Maximiner Herrenberg Riesling „19Null4" Spätlese feinherb ♣♣♣♣
22€ · 13%
Wie ein Ausflug zum Gewürzbasar. Ein Powerpaket, das seine Herkunft ganz klar zeigt und mit seiner puristischen, würzigen und geradlinigen Art zu überzeugen weiß.

2018 Trittenheimer Apotheke Riesling Spätlese trocken ♣♣
28€ · 13%

2019 Klüsserather Bruderschaft Riesling „Vierpass" ♣♣♣
10€ · 12,5%
Anspruchsvoller und frischer Ortswein mit viel Zug und Trinkfluss. Macht jetzt Spaß.

2019 Klüsserather Bruderschaft Sauvignon Blanc ♣♣♣
12€ · 12,5%
Mit phenolischen Noten spielt und jongliert der Wein so lange, bis typische Aromen des Sauvignon Blanc ablösen.

2019 Winninger Domgarten Riesling ♣♣♣
14€ · 13,5%
„Hier an der Mosel bin ich daheim", sagt dieser Wein und zeigt es auch. Klare Struktur und feine Frucht mit toller Typizität.

2018 Klüsserather Bruderschaft Pinot Noir Spätlese trocken ♣♣♣
24€ · 13,5%
Spannung bis zur letzten Sekunde. Im Auftakt vegetabile Noten, dann Zigarrenkiste und Tabak. Im Abgang eine wunderbar anregende Bitternote, die Lust auf mehr macht.

2020 Spätburgunder „Wolkentanz Rosé" halbtrocken
8,50€ · 11,5%

Pinot „Liebieg" brut
15€ · 12,5%
Feine Fruchtsüße gepaart mit dem Aroma von Waldbeeren. Die duftige Brioche und etwas Bitternis unterstützt von einer zarten Perlage machen den Sekt easy to drink.

Riesling „Liebieg" brut
15€ · 12,5%
Exotische, gut gereifte Aromen in der Nase, bekommt mit Luft eine schlanke Linie. Säure, Aromen, Perlage sind ausgewogen.

Schloss Lieser Thomas Haag

Am Markt 1–5, 54470 Lieser
T +49 (0) 6531 6431
www.weingut-schloss-lieser.de

Inhaber Thomas & Ute Haag
Betriebsleiter Thomas Haag
Kellermeister Thomas Haag
Verbände VDP
Rebfläche 24 ha
Produktion 140.000 Flaschen
Verkaufszeiten
Mo–Fr 10–17 Uhr
Sa 10–15 Uhr

Was Thomas und Ute Haag seit den 1990er-Jahren aus dem heruntergekommenen Schloss Lieser gemacht haben, verdient höchsten Respekt. Denn dank ihres Engagements sind nicht nur die Gebäude in einem schlosswürdigen Zustand, auch die Rieslinge strahlen weit über das Anbaugebiet Mosel hinaus und gehören zu den Besten, die Deutschland zu bieten hat. Thomas Haag, der aus einer alteingesessenen Winzerfamilie in Brauneberg kommt, gelingt es mit Bravour, die Besonderheiten und Einzigartigkeiten der Lagen individuell herauszuarbeiten und mittels schonender Verarbeitung der Trauben und Spontangärung ein Abbild des komplexen Terroirs in

all seinen Facetten auf die Flaschen zu bringen. Großes Kino, und das ausschließlich mit Rieslingen. Mit der nächsten Generation, Tochter Lara und Sohn Niklas, wird die Erfolgsstory von Schloss Lieser weitergehen, die beiden Haag-Youngster stehen schon in den Startlöchern.

2019 Niederberg Helden Riesling GG
29,50€ · 13%
Ziemlich sicher einer der größten trockenen Rieslinge des Jahrgangs. Die Zartheit der ultrafinessenreichen Aromatik, der sanfte Druck am Gaumen und das endlos mineralisch salzige Finale präsentieren hier eine Klasse für sich. Dieser Wein darf in keinem (Riesling-)Keller fehlen!

2019 Wehlener Sonnenuhr Riesling Auslese
29,50€ · 7%
Eine Auslese, wie sie ausdrucksstärker und feiner eigentlich kaum sein kann. Weglegen oder sofort genießen, beides ist denkbar, mystisch!

2020 Niederberg Helden Riesling Kabinett 
14,90€ · 8%
Warum über diese Prädikatsbezeichnung in der Vergangenheit so kontrovers diskutiert wurde, versteht sowieso niemand. Wir schlagen vor, solch grandiosen Weine als Welt-Naturerbe zu klassifizieren.

Weingut Loersch

Tannenweg 11,
54340 Leiwen-Zummethöhe
T +49 (0) 6507 3229
www.weingut-loersch.de

Inhaber Alexander Loersch
Rebfläche 8 ha
Produktion 75.000 Flaschen
Gründung 1640
Verkaufszeiten
nach Vereinbarung

Den Blick fürs Wesentliche bekommt man in der Riesling Skylounge des Weingutes Loersch, die einen einzigartigen Panoramablick auf die Moselschleife bei Leiwen und Trittenheim und zwölf verschiedenen Steillagen bietet. In einigen der Weinberge stehen die Reben von Alexander Loersch, vornehmlich sind es Rieslinge oder Spätburgunder. Seit fast 20 Jahren ist der Winzer für den Ausbau der Weine verantwortlich, seine Idee, jahrgangs- und lagentypische Gewächse zu produzieren, setzt er in schöner Regelmäßigkeit gekonnt um. Vor allem die charaktervollen und gleichsam individuellen Rieslinge aus den Trittenheimer Lagen sind das Aushängeschild des acht Hektar großen Betriebes.

2019 Dhroner Hofberg Riesling Kabinett feinherb 
10€ · 10,5%
1950 in unsichere Zeiten hineingepflanzt, erzeugt diese bis 80 Prozent steile Lage heute einen extrem feingewobenen Kabinett, ganz ideal zur angesagten japanischen Küche mit Sashimi und Sushi.

2019 Piesporter Goldtröpfchen Riesling Kabinett

10,80€ · 8,5%

Fest konturierter Kabinett mit enormer Wucht am Gaumen, dazu ungezuckerte Wald- und Gartenbeeren.

2019 Trittenheimer Apotheke Riesling Auslese

20€ · 8%

Ungemein dichte und gleichzeitig finessenreich aufgelegte Auslese als Solist und krönender Abschluss eines festlichen Abendessens, aber auch gut vorstellbar mit einer warmen Tarte Tatin.

2019 Trittenheimer Apotheke Riesling „Devon-Terrassen GG"

18,50€ · 12,5%

Ein absolut beeindruckendes Gewächs von bis zu 100 Jahre alten Reben. Die stattliche Statur zeigt vornehm zurückhaltende Größe, ein idealer Essensbegleiter, der sich nicht in den Vordergrund spielt, sondern sanft und dennoch markant das Geschmackserlebnis vollendet.

2019 Trittenheimer Apotheke Riesling „Fels-Terrassen" Spätlese feinherb

18,50€ · 11,5%

Eine vielschichtige Duftigkeit gepaart mit feinstem Säurespiel und einem langem, auf zarter Restsüße aufgebauten Finale zeichnen diesen Wein aus. Ein perfekter Solist am Sonntagnachmittag.

♥ **2019** Trittenheimer Apotheke Riesling „Jungheld GG"

30€ · 12,5%

Eine Selektion von wurzelechten Reben, im Akazienfass ausgebaut. Komplexe Würze trifft auf ein ausdrucksstarkes Herzstück mit einem mineralisch geprägten Finale, dazu ein gekochtes Stück Rind mit Salsa verde.

2019 Trittenheimer Apotheke Riesling „Vogelsang"

14,50€ · 12%

Fast linearer Wein mit ungemein animierender Frucht begleitet von einem feinen Säurenerv, der den Trinkfluss aufs angenehmste fördert. Eine Ceviche vom Zander, am besten aus der Mosel, wäre das denkbar schönste Food Pairing.

2019 Trittenheimer Apotheke Riesling „Alte Reben" Auslese

17,50€ · 8%

Ein Wein für die Ewigkeit, der schon jetzt mit feinstem Fruchtspiel zu verzaubern weiß und ungemein balanciert am Gaumen mit der feinen Säure und der komplexen Süße spielt, um dann in ein endloses Finale überzugehen.

Carl Loewen

Matthiasstraße 30,
54340 Leiwen
T +49 (0) 6507 3094
www.weingut-loewen.de

Inhaber Karl-Josef & Christopher Loewen
Verbände Bernkasteler Ring, Moseljünger
Rebfläche 16 ha
Produktion 150.000 Flaschen
Gründung 1803
Verkaufszeiten
Sa 13–16 Uhr
und nach Vereinbarung

Leichte, charaktervolle Rieslinge verkörpern für Karl-Josef und Christopher Loewen die idealen Moselweine. Dass dahinter viel Arbeit, aber auch Leidenschaft und eine gehörige Portion Erfahrung stecken, wissen Vater und Sohn genau und machen sich Jahr für Jahr wieder auf, ihr vinologisches Ideal zu verwirklichen. Das gelingt ihnen trefflich, denn für die Kultivierung ihrer Rieslinge steht dem Familienbetrieb ein erstklassiges Terroir zur Verfügung. Besonders stolz sind die Loewens auf die Parzelle im Maximin Herrenberg, deren 1896 gepflanzten Rieslingreben bis heute erhalten sind und zu den ältesten der Welt zählen. Dazu konnte das Weingut in den vergangenen Jahren einige extrem steile und seit vielen Jahrzehnten nicht mehr bewirtschaftete Parzellen übernehmen und als „Schneidersberg" in ihr Lagenportfolio integrieren. Die vollreifen Trauben aus ihren Parzellen verwandeln Karl-Josef und Christopher Loewen mit minimalistischen Eingriffen im Keller zu leichten und charaktervollen Mosel-Rieslingen.

2019 Maximin Herrenberg Riesling „1896" halbtrocken 
45€ · 12,5%
Delikate und noble Rauchigkeit. Dabei unheimlich harmonisch und elegant. Auch bei diesem Preis lohnt sich die zweite Flasche!

2019 Maximin Herrenberg Riesling „GG" 
27€ · 12,5%
Geschichtsträchtiger Weinberg trifft auf gelebte Tradition. Dabei entsteht ein strukturiert stoffiger und mit Schiefer gewürzter großartiger Wein mit einer noch größeren Zukunft.

2019 Ritsch Riesling „GG" 
25€ · 13%
Bekommt der Wein Zeit und Luft, belohnt er die Geduld mit feiner Schieferwürze, Salzigkeit und kraftvoller Aromatik, die von einer unaufdringlichen Säure getragen wird. Potenzial!!

2020 Herrenberg Riesling Kabinett feinherb 
12€ · 8,5%
Ein barockes Bild. Über 100 Jahre alte Reben wurden hier spontan im alten Moselfuder vergoren. Das gibt Frucht, Finesse und Saft mit kräftig-molliger Süße im Finale.

Weingut Dr. Loosen

St. Johannishof 1,
54470 Bernkastel-Kues
T +49 (0) 6531 3426
www.drloosen.de

Inhaber Ernst F. Loosen
Betriebsleiter Ernst F. Loosen
Kellermeister Bernhard Schug
Verbände VDP
Rebfläche 22 ha
Produktion 180.000 Flaschen
Verkaufszeiten
nach Vereinbarung

Ernst F. Loosen, den alle in der Weinszene nur Ernie nennen, ist einer der quirligsten deutschen Winzer und ein echter Macher in Sachen Wein und Marketing. Ohne ihn wäre die Region um einen ihrer wichtigsten Fürsprecher ärmer, auch Loosens außergewöhnliche Rieslinge sind die besten vinologischen Botschafter des Anbaugebiets entlang der Mosel. Grundlage des Erfolgs sind die Top-Lagen, auf die Loosen und sein Team zurückgreifen können. Beste Weinberge im Graacher Himmelreich, der Wehlener Sonnenuhr und dem Würziger Würzgarten bilden das sichere Fundament für die Ernte vollreifer Trauben, eine gut organisierte Kellerwirtschaft garantiert dem 22 Hektar großen Betrieb jährlich eine Phalanx an bemerkenswerten Rieslingen und sichert ihm damit einen der vorderen Plätze im Ranking der deutschen Spitzenweingüter.

2013 Ürziger Würzgarten Riesling „Réserve" GG
50€ · 12,5%
Ein sehr ernsthafter Wein, der die Würze seiner Herkunft in sich trägt und bereits klare Reifenoten zeigt. Verführerisch duftig am Anfang, wird er am Gaumen groß und mächtig und darf ganz bodenständig mit einer Speck-Quiche begleitet werden.

2018 Graacher Himmelreich Riesling „Tradition" feinherb
17€ · 11%
Begeistert mit fein-floralen Noten und gutem Grip.

2019 Kinheimer Rosenberg Riesling GG
17€ · 12,5%
Moseltypisch strukturiert mit verspielter, an Minze erinnernde Nase. Stellt sein Licht vielleicht noch etwas unter den Scheffel.

2019 Riesling „Graacher"
14€ · 12%
Ein Tanz auf dem Drahtseil. Messerscharfe Balance mit Schub und Druck am Gaumen, ein Wein, der sich erst auf den zweiten Schluck erschließt, dann aber umso nachhaltiger nachwirkt. Großes Kino.

Weingut Lorenz

Neustraße 6, 54340 Detzem
T +49 (0) 6507 3802
www.lorenz-weine.com

Seit 1727 gibt es das Weingut der Familie Lorenz in Detzem. Es wird seit 2013 von Tobias Lorenz geführt, der besondere Leidenschaft für die Bewirtschaftung seiner Steillagen in sich trägt: Seien es der Maximiner Klosterlay, die Trittenheimer Apotheke oder der Pölicher Held, alle diese Lagen mit ihren kargen Tonschieferböden finden sich im Sortiment des zehn Hektar großen Weinguts. Bis zu 90 Jahre alt sind die Reben, mit denen Lorenz arbeitet. Und in den 1970er-Jahren gehörte man an der Mosel zu denjenigen, die entgegen dem damals herrschenden Geschmacksprofil die ersten Weine tro-

Inhaber Tobias Lorenz
Verbände Moseljünger, Generation Riesling
Rebfläche 10 ha
Produktion 75.000 Flaschen
Gründung 1727
Verkaufszeiten
Sa 10–16 Uhr
und nach Vereinbarung

cken ausbauten. Dieser Schritt hin zu mehr Vielfalt im eigenen Sortiment hat sich wahrlich gelohnt. Trocken oder süß, Lorenz-Weine zeigen ihre Herkunft immer klar an, sind Vertreter eines sehr klassischen Moselaner Stils und überzeugen dennoch mit Filigranität und Eleganz.

2019 Pölicher Held Riesling „Alte Reben GG"
17€ · 13%
Kräuteriger Auftakt mit Kamille und Schiefer, am Gaumen ungezähmt und wild. Ein Riesling, der von innen heraus strahlt und großes Potenzial in sich trägt. Ganz große Freude.

2019 Trittenheimer Apotheke Riesling 1. Lage
11€ · 12%
Mit zarter Minze und salzigem Karamell ergänzt dieser Riesling aromatische Gerichte perfekt.

♥ **2020** Detzemer Maximiner Klosterlay Riesling 1. Lage 
9€ · 12%
Langanhaltende Rauchnote als Konstante, an der sich die übrigen Aromen orientieren. Dazu gehören blumige, saftige und mineralische Noten.

2020 Riesling „Blauschiefer" Kabinett feinherb 
8€ · 10,5%
Unaufdringlich mit viel Harmonie und Schmelz.

2020 Riesling „Trittenheimer" Kabinett
8€ · 8,5%
Trotz seiner Jugend schon sehr saftig und man darf mit Spannung seine Entwicklung verfolgen. Ein Wein mit großem Potenzial, der schon jetzt sehr viel Spaß im Glas macht.

2019 Detzemer Maximiner Klosterlay Riesling „Pfarrwingert" Auslese 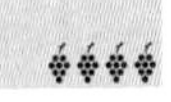
14€ · 7%
Eine gelbe Wuchtbrumme mit viel Nektar und Karamell am Gaumen. Richtig opulenter Schmelz ohne Ecken und Kanten. So ein Paradebeispiel von Auslese sollte auch traditionell von einer klassischen Gänsestopfleber begleitet werden.

Weingut Gebrüder Ludwig

Im Bungert 10, 54340 Thörnich
T +49 (0) 6507 3760
www.gebruederludwig.de

Inhaber Thomas Ludwig
Verbände Moseljünger, Bernkasteler Ring
Rebfläche 10,5 ha
Produktion 90.000 Flaschen
Gründung 1628
Verkaufszeiten nach Vereinbarung

Der Jahrgang 2020 brachte einen deutlichen Einschnitt in das Weingut von Thomas Ludwig. Der gesamte Auftritt des rund zehn Hektar großen Gutes wurde überarbeitet und teils komplett mit dem Ziel verändert, frischen Wind in die Außendarstellung des traditionsreichen Familienbetriebs zu bringen. Dafür wurden nicht nur neue Etiketten entwickelt, um die seit Jahren praktizierte Einteilung der Weine in Gutswein, Ortswein und Lagenwein besser darstellen zu können. Auch die Präsentation im Internet hat man dem neuen Stil angepasst, heute zeigt sie sich frischer und wertiger als je zuvor. Gleichzeitig hinterließ die Flurbereinigung 2020 ihre Spuren im Thörnicher Weingut und brachte die ersten Weine aus der „neuen" Lage Ritsch in die Flaschen.

♥ **2018** Thörnicher Ritsch Riesling „GG"
24,90€ · 13%
Sehr reife Frucht und süßliche Noten, die fast an Hokkaido-Kürbis erinnern, harmonieren wunderbar mit einem Steinbutt, ganz altmodisch in Buttersauce. Für anspruchsvolle Gäste nur das Beste.

2019 Klüsserather Bruderschaft Riesling feinherb
14,90€ · 12%
Ein kräftiger Vertreter seiner Kategorie, der wunderbar mit einem kräftig-sahnigen Pastagericht, das auch ein bisschen Schärfe mitbringen darf, harmoniert.

2019 Klüsserather Bruderschaft Riesling „Handwerk"
19,90€ · 12,5%
Reife, kandierte, sehr edle Früchte in der Nase, im Mund frische, großartige Welle. Kalbskotelett auf cremigen Schwarzwurzeln.

2019 Thörnicher Ritsch Riesling
12,90€ · 12,5%
Goldgelbe Frucht, Fülle und Stoff sind zugleich klassisch und modern verwoben. Ein Wein mit weicher Klarheit, der gut begleitet wird durch Speisen, die mit Süße und Säure spielen.

2020 Thörnicher Ritsch Riesling Kabinett
9,90€ · 7,5%
Schieferwürze und elegante Mineralik, feiner, lang anhaltender Nachhall, zarte Süße, die in ausgewogene Säure eingebunden ist.

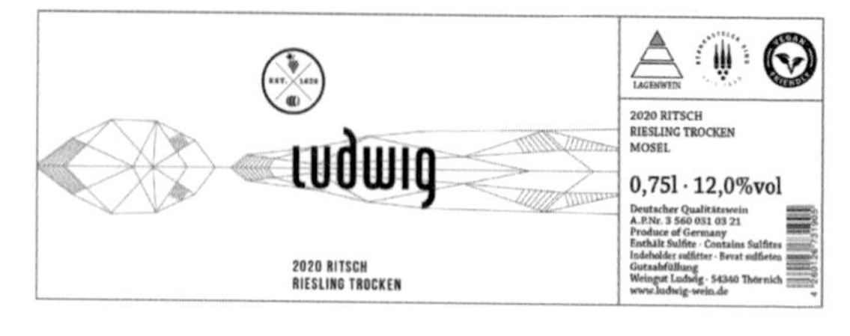

2020 Thörnicher Ritsch Riesling feinherb

9,90€ · 11,5%

Sehr grüne Stilistik mit Noten von Sauerampfer und vegetabilen Nuancen. Am Gaumen bestechende Brillanz, Frische und straffer Zug.

Weingut Melsheimer

Dorfstraße 21, 56861 Reil
T +49 (0) 6542 2422
www.melsheimer-riesling.de

Inhaber Thorsten Melsheimer
Verbände Der klitzekleine Ring, Ecovin, Demeter
Rebfläche 12 ha
Produktion 60.000 Flaschen
Verkaufszeiten
April–Okt.
Mo–Fr 9–11 Uhr und 14–18 Uhr
Sa 11–18 Uhr
So 10–12 Uhr
Nov.–März
nach Vereinbarung

Dass Moste mit hohem Zuckergehalt über Jahre hinweg gären, kann passieren, passt aber nicht so recht ins Bild eines modernen Weinbaus, der auf schnelle Vermarktung ausgelegt ist. Im Weingut Melsheimer ist das immer mal wieder Fall, hier setzt man im Keller auf die Spontangärung und lässt die Natur ihr Ding machen. Und sie macht es gut, wie die vielen zufriedenen Kunden bestätigen. Dabei soll die Rolle des begabten Kellermeisters Thorsten Melsheimer nicht unter den Tisch fallen, sein Fingerspitzengefühl sorgt dafür, dass die richtigen Entscheidungen im Weinberg und Keller getroffen werden. Oder auch nicht. Am Ende des Tages landen immer charaktervolle Weine in den Flaschen des Demeter-zertifizierten Weinguts, Rieslinge und Sekte, beides typisch Mosel und typisch Melsheimer.

2016 Riesling „Reiler Mullay-Hofberg“ brut

16€ · 11,5%

Leicht, Typ Mosel-Kabi.

2016 Riesling „Reiler Mullay-Hofberg“ brut nature

16€ · 11,5%

Eine Persönlichkeit: Feuerstein, Pfirsich und Apfel, gut zu einem leichten Essen.

2018 Riesling „Rurale“ brut nature

15€ · 11,5%

Ein Sekt wie aus dem Jura: guter Zug mit Mut zur Säure und strukturierender Phenolik, Noten von Oxidation, ruht dabei in sich.

2019 Insanus brut nature

15€ · 12,5%

Marzipan, Rotapfel, Orangenschale, Süße ist reif, dennoch spannend, phenolisch.

Weingut Meulenhof

Zur Kapelle 8, 54492 Erden
T +49 (0) 6532 2267
www.meulenhof.de

Inhaber Stefan Justen
Verbände Bernkasteler Ring, Fair'n Green
Rebfläche 7,5 ha
Produktion 50.000 Flaschen
Gründung 1600
Verkaufszeiten nach Vereinbarung

Knapp 700 Jahre sind bis heute vergangen, als der Meulenhof das erste Mal urkundlich erwähnt wurde. Ob damals schon Reben kultiviert wurden und Wein gekeltert wurde, ist nicht sicher überliefert. Für Inhaber Stefan Justen ist die Historie denn auch eher Ansporn, heute Weine von außergewöhnlicher Qualität zu produzieren. Die rund 7,5 Hektar große Rebfläche ist zum allergrößten Teil mit Riesling bestockt und befindet sich in so exponierten Lagen wie dem Erdener Prälat, dem Erdener Treppchen und der Wehlener Sonnenuhr. Ein Potpourri der Spitzenlagen, die Justen nutzt, um seinen Gewächsen jene eleganten mineralischen Noten mitzugeben, die sie als typische Rieslinge von der Mittelmosel auszeichnet.

2019 Erdener Treppchen Riesling Kabinett
8,50€ · 9,5%
Pikante, elegante, fein ziselierte Frucht mit fein gewobener Säure und Mineralität. Gegrillte Lachsforelle mit einem großen frischen Salat.

2019 Erdener Treppchen Riesling Spätlese
9,80€ · 8%
Seriös mit dezenter Würze und ungezwungener Art, der am Gaumen mit mineralischen Anklängen begeistert.

2019 Erdener Treppchen Riesling Spätlese feinherb
11,30€ · 12,5%
Speckig-rauchiger Auftakt mit kräftiger Würze und viel Animation. Am Gaumen geht es weiter mit voller Wucht, ein Riesling-Actionfilm.

2019 Erdener Treppchen Riesling „Alte Reben" Spätlese 
12,50€ · 10%
Der Jungstar zeigt die kühle Schulter und führt einen Libellentanz auf. Zitronengras und Karamellnote, noble Botrytis-Länge.

2019 Erdener Treppchen Riesling „GG"
21€ · 14%
Tropische Früchte in einem ausbalancierten Süße-Säure-Verhältnis. Perfekter und anpassungsfähiger Speisebegleiter, beispielsweise zu fruchtigen Currys, würzigen Fischgerichten und Käse.

2019 Riesling „Devon-Schiefer"
8,30€ · 13%

2019 Wehlener Sonnenuhr Riesling „GG"
18,50€ · 13,5%
Zu Beginn nussig und von Brombeerblättern geprägt, zeigt sich alsbald die saftige reife Frucht, die in ein gutes Säurekorsett gefasst wurde, was den Wein nicht zu opulent werden lässt.

Markus Molitor

Haus Klosterberg,
54470 Bernkastel-Wehlen
T +49 (0) 6532 9540 00
www.markusmolitor.com

Inhaber Markus Molitor
Verbände Bernkasteler Ring
Rebfläche 120 ha
Produktion 450.000 Flaschen
Gründung 1984
Verkaufszeiten
März–Okt.
Mo–So 10–17 Uhr
Nov.–Feb.
Mo–Fr 10–17 Uhr
Sa, So und Feiertag nach Vereinbarung

Markus Molitor wirkt so, als würde er immer unter Strom stehen, seine Vitalität ist geradezu ansteckend. Anders als mit enormer Energie – und einem guten Selbstbewusstsein – ist es wohl auch nicht möglich, so viel zu erreichen wie er, der mit gerade einmal 20 Jahren 1984 das Weingut seines Vaters übernahm. Über 120 Hektar Rebfläche umfasst der Betrieb inzwischen – und das Ende ist noch lange nicht erreicht. Mit 24 eingesendeten Weinen, darunter neben jungen auch gereifte trockene und süße Rieslinge, Weißburgunder und Spätburgunder, schickte uns Molitor nur einen Bruchteil seines verfügbaren Sortiments. Dass die Weine dennoch komplett individuell selektioniert und ausgebaut werden, mag fast unmöglich wirken – doch die Weine selbst zeigen, dass es das nicht ist. Durch das immense Lagenportfolio an Mosel und Saar ist es Molitor möglich, auf ganz unterschiedlichen Varietäten von Schieferböden eine sehr große Facette an Mosel-Weinen zu vinifizieren und damit am Ende für jeden Geschmack etwas bieten zu können. Ein Glück für die Mosel, einen Winzer wie Markus Molitor zu haben, der das Gebiet nicht nur in Deutschland, sondern auch international bekannter machen kann und will und damit insgesamt zur Aufwertung beitragen wird.

2015 Zeltinger Himmelreich Riesling „Edition 13" Kabinett feinherb ♣♣♣♣

22€ · 9,5%

Salzig, wild, rauchig, von der Sonne geküsste Trauben, herausragende Säurestruktur, saftig, filigran.

2015 Zeltinger Schlossberg Riesling „***" Auslese ♣♣♣♣♣

85€ · 7,5%

Ganz dezente Noten von Safran und Honigmelone im Auftakt. Wunderbare Reife am Gaumen mit opulent karamelliger Süße und großartiger Säurestruktur, die den Spannungsbogen hochhält.

2017 Graacher Domprobst Riesling „**" Auslese trocken ♣♣♣♣

36€ · 11,5%

Muss eine hochklassige Auslese aus berühmter Süßwein-Lage auch trocken „können"!? Ja, unbedingt, was für ein Feuerwerk an Aromen zu allerlei Krustentier in Zitrus-Nage!

2018 Graacher Himmelreich Riesling Spätlese feinherb ♣♣♣♣

19,50€ · 10,5%

Herrlich oldschool mit Noten von Honigwabe, saftig-gelbem Pfirsich und Aprikose. Ein Wein für Traditionalisten, die genau wissen, was sie wollen und nicht nach Experimenten suchen.

2018 Riesling „Alte Reben Mosel" ♣♣♣♣

17,80€ · 12%

In Mund und Nase versprüht der feine Wein ein exotisches Aromen-Potpourri, filigranes Säure-Süße-Spiel.

2018 Wehlener Klosterberg Weißburgunder „***" ♣♣♣♣♣

45€ · 12,5%

Markus Molitor macht in der Rieslinghochburg vor, wie Weltklasse-Weißburgunder geht.

2018 Wehlener Sonnenuhr Riesling Spätlese ♣♣♣♣

19,50€ · 7,5%

Die Mosel von ihrer allerschönsten Seite, man scheint jeden Sonnenstrahl einzeln zu spüren, der Wein vibriert auf der Zunge vor so viel Energie, am allerbesten solo!

2018 Zeltinger Sonnenuhr Riesling Spätlese trocken ♣♣♣♣

22€ · 12%

Geradlinig, Feuerstein, Grapefruit, Leichtfuß mit Bodenhaftung, die Frucht steht in reizvollem Kontrast zur feinen Herbe.

2018 Zeltinger Sonnenuhr Riesling „***" Auslese feinherb ♣♣♣♣♣

85€ · 11,5%

Mächtig, saftig. Getrocknete Beeren schon in der Aromatik, gepaart mit der feinen Herbe einfach zeitlos.

2018 Zeltinger Sonnenuhr Riesling „**“ Auslese trocken

45€ · 12,5%

Warme Stilistik, die von Phenolik, Schmelz und Süße getragen wird und gerne mit pikant gewürzten Asia-Gerichten verpartnert werden will.

2019 Bernkasteler Badstube Riesling Spätlese feinherb

18,50€ · 10,5%

Herb-würzige Säure und Rasse, klassischer Riesling, Eleganz, dazu gebratenes Huhn.

2019 Bernkasteler Badstube Riesling „***“ Auslese feinherb

76€ · 12%

Punktgenaue, hohe Reife mit Würze, hochkomplexe Auslese wie aus dem Weinliebhaber-Bilderbuch.

2019 Brauneberger Juffer-Sonnenuhr Riesling „**“ Auslese trocken

45€ · 12%

Ein großer Wein, der durch den Holzfassausbau neue Dimensionen bekommt. Sehr strukturiert mit einem reifen Kern und hervorragender Konzentration.

2019 Riesling „Schiefersteil“

12,80€ · 12%

Einfach und gut! Unkompliziert und mit viel Trinkfluss. Eben typisch Mosel.

2019 Weißburgunder „Haus Klosterberg“

9,90€ · 12%

2019 Zeltinger Himmelreich Riesling Kabinett feinherb

14,80€ · 9,5%

Appetitanregende angenehme Bitterkeit, kraftvoll und dicht. Ein Wein, der Zeit braucht und noch eine lange Zukunft vor sich hat.

2019 Zeltinger Sonnenuhr Riesling „***“ Auslese trocken

85€ · 13%

Ein Kraftpaket mit Langstreckenläufer-Qualitäten getragen von einer festen, enorm geradlinigen Struktur, die einen sehr fokussierten kulinarischen Einsatz ohne Schnickschnack bedingt. Klassisches Pot au feu vom Weideochsen mit etwas Fleur de sel.

2019 Ürziger Würzgarten Riesling Kabinett

15,80€ · 8%

Viel Energie im Glas. Die fast prickelnde Säure bringt Zug und Spannung, die zum nächsten Schluck animieren.

2019 Ürziger Würzgarten Riesling Kabinett trocken
15,80€ · 10,5%
Zart, duftig, bezaubernd floral präsentiert sich am Gaumen ein gradliniger klassischer Riesling, der gute Gespräche dauerhaft zu begleiten weiß.

2019 Ürziger Würzgarten Riesling Spätlese
19,50€ · 7,5%
Filigran und erfrischender Schwarztee, der würzige Nachhall strahlt Kraft und eine große Zukunft aus.

2017 Graacher Himmelreich Pinot Noir „***"
120€ · 13%
Dunkle Waldfrüchte gepaart mit kühler Tiefe im Wechselspiel mit warmen Rauchnoten. Diese enorme Komplexität setzt sich am Gaumen fort, unendlich.

2018 Pinot Noir „Haus Klosterberg"
14,80€ · 12,5%

2006 Zeltinger Sonnenuhr Riesling „*" Beerenauslese
81€ · 7,5%
Eukalyptus und Schokolade, in nahezu perfekter Harmonie, erfüllend duftige Teerose.

2010 Wehlener Sonnenuhr Riesling „*" Trockenbeerenauslese
257€ · 6,5%
Was braucht eine Weltklasse-Trockenbeerenauslese? Die perfekte Harmonie von Süße und Säure und Zeit. Hier kommt alles zusammen. Ein großer Wein, der einem auch nach Wochen noch präsent auf der Zunge erscheint.

Ingo Norwig

Am Frohnbach 1, 54472 Burgen
T +49 (0) 6534 763
www.weingut-norwig.de

Inhaber Ingo Norwig
Rebfläche 8 ha
Produktion 70.000 Flaschen
Verkaufszeiten
Mo–Sa 8–18 Uhr

Der typische Familienbetrieb im Winzerort Burgen steht seit Jahren für verlässliche Qualitäten. Im acht Hektar großen Betrieb von Ingo Norwig bekommt man vom einfachen Landwein für jeden Tag bis zum hochwertigen und komplexen Eiswein eine ganze Phalanx an empfehlenswerten Gewächsen. Die wachsen in exponierten und naturnah bewirtschafteten Lagen an der Mittelmosel, darunter auch in der Brauneberger Juffer. Das Rebsortenspektrum ist breit gefächert, natürlich gehört der klassische Riesling dazu, aber auch Neuzüchtungen, die in den Moselweinbergen immer seltener zu finden sind, hat das Weingut noch im Anbau. Geringe Erträge bei selektiver Handlese und eine schonende Vinifizierung garantieren Qualitätsweine in klassischer Moselstilistik.

2019 Veldenzer Kirchberg Riesling „Blumenwiese“ Spätlese
8€ · 9,5%
Hochelegante, feinste Frucht und Säureeleganz – der beste Rat ist ein guter Vorrat von diesem Wein.

2019 Veldenzer Kirchberg Riesling „Nobel“ Auslese feinherb
12€ · 13,5%
Pfefferminznote, die feinherbe Restsüße kaschiert die kräftige Säure nicht. Kaninchenparfait mit Tamarillokonfitüre.

2019 Veldenzer Kirchberg Riesling „Non plus ultra“ Auslese
12€ · 8%
Opulenz, zurückhaltende Säure, Zitronenabrieb, Pomelo, Pfeffer. Elegante Begleitung zu Witzigmanns Kalbsbries Rumohr.

Paulinshof

Paulinstraße 14, 54518 Kesten
T +49 (0) 6535 544
www.paulinshof.de

Verbände Bernkasteler Ring
Rebfläche 9,5 ha
Produktion 75.000 Flaschen
Verkaufszeiten
Mo–Fr 8–12 Uhr und 13–18 Uhr
Sa 9–16 Uhr
und nach Vereinbarung

Den Status als Geheimtipp hat Oliver Jüngling leider verloren. Denn sein Talent, aus Trauben, die im steilen Schieferterrain zur Vollreife gewachsen sind, individuelle tiefgründige und mineralisch geschliffene Rieslinge zu produzieren, hat sich längst herumgesprochen. Das Weingut im ehemaligen Stiftshof der Kirche St. Paulin in Trier reiht sich nahtlos ein in die Spitzengruppe der Moselweingüter. Das ist auch nicht verwunderlich, schließlich verfügt der Familienbetrieb über ein stattliches Potenzial an Weinbergen in exponierten Lagen, wie etwa der Brauneberger Juffer, dem Kestener Paulinshofberg und der Trittenheimer Apotheke. Die Lage Brauneberger Kammer befindet sich dagegen im Alleinbesitz des knapp zehn Hektar großen Betriebes.

2019 Brauneberger Juffer Riesling Auslese 
25,50€ · 9,5%
Klassische Moselriesling-Stilistik, straff, mineralisch, gelbfruchtig. Ein Wein mit vielen Einsatzmöglichkeiten, von der feinen Erbsensuppe mit pochiertem Zander bis hin zum souffliertem Lachs.

2019 Brauneberger Kammer Riesling Spätlese halbtrocken
17,50€ · 12%
Kühler Riesling-Typ mit schlanker und fein ziselierter Frucht, heller Säure und dezent süßem Schmelz. Kann auch große Runden problemlos unterhalten.

♥ **2019** Kestener Paulins-Hofberger Riesling „GG"
24,90€ · 12,5%
Saftige und unkomplizierte Trinkfreude mit deutlicher Frucht und kühler Würze. Dieser Wein holt ab und ist ein guter Begleiter.

Axel Pauly

Hochstraße 80, 54470 Lieser
T +49 (0) 6531 6143
www.wein-pauly.de

Inhaber Axel & Sabrina Pauly
Betriebsleiter Axel Pauly
Kellermeister Axel Pauly
Verbände Moseljünger, Mythos Mosel
Rebfläche 9,5 ha
Produktion 95.000 Flaschen
Verkaufszeiten nach Vereinbarung

„Wahrscheinlich gibt es Einfacheres, als ein Familienweingut an der Mosel zu übernehmen. Aber genauso wie die Rebstöcke in unseren Steillagen bin ich tief mit meiner Heimat verwurzelt", sagt Axel Pauly, der das gleichnamige Weingut in Lieser seit 2009 in der dritten Generation führt. Pauly hat neben Riesling unter anderem auch Spätburgunder im Sortiment. Früher mag Rotwein von der Mosel noch exotisch angemutet haben, heute zeigen die Weine, dass die Kombination von Schieferboden und Burgunder ein spannendes Paar sein kann und auf jeden Fall mehr als nur seine Berechtigung hat. Paulys Rieslinge dürfen sich sehr individuell zeigen. Kein Wein gleicht dem anderen, von sehr frischen Stilistiken mit Fruchtbetonung bis zu sehr ruhigen und in sich ruhenden Tropfen zeigt sich eine breite Palette an Interpretationen dieser Rebsorte. Für Axel Pauly ist Beständigkeit in seiner Arbeit und seinen Weinen wichtig und er fühlt sich der Familientradition verpflichtet. Das zeigt auch ein genauerer Blick auf die Etiketten seiner Weine, auf denen man drei Profile – die des Großvaters, des Vaters und sein eigenes – stilisiert abgebildet sieht.

2018 Weißburgunder „Reserve"
24€ · 13,5%
Ein ernsthafter Speisebegleiter mit Potenzial und Zukunft. Ist da etwa ein Hauch Burgund im Glas?

2019 Bernkastel-Kueser Kardinalsberg Riesling „Steinerd" feinherb
12,90€ · 11,5%
Fein, geradlinig und ausgewogen mit exotischen Anklängen und feinem Duft. Dieser Riesling drängt nicht und mahnt zur Ruhe.

2019 Lieserer Niederberg-Helden Riesling Auslese
9,80€ · 8%
Zarte tropische Aromen und Schieferwürze mit enormem Druck am Gaumen. Eine Auslese für gesellige Runden.

2019 Lieserer Niederberg-Helden Riesling Spätlese
12,90€ · 9%
Der Grüne Veltliner aus dem Moselland. Mit Noten von Cassisblättern, Marzipan und grünem Pfeffer sehr vielschichtig im Auftakt, am Gaumen dann mit großer Strahlkraft und viel Freude.

♥ **2019** Lieserer Niederberg-Helden Riesling „GG" ♦♦♦♦
24€ · 12,5%
Hochsensibel, im Mund kraftvolle Fruchtreife und Herbe, dennoch verspielt. Ein Wein, der energiegeladene Komponenten mit leichtfüßiger Eleganz verbindet.

2019 Lieserer Niederberg-Helden Riesling „Helden" ♦♦♦♦
12,90€ · 12,5%
Nase frisch, gleichzeitig komplexe süße Aromen wie Biskuit und Karamell, Minze, Lindenblüten und Mirabellen.

2020 Lieser Riesling „purist" ♦♦
8,80€ · 11%
Zitrisch beschwingt im Glas animiert er zum Nachschenken. Hoffentlich ist die zweite Flasche schon kalt.

2020 Lieserer Niederberg-Helden Riesling Kabinett ♦♦
8,80€ · 9%
Perfektes Easy Drinking auf der Terrasse ab 30 Grad Außentemperatur. Erfrischend und kühlend und mit der Aromatik von Holunderblüte und Flieder ein beschwingter Start in den Abend.

2020 Riesling „Generations" feinherb ♦♦♦
8,10€ · 10,5%
Viel tropische Frucht und fein ausbalancierte Mineralik, dazu eine verspielte Süße am Gaumen. Mit geschlossenen Augen genießen und vom Strand träumen.

2018 Spätburgunder „Reserve" ♦♦♦
24€ · 13,5%
Dunkle Schokolade, Marzipan und Süßkirsche im Auftakt machen Lust auf mehr. Am Gaumen sehr straff und wuchtig, ohne überbordend zu werden. Dieser Wein hat noch sehr viel Zeit.

Weingut Philipps-Eckstein

Panoramastraße 11,
54470 Graach-Schäferei
T +49 (0) 6531 6542
www.weingut-philipps-eckstein.de

Inhaber Patrick Philipps
Verbände Bernkasteler Ring
Rebfläche 7 ha
Produktion 55.000 Flaschen
Gründung 1968
Verkaufszeiten
Mo–Fr 8.30–18 Uhr
Sa–So 9.30–18 Uhr

Über den Reben schweben. Ein bisschen von diesem Gefühl kommt auf, wenn man Patrick Philipps in seinem Weingut besucht, das im Ortsteil Schäferei in Graach liegt und von dem man aus einen herrlichen Blick ins Moseltal und auf die Weinberge hat. Beste Aussichten, das gilt auch für die Weine, die bis auf wenige Ausnahmen aus Rieslingtrauben vinifiziert werden. Patrick Philipps nimmt das selbst in die Hand, er gilt nicht nur in Fachkreisen als ausgewiesener Riesling-Macher mit dem Gespür für die richtige und wichtige Balance zwischen Frucht, Süße und Säure. Die Grundlage für bestes Traubenmaterial sind Philipps Weinberge in den Graacher Spitzenlagen. Um seine Gewächse den Kunden in einem ansprechenden Rahmen präsentieren zu können, wird gerade eine kleine Vinothek gebaut.

2019 Graacher Domprobst Riesling Kabinett feinherb
9,50€ · 12%
Weißer Tee und Orangenblüte mit viel Grip und kräftigem Abgang. Der Kabinett für die Zweisamkeit.

2019 Graacher Domprobst Riesling Kabinett trocken
9,50€ · 12,5%
Barocke Opulenz mit enormer Länge. Ideal zu deftigen Speisen wie Bratkartoffeln und Bratwurst.

2019 Graacher Domprobst Riesling Spätlese feinherb
11,50€ · 12%
Federleichte, doch prägnante Säure einer gespickten Meyer-Zitrone.

2019 Graacher Domprobst Riesling „Alte Reben" Spätlese trocken
11,50€ · 13%
Energiegeladene Spätlese aus alten Reben, die nur so vor Kraft strotzt.

2019 Graacher Himmelreich Riesling Auslese
18€ · 8%
Großartige Geschmacksvielfalt von zarter Lindenblüte über reifer Pfirsich bis hin zum geschmeidigen Karamell.

2019 Graacher Himmelreich Riesling „Gehr" Spätlese
12€ · 8%
Wild und erdig, kühlende Wolke über dem Weinberg am sonnigen Tag.

Weingut Joh. Jos. Prüm

Uferallee 19,
54470 Bernkastel-Wehlen
T +49 (0) 6531 3091
www.jjpruem.com

Inhaber Katharina & Manfred Prüm
Verbände VDP
Rebfläche 21 ha
Produktion 160.000 Flaschen
Verkaufszeiten nach Vereinbarung

Deutsche Weingüter mit internationalem Ruf gibt es nur wenige. Sehr wenige, aber das reine Riesling-Gut Joh. Jos. Prüm, entstanden 1911 nach einer Erbaufteilung, gehört seit Jahrzehnten ohne Zweifel in den Olymp der Weltweingüter. Vielleicht liegt es daran, dass die Macher niemals betriebsblind wurden, Manfred Prüm und seine Tochter Katharina sind beide promovierte Juristen, die mit viel weinbaulichem Sachverstand ihre Rieslinge auf die Flasche bringen, die in ihrer Machart nur ein Urteil zulassen: Weltklasse. Dabei lassen sich die Prüms nicht in die Karten schauen, vor allem der Keller ist geheimnisumwittert und bislang nur von wenigen Auserwählten besichtigt worden. Kein Geheimnis sind die Top-Lagen an der Mittelmosel, allen voran die Wehlener Sonnenuhr, ein Garant für elegant mineralische Rieslinge, die in ihrer langjährigen erfrischenden Trinkfreudigkeit schier unsterblich scheinen.

2015 Graacher Himmelreich Riesling Auslese 
35€ · 7,5%
Sehr ausgewogen und ein Spiel von Süße und Säure, wie es besser nicht sein könnte. Sehr viel Potenzial!

2018 Graacher Himmelreich Riesling Spätlese
27€ · 8,5%
Ein Riesling mit hohem Wiedererkennungswert. Pures Umami im Mund mit salzigen, süßen, bitteren und sauren Noten, die wie Puzzleteile perfekt ineinander passen.

2019 Wehlener Sonnenuhr Riesling Kabinett 
27€ · 9,5%
Mosel pur. Lieblingswein. Potenzial. Extrem jung, man sollte diesem Wein Zeit geben. Wenn man will, lohnt auch jetzt schon ein Blick durch den jugendlichen Nebel – und der verspricht alles.

S. A. Prüm

Uferallee 25–26,
54470 Bernkastel-Wehlen
T +49 (0) 6531 3110
www.sapruem.com

Der Name Prüm hat an der Mosel einen guten Klang, die weit verzweigte Winzerdynastie spielt seit Jahrhunderten eine wichtige Rolle im Anbaugebiet. Der „rote Prüm" wurde Raimund Prüm wegen seiner Haarfarbe genannt, vor vier Jahren hat er den Familienbetrieb an seine Tochter Saskia Andrea weitergegeben. Sie ist die erste Frau in der Familienhistorie, die an der Spitze des Weingutes steht. Zu bewirtschaften und verwalten hat sie 14 Hektar beste Lagen an der Mittelmosel, allesamt steil, mit Schiefer durchsetzt und ausschließlich mit Riesling bestockt. Damit die Weine zu edlen Gewächsen reifen, wie es der Name Prüm verlangt, lagern die Riesling im dunklen und kühlen Gewölbekeller in alten Fuder-

Inhaber Saskia Andrea Prüm
Verbände VDP
Rebfläche 14 ha
Produktion 100.000 Flaschen
Verkaufszeiten
Mo–Fr 8–12 Uhr und 13–17 Uhr
Sa 10–16 Uhr
So nach Vereinbarung

fässern, die schon einige Jahrgänge beherbergt haben. Zum Weingut gehört ein schick eingerichtetes Gästehaus, in dem man die besondere Herzlichkeit und die exzellenten Weine der Prüms hautnah erleben kann.

2019 Riesling „Wehlen"
19,50€ · 12,5%
Leise floral im Auftakt, dann setzen sich balsamische Noten durch. Ein Wein, der sich im Glas stetig verändert und dadurch viel Abwechslung in die Runde bringt.

♥ **2019** Wehlen Sonnenuhr Riesling
38,50€ · 13%
Saftig, animierend und keineswegs opulent. Eine Symphonie zum Schmecken.

2019 Wehlen Sonnenuhr Riesling „Fass 8" Auslese
16,50€ · 7,5%

Weingut Familie Rauen
Hinterm Kreuzweg 5,
54340 Thörnich
T +49 (0) 6507 3403
www.weingut-familie-rauen.de

2019 Thörnicher Enngaß Sauvignon Blanc
8,50€ · 12,5%
Viel gelbe Frucht und viel Frische, bietet großes Trinkvergnügen.

2020 Thörnicher Spätburgunder
7€ · 12%
Hier ist alles am richtigen Platz mit duftig-floralen Noten und feiner Süße. Dazu ein kaltes Roastbeef mit sanfter Kräuter-Vinaigrette.

Rebenhof

Hüwel 2–3, 54539 Ürzig
T +49 (0) 6532 4546
www.rebenhof-schmitz.de

Inhaber Johannes Schmitz
Rebfläche 7 ha
Produktion 75.000 Flaschen

Ein Weingut, das nur eine Rebsorte ausbaut, ist an der Mosel nicht selten. Auch im sieben Hektar großen Betrieb von Johannes Schmitz ist der Riesling sozusagen „Einzelkind", um das man sich mit Hingabe kümmert. Stehen hat ihn der Betrieb im Würziger Würzgarten und dem Erdener Treppen, beide renommierte Lagen und die beste Kinderstube, die ein Riesling haben kann. Denn die Schieferböden stecken voller spannender Mineralität und geben den Trauben, die darauf wachsen, ein gutes Stück dieser geologischen Heimat mit. Ein Großteil der Reben von Johannes Schmitz steckt noch wurzelecht im Boden, Weinstöcke, die nicht geklont oder gepfropft sind. Wer die Rieslinge des Rebenhofs in aller Ruhe und ausgiebig probieren möchte, kann sich nach der Verkostung in einem der schicken Zimmer des Gästehauses niederlassen.

Verkaufszeiten
Mai–Okt.
Mo 10–18 Uhr
Fr–Sa 10–18
So 10–13 Uhr
und nach Vereinbarung

2019 Erdener Treppchen Riesling Spätlese trocken 🍇🍇
16€ · 12%
Kristallklare Zitrusfrucht, dennoch ein rustikaler Geselle, herzhaft und trocken im wahrsten Sinne.

2019 Erdener Treppchen Riesling „GG" 🍇🍇🍇🍇
28,50€ · 12,5%
Ein ganz klassisch gebauter Riesling, der zuerst nur zart duftet, sich dann im Glas entfaltet und sein Potenzial erst nach und nach freigibt. Hell leuchtend und ernsthaft, ein treuer Begleiter durch alle Lebenslagen.

2019 Riesling 🍇🍇
10€ · 11,5%

2019 Ürziger Würzgarten Riesling Spätlese feinherb 🍇🍇
16€ · 12%
Hefezopf und reife Frucht im Auftakt mit einem ruhigen und gediegenen Finale.

2019 Ürziger Würzgarten Riesling „Vom Roten Schiefer" Kabinett feinherb 🍇🍇🍇
11€ · 10,5%
Ganz straight und ausgeglichen die Schiefernote spielend sowie mit Anklängen von Grafit.

2019 Ürziger Würzgarten Riesling „Von Wurzelechten Reben" Kabinett trocken 🍇🍇
11€ · 11,5%
Jugendlicher, verspielter Treibauf. Ein saftiger, extraktreicher Trinkfluss stellt sich ein, neben zartbitteren Aromen von der Blutorange.

2019 Ürziger Würzgarten Riesling „Von den Felsen" Spätlese 1. Lage feinherb 🍇🍇🍇🍇
29€ · 12,5%
Runde köstliche Aromen, zarter Körper, zurückhaltend, Melisse.

F-J Regnery

🍇🍇🍇

Mittelstraße 39,
54340 Klüsserath
T +49 (0) 6507 4636
www.weingut-regnery.de

Die Rechnung der Familie Regnery ist einfach, aber sie geht auf: Steilhang und Schiefer ergeben wunderbar erfrischende, tiefgründige und mineralische Weine. Drei Generationen arbeiten im Weingut Hand in Hand, dabei führt Peter Regnery Regie im 8,5 Hektar großen Betrieb. Der hat, ganz untypisch für die klassische Mosel, rund 30 Prozent rote Rebsorten in den Weinbergen stehen, darunter auch Global Player wie Syrah und Cabernet Sauvignon. Aber natürlich hat der Riesling mit zwei Drittel der Rebfläche die Nase vorn und ist das Aushängeschild der Winzerkunst der Regnerys, die das schon seit dem 17. Jahrhundert machen. Die meisten Weine kommen trocken ausgebaut auf die Flasche, probieren kann man das gute Sortiment in der neuen Vinothek.

Inhaber Peter Regnery
Verbände Bernkasteler Ring
Rebfläche 8,5 ha
Produktion 50.000 Flaschen
Gründung 1680
Verkaufszeiten
Mo–Fr nach Vereinbarung
Sa 10–18 Uhr

♥ **2019** Klüsserather Bruderschaft Riesling „Alte Reben" Auslese trocken ♣♣♣♣
13,80€ · 11,4%
Ein toller mundfüllender Schluck, fein eingebundene Saftigkeit, duftige Exotik ergeben einen runden und kraftvollen Wein.

2019 Klüsserather Bruderschaft Riesling „Edition Michelskirch" Spätlese feinherb ♣♣♣
11,40€ · 12,5%
Dieser Riesling zieht in seinen Bann. Sehr spannende Aromatik mit Schießpulver und Limettenzeste im Auftakt, am Gaumen sehr lang und extraktreich.

2019 Klüsserather Bruderschaft Riesling „Edition Michelskirch" Spätlese trocken ♣♣♣
11,40€ · 12,5%
Die Tee-Aromatik, die an eine Mischung aus Earl Grey und Darjeeling denken lässt, strahlt eine noble Eleganz und Ruhe aus. Dieser Wein braucht ein großes Glas, um sich voll entfalten zu können.

2019 Klüsserather Bruderschaft Riesling „GG" ♣♣♣
21,60€ · 12,5%
Finessenreich, gut eingebundene Säure, doch auch fordernd, kraftvoll und stämmig in seiner Jugend.

2017 Klüsserather Bruderschaft Spätburgunder „im Barrique gereift" ♣♣♣
15€ · 13,6%
Klassiker, entwickelt sich gut mit Luft, reifer Waldbeerenton und dicht gewobene Würze – schmeckt zur Roten Grütze.

Römerhof

♣♣♣

Burgstraße 2, 54340 Riol
T +49 (0) 6502 2189
www.weingut-roemerhof.de

Riol, Riesling, Römerhof: ein Dreiklang, den vielleicht noch nicht jeder kennt, der es aber lohnt, entdeckt zu werden. Seit vier Generationen ist Familie Schmitz im Weinbau an der Mittelmosel aktiv, mit Franz-Peter und Sohn Daniel sind zwei motivierte Winzer aus zwei Generationen am Ruder, die sich in ihrer Weinphilosophie einig sind: kompromisslose Qualität und ehrliche Weine mit individuellem Charakter zu produzieren. Um dieses Ziel zu erreichen, nutzen sie vor allem den Riesling, der in den steilen Schieferhängen den Winzern zwar einiges abverlangt, aber letztendlich das Terroir in all seinen charakteristischen Facetten erkennen lässt. Neu auf dem Weingut ist die Römerhof-Vinothek, ein gelungenes Zusammenspiel aus Architektur und Genussambiente.

Inhaber Franz-Peter & Daniel Schmitz
Rebfläche 11 ha
Produktion 80.000 Flaschen
Verkaufszeiten
Fr 13–18 Uhr
Sa 10–17 Uhr
und nach Vereinbarung

2019 Mehringer Zellerberg Riesling „Alte Reben" Spätlese trocken ♣♣♣
11€ · 13%
Feine Süße der Fruchtreife. Mit klarer und frischer Mirabellenfrucht flattert der Zitronenfalter umher.

2019 Mehringer Zellerberg Riesling „Constantin" Auslese trocken ♣♣♣
13,50€ · 12,5%
Ein charmantes Kraftpaket mit einer würzigen Botrytisblume, fleischig, feste Struktur, belebend und vielschichtig.

2019 Mehringer Zellerberg Riesling „Felsenterrasse" Spätlese halbtrocken ♣♣♣
11€ · 12%
Spannungsgeladenes Süße-Säure-Spiel und sehr aromatischer Auftakt. Dazu unbedingt etwas Asiatisches, am liebsten süßsauer, damit das Pairing perfekt sitzt.

2019 Mehringer Zellerberg Riesling „Vom grauen Tonschiefer" Spätlese halbtrocken ♣♣
10€ · 12%
Würziger Riesling mit dezenter Pfeffernote. Sehr herzhaft und ein schöner Grillwein.

2018 Cuvée „Pinot" brut ♣
13,50€ · 13,5%

Claes Schmitt Erben

Moselweinstraße 43,
54349 Trittenheim
T +49 (0) 6507 7017 36
www.claeswein.de

Inhaber Niko Schmitt
Verbände Weinelf Deutschland
Rebfläche 4,8 ha
Produktion 42.000 Flaschen

Mit Niko Schmitt ist ein talentierter und weitsichtiger Winzer am Werk, der das kleine Weingut in siebter Generation auf Kurs hält. An der Mittelmosel ist die Konkurrenz groß, doch Schmitt überzeugt mit seinen handwerklich sauberen und klaren Rieslingen, die zumeist aus renommierten Trittenheimer oder Neumagener Lagen stammen und mit relativ geringen Alkoholwerten ausgestattet sind. Bekömmliche und leicht verträgliche Weine, die nicht immer der klassischen restsüßen Moselstilistik folgen, sondern vorwiegend trocken oder feinherb ausgebaut sind. Wer Nico Schmitt in seinem Betrieb in Trittenheim besucht, kann es sich beim Weinprobieren in der nagelneuen Weinlounge oder auf der Terrasse bequem machen. Für Übernachtungen auf dem Weingut stehen zwei neue modern ausgestattete Appartements inklusive Sauna und Klimaanlage zu Verfügung.

Verkaufszeiten
Fr 16–20 Uhr
Sa 14–19 Uhr
So 11–13 Uhr
und nach Vereinbarung

2019 Trittenheimer Apotheke Riesling „Jungheld“ halbtrocken

17€ · 12,5%
Der Wein spiegelt die Reife des Jahrgangs wider, zeigt Länge, strahlt Kraft aus und wird eine lange Zukunft haben.

2019 Trittenheimer Apotheke Riesling „Sonntheilen“

14€ · 12,5%
Liebliche Frucht mit würzigen Schiefernoten, langer und kräftiger Nachhall. Backhendl auf Kartoffelsalat.

2019 Trittenheimer Apotheke Riesling „**“

24,50€ · 7,5%
Richtig viel Honigsüße und reife Frucht im Auftakt. Ein molliger und mächtiger Typ mit viel Extrakt und kräftiger Würze am Gaumen, die für einen langen Nachhall sorgt.

Weingut Schmitt-Kranz

Neueinsteiger

Hauptstraße 20,
54340 Riol
T +49 (0) 6502 5189
www.schmitt-kranz.de

Inhaber Matthias Schmitt
Verbände Ebbes von Hei
Rebfläche 6,5 ha
Verkaufszeiten
nach Vereinbarung

Riol an der Mosel ist auch für viele Deutschlandkenner ein böhmisches Dorf und weit von der Copacabana entfernt. Der Tausend-Seelen-Ort gehört zur Verbandsgemeinde Schweich an der Römischen Weinstraße und ist Heimat des Weinguts von Matthias Schmitt, der rund um das kleine Dorf seine Weinberge stehen hat. In denen tummeln sich allerhand Rebsorten, darunter auch Rieslinge, die rund ein Drittel der Rebfläche einnehmen. Geerntet wird seit zehn Jahren ausschließlich mit dem Traubenvollernter, ausgebaut werden die Weine im Edelstahl, die Rotweine reifen in Barriques. Mehrfach ausgezeichnet wurde das Weingut für seinen trinkfertig gewürzten und gesüßten weißen Glühwein, der nach einem alten Familienrezept verfeinert ist.

2019 Mehringer Goldkupp Riesling Spätlese trocken 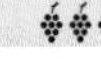
7€ · 12%
Ein freundlicher Wein, der die feine Wärme eines Spätsommertags ausstrahlt. Mit seiner ausgewogenen Balance von Frucht, Säure und Grip könnte er das Zeug zum Lieblings-Feierabend-Wein haben.

2019 Rioler Römerberg Weißburgunder 
6,10€ · 12,5%
In der Nase fruchtig mit dezentem Rauch, am Gaumen jugendliche Sturm-und-Drang-Phase.

2020 Rioler Römerberg Müller-Thurgau halbtrocken
5,30€ · 12%

Weingut Schmitz-Herges

Neueinsteiger

Goethestraße 2,
54470 Bernkastel-Kues
T +49 (0) 6531 1600
www.spitzhaeuschen.de

Rebfläche 2 ha
Produktion 18.000 Flaschen
Gründung 1925

Zwei Hektar sind für ein Weingut nicht viel Anbaufläche, aber für Claudia und Peter Schmitz reicht das aus, schließlich werden ihre Weine zum größten Teil in der historischen Weinstube Spitzhäuschen am Bernkasteler Marktplatz ausgeschenkt. Dort steht nämlich der eigentliche Held des Familienunternehmens, denn das markante Haus mit den spitzen Dächern ist nicht nur ein Hingucker und das meistfotografierte Haus der Stadt, sondern auch ein 600 Jahre altes Kleinod, das seit Generationen ein beliebter Treffpunkt für Weinkenner ist. Getrunken und gezecht werden hier zur herzhaften Küche nur Gewächse aus eigenem Anbau, die Parzellen des Weinguts liegen in besten Lagen von Kues, Bernkastel und Lieser.

2018 Graacher Himmelreich Riesling Spätlese
9,80€ · 7,5%
Komplexe Spätlese-Aromatik mit sanftem Druck am Gaumen und enorm verspieltem Finale, ein Wein zum Philosophieren.

Verkaufszeiten
Weinstube Spitzhäuschen
Karlstraße 13,
54470 Bernkastel-Kues
Di–So ab 15 Uhr
und nach Vereinbarung

♥ **2013** Bernkastel-Kueser Weisenstein Riesling Auslese
13,90€ · 7,8%
Eine ungemein jugendlich auftretende Auslese mit animierendem Säurespiel und feiner Süße, Noten von Safran im Finale.

2019 Lieserer Niederberg Helden Riesling Spätlese
10,90€ · 9,4%
Eine Spätlese von alten Reben wie aus dem Bilderbuch, fast zu schön, um hier etwas kombinieren zu wollen, wenn, dann vielleicht ganz puristisch eine reife Cavaillon-Melone.

Weingut Selbach-Oster

Uferallee 23, 54492 Zeltingen
T +49 (0) 6532 2081
www.selbach-oster.de

Inhaber Johannes & Barbara Selbach
Betriebsleiter Johannes & Barbara Selbach
Kellermeister Christian Vogt & Klaus Rainer Schäfer
Rebfläche 24 ha
Produktion 150.000 Flaschen
Gründung 1661
Verkaufszeiten
Vinothek Selbach
Gänsfelderstraße 20,
54492 Zeltingen-Rachtig
Mo–Fr 11–17 Uhr
Sa 11–18 Uhr
und nach Vereinbarung

Wenn von deutschen Spitzenweingütern die Rede ist, dann fällt auch der Name Selbach-Oster. Kein Wunder, denn hier wird nicht nur akribisch in Weinberg und Keller gearbeitet, sondern die Sache von Grund auf mit einer Vision angegangen: in der Qualität unbestechlich, dabei zeitlos geradlinig und facettenreich individuell. Die beiden Kellermeister Christian Vogt und Klaus Rainer Schäfer folgen diesem Grundsatz, der sich wie ein roter Faden durch die glorreiche Geschichte des hochdekorierten Familienbetriebs zieht. Basis der bemerkenswerten Rieslinge sind beste Parzellen in den steilen Lagen der Mittelmosel, in denen die Trauben zur Vollreife wachsen und selektiv von Hand gelesen werden. Im Keller verrichten wilde Hefen die Gärarbeit, langsam und schonend, teils im Edelstahl, teils im traditionellen Fuderfass. Das Weinangebot umfasst alle geschmacklichen Facetten von trocken bis edelsüß, dazu kommen einige samtige Spätburgunder.

2019 Wehlener Sonnenuhr Riesling Auslese
32€ · 7,5%
Verführerisches Bukett von Mango und Cassis. Am Gaumen dann eine Säure, die ihresgleichen sucht und ein verführerisches Spiel mit der Süße eingeht. Sehr hohes Lieblingsweinpotenzial.

2019 Zeltinger Schlossberg Riesling Kabinett
12€ · 9,5%
Belebend, rassiger Ausdruck von frischen exotischen Früchten, die zarte Restsüße verfeinert asiatische Gerichte mit Chili-Schärfe.

2019 Zeltinger Sonnenuhr Riesling Spätlese feinherb
26€ · 12,5%
Powerful und über allem schwebt Litschi, der ideale Sommerwein? Probieren!

2019 Zeltinger Sonnenuhr Riesling „GG"

27€ · 13%

Die große Oper, das klassische Drama, aufgeführt in der Zeltinger Sonnenuhr. Ein barocker Typ mit großer Wucht und sehr viel Kraft – eine Überraschung für die Mosel und ein Tipp für Entdecker.

2018 Spätburgunder

40€ · 12,8%

Stimmig und harmonisch gebaut, mit toller Balance und feinem Fruchtspiel am Gaumen. Ihre Gäste werden sich mit diesem Wein wohlfühlen.

2019 Zeltinger Sonnenuhr Riesling Beerenauslese

55€ · 7%

Vanillekipferl, brillante lange klare Süße von getrockneten Beeren, die einen großartigen Eindruck davon geben, wie komplex die Botrytis-Reife wirkt.

Sorentberg Neueinsteiger

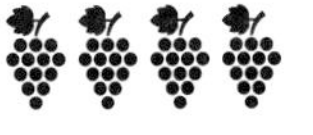

Fischelstraße 26, 56861 Reil
T +49 (0) 173 6541 352
www.sorentberg-riesling.de

Inhaber Tobias Treis & Ivan Giovanett
Rebfläche 3 ha
Produktion 15.000 Flaschen
Gründung 2011
Verkaufszeiten
Mo–Sa 9–18

Die Tausend-Seelen-Gemeinde Reil im Landkreis Bernkastel-Wittlich ist sicher nicht der Nabel der Weinbauregion Mosel. Doch zwei junge Winzer haben den kleinen Ort in den Fokus der Weinszene gerückt, als sie im Jahr 2012 die fast vergessene Traditionslage Reiler Sorentberg in einem Seitental an der Mittelmosel wieder mit Rieslingen bestockt und rekultiviert haben. Sorentberg heißt auch ihr Weingut, Tobias Treis und der Südtiroler Ivan Giovanett bewirtschaften heute rund drei Hektar in dem steilen Südhang, dessen Boden ein einzigartiges Terroir aus rotem Schiefer mit Muscheleinschlüssen ist. Nur zwei unterschiedliche Rieslinge aus dem Sorentberg vinifizieren die beiden Winzer. Nicht viel für ein Weingut, aber dennoch eine große Leistung für den Erhalt einer Kulturlandschaft, zu der an der Mosel auch der Weinbau gehört.

2018 Reiler Sorentberg Riesling „Rotschiefer"

18€ · 13%

Filigraner Sponti, rauchig, reife Früchte, facettenreiche Schönheit. Räucheraal mit Schwarzbrot.

2018 Reiler Sorentberg Riesling „Von 1000 Alten Reben"

65€ · 13%

Barocke Frucht, Biskuitnoten, helle reife Früchte, Räucher- und Harzaromen bringen Tempo ins Spiel.

♥ **2019** Reiler Sorentberg Riesling „Rotschiefer"

18€ · 12%

Schmeichelnder Typ mit Noten von Buttertoast und Akazienhonig, der mit seiner brillanten und klaren Art extrem viel Charme ausstrahlt und in sich selbst ruht.

St. Nikolaus-Hof

Neueinsteiger

Mühlenstraße 44,
54340 Leiwen
T +49 (0) 6507 8107
www.st-nikolaus-hof.de

Inhaber Klaus Schweicher
Rebfläche 7,1 ha
Verkaufszeiten
Mi 17–19 Uhr
Fr 10–12 Uhr
und nach Vereinbarung

In rund 60 Jahren hat der St. Nikolaus-Hof eine steile Karriere gemacht, aus einem kleinen Fassweinlieferanten Anfang der 1960er-Jahre wurde ein stattliches Weingut. Dahinter steckt die Arbeit der Familie Schweicher, die ihren Betrieb kontinuierlich erweitert hat, zur Flaschenweinvermarktung übergegangen ist und sich konsequent dem Qualitätsweinbau verschrieben hat. Heute leiten Annegret und Klaus Schweicher den ca. sieben Hektar großen Betrieb. Längst gehört auch Sohn Nico zum engagierten Team im Weingut, denn für die nächste Generation sind die Aussichten gut. Der Betrieb kann auf die besten Lagen an der Mittelmosel rund um Trittenheim und Leiwen zurückgreifen. Die sind ganz klassisch mit Rieslingen bestockt, produziert werden im St. Nikolaus-Hof bekömmliche und trinkfreudige Wein in allen Prädikatsstufen.

2019 Leiwener Laurentiuslay Riesling „Vor dem Stortel" Kabinett feinherb
7,80€ · 10,5%
Der Wein möchte Luft, entspannt sich dann im Glas und lässt ein buntes Treiben zwischen der klaren Struktur, den reifen Aromen und einer spannenden Zitrusfrucht zu.

2019 Trittenheimer Apotheke Riesling Spätlese
8,80€ · 7,5%
Ein Maul voll Wein, schmeichelnde, kandierte Ananas und Zitrusnoten – großes Kino zum Forellentatar.

2020 Leiwener Klostergarten Riesling
6,80€ · 11%
Seidig und elegant mit festem Kern und guter Struktur. Ein Wein mit viel Potenzial, wenn man ihm den richtigen Auftritt bereitet.

2017 Riesling „Leiwener Laurentiuslay" brut
10,50€ · 12%

P. Stettler-Söhne

Moselstraße 10, 54470 Lieser
T +49 (0) 6531 2396
www.top-wein.de

Lieser ist ein idyllischer Weinort an der Mittelmosel, nur wenige Kilometer von Bernkastel-Kues entfernt, wo sich bei gutem Wetter die Touristen tummeln. Um dem zu entgehen, kann man sich im gemütlichen Weinhotel der Familie Stettler einquartieren und von dort aus die Gegend erkunden. Daneben empfiehlt sich eine Weinprobe im Hause, denn Mario Stettler ist Winzer und führt, unterstützt von der ganzen Familie, mit viel Leidenschaft den Weinbaubetrieb. Der Riesling steht im Fokus seiner Arbeit, angebaut auf den mineralreichen Schieferböden in einigen der besten Lagen an der Mittelmosel. Seine Kellerwirtschaft hat Stettler so aufgestellt und orga-

Inhaber Gerhard Stettler
Betriebsleiter Mario Stettler
Kellermeister Mario Stettler
Rebfläche 14 ha
Produktion 100.000 Flaschen
Gründung 1649
Verkaufszeiten
Mo–So 9–19 Uhr

nisiert, dass in der Vinifizierung Tradition und Moderne Hand in Hand gehen und die Weine die Zeit bekommen, die sie brauchen, um ihren ganzen Glanz zu entfalten.

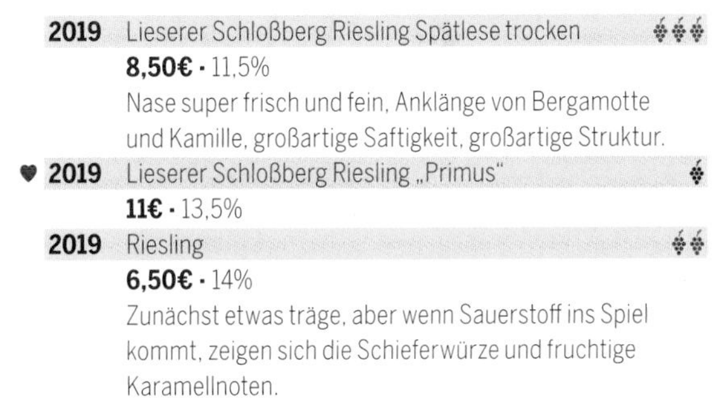

2019 Lieserer Schloßberg Riesling Spätlese trocken
8,50€ · 11,5%
Nase super frisch und fein, Anklänge von Bergamotte und Kamille, großartige Saftigkeit, großartige Struktur.

♥ **2019** Lieserer Schloßberg Riesling „Primus"
11€ · 13,5%

2019 Riesling
6,50€ · 14%
Zunächst etwas träge, aber wenn Sauerstoff ins Spiel kommt, zeigen sich die Schieferwürze und fruchtige Karamellnoten.

Riesling-Weingut Alfons Stoffel

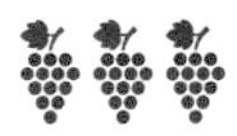

Maximinstraße 15,
54340 Leiwen
T +49 (0) 6507 3312
www.weingut-stoffel.de

Familie Stoffel hat sich ganz dem Riesling verschrieben, auf vier Hektar Rebfläche in den Steilstlagen Leiwener Laurentiuslay, Köwericher Laurentiuslay und Klüsserather Bruderschaft wird traditionell nur die eine Rebsorte angebaut. Auch im Keller triumphiert die Tradition, nicht ohne die technischen Möglichkeiten ausgelotet zu haben. Doch Alfons Stoffel und Sohn Michael, die sich die Arbeit im Keller teilen, setzen auf klassische 500-Liter-Eichenholzfässer im Moselfuderstil, um im Zusammenspiel mit einer spontanen Vergärung den Rieslingen die Chance zu geben, vielschichtige und komplexe Aromenstrukturen zu entwickeln. Ausgebaut werden sowohl trockenen Weine als auch feinherbe Qualitäten und Rieslinge mit natürlicher Restsüße. Acht exklusive Ferienwohnungen auf dem Weingut bieten die Möglichkeit, den Weinbau und die Weinherstellung hautnah und vor Ort kennenzulernen.

Inhaber Alfons Stoffel
Rebfläche 4 ha
Produktion 35.000 Flaschen
Verkaufszeiten
nach Vereinbarung

2019 Klüsserather Bruderschaft Riesling „Grand Stoff(el)" Spätlese ♣♣♣♣
18€ · 8,5%
Würze und Saftigkeit sind schön balanciert, dazu eine feinfruchtige Süße am Gaumen. Ein moderner Wein, der weiß, wie schön er ist.

2019 Klüsserather Bruderschaft Riesling „Grand Stoff(el)" Spätlese trocken ♣♣♣
18€ · 12%
Tabak, warme Aromen, vom Holz geprägt, auch Pfeffernoten, sehr ungewöhnlich, Länge und Power.

2019 Köwericher Laurentiuslay Riesling Spätlese trocken ♣♣♣♣
13€ · 12%
Das Holz bringt tolle Komplexität und macht ihn unheimlich attraktiv. Ein Wein mit Zukunft. Trotzdem: Ist noch was in der Flasche?

♥ **2019** Leiwener Laurentiuslay Riesling „Grand Stoff(el)" Spätlese ♣♣♣♣
18€ · 9%
Großer Stoff mit nuancierter Kakaonote, die sich zu Weinbergpfirsich und Mango gesellt. Konzentriert und saftig mit einer dezenten, aber angenehmen Schärfe.

2018 Crémant Pinot Blanc brut ♣♣♣
16,50€ · 12,5%
Wie ein Sommertag mit frisch gebackenem Apfelkuchen ... Verführerischer Duft nach Backwerk, am Gaumen filigran mit feingliedrigem Körper und saftigerfrischender Säure.

2018 Riesling brut ♣♣♣♣
16,50€ · 12,5%
Fordernde, mineralische Aromen entwickeln sich im Mund zu einer zierlichen Schönheit mit allen Attributen der vornehmen Zurückhaltung.

Weingut Thanisch

♣♣♣♣

Moselstraße 57a, 54470 Lieser
T +49 (0) 6531 8227
www.thanisch.de

Vor genau 20 Jahren hat Jörg Thanisch den elterlichen Betrieb an der Mittelmosel übernommen und ihn mit Geschick und Weitsicht auf erfolgreichem Kurs gehalten. Das Weinmachen liegt ihm im Blut, schon seit Generationen sind die Thanischs Winzer an der Mosel, eine weitverzweigte Weindynastie mit einigen Betrieben. Gut zwei Drittel seiner Anbaufläche hat Jörg Thanisch mit Rieslingreben bepflanzt, seine beste Lage, aus der Jahr für Jahr Spitzengewächse kommen, ist die Lieser Niederberg Helden mit ihrem von Schiefer

Inhaber Jörg Thanisch
Rebfläche 9 ha
Produktion 70.000 Flaschen
Verkaufszeiten
Mo–So 10–18 Uhr

durchsetzten Boden. Das bringt Mineralität ins Glas. Thanisch lässt seine Weine weitgehend spontan vergären, um die Authentizität und Besonderheiten des Terroirs eins zu eins im Geschmack abbilden zu können. Für den Ausbau der Rotweine sind Holzfässer vorgesehen, mal traditionelle Fuderfässer, mal französische Barriques.

2018 Lieserer Niederberg Helden Riesling Spätlese trocken
12€ · 12,5%
Erfrischung, Leichtigkeit und Trinkfluss: ein Wein, der für sich allein stehen kann.

2019 Lieserer Niederberg Helden Riesling „GG"
22,50€ · 13,5%
Üppig köstliche Frucht, unterstrichen von kräftiger Säure, der Wein zeigt sich kühl, hat Stil.

2018 Spätburgunder „unfiltriert – Reserve"
24€ · 14%
Facettenreiches Aromenspiel von Schinkenspeck, Rauch, Cassis, Schlehe und Wacholder. Sehr eigenständig und vielfältig. Gerne mit einer ganz klassischen Begleitung, zum Beispiel rosa gebratener Entenbrust mit dunkler Jus.

2019 Brauneberger Juffer Riesling Auslese
19€ · 7,5%
Tolle Konzentration von getrockneten Früchten, nobler Botrytis und filigraner Säure, großer Wein mit viel Potenzial.

2019 Lieserer Niederberg Helden Riesling Auslese
19€ · 7,5%
Moseltypische Auslese: klar, harmonisch mit Schmelz und gut eingebundener Säure.

Wwe. Dr. H. Thanisch Erben Thanisch

Saarallee 31,
54470 Bernkastel-Kues
T +49 (0) 6531 2282
www.thanisch-vdp.de

Außergewöhnlich ist das Weingut nicht nur wegen seines sperrigen Namens, der auch die traurige Botschaft beinhaltet, dass der Betrieb einer Witwe gehörte. Das war 1895, als Dr. Hugo Thanisch das Zeitliche segnete und seine Witwe Katharina das Weingut übernahm. Außergewöhnlich ist auch, dass ihr in der Führung bis heute nur noch Frauen folgten. Seit dem Jahr 1996 ist Sofia Thanisch am Ruder, ihre Tochter Christina steht als neue Chefin über neun Hektar Rebfläche schon in den Startlöchern. Ob man den weiblichen Touch in den Weinen schmecken kann, sei mal dahingestellt. Fakt ist, dass die Rieslinge, nichts anderes wird hier angebaut, zur Elite der Moselweine gehören und sich die Gewächse aus Bernkasteler Spitzenlagen Jahr für Jahr in allen Prädikaten außergewöhnlich klar und fein präsentieren.

Inhaber Sofia Thanisch
Betriebsleiter Olaf Kaufmann
Verbände VDP
Rebfläche 9 ha
Produktion 58.000 Flaschen
Verkaufszeiten
Mo–Fr 9–17 Uhr
und nach Vereinbarung

2019 Berncasteler Doctor Riesling Spätlese
35€ · 8,5%
Ein herber Typ, der sich nicht auf den ersten Blick öffnen mag, sondern ein wenig Geduld und Beschäftigung fordert. Sehr eigenständig und individuell.

2019 Bernkasteler Badstube Riesling Kabinett feinherb
14,90€ · 11,5%
Eher ein dezenter Gast am Tisch, der von einer Begleitung profitiert, die richtig Würze mitbringt, zum Beispiel einem gebratenen Seeteufel mit Knoblauch.

2019 Bernkasteler Graben Riesling GG
25,50€ · 12,5%
Großartig dicht und voluminös am Gaumen, ohne opulent zu sein, eine große Kunst, die viel Liebe zum Detail voraussetzt. Eine herrliche Saftigkeit mit einer beeindruckenden Länge zeichnen diesen immens köstlichen Wein zusätzlich aus.

Dr. H. Thanisch, Erben Müller-Burggraef

Junkerland 14,
54470 Bernkastel-Kues
T +49 (0) 6531 9179 010
www.dr-thanisch.de

Inhaber Peter Mertes Familienweingüter
Betriebsleiter
Maximilian Ferger
Kellermeister
Maximilian Ferger & Edgar Schneider
Verbände Bernkasteler Ring, Fair'n Green
Rebfläche 15 ha
Produktion 80.000 Flaschen
Gründung 1636
Verkaufszeiten
Mo–Fr 8–16.30 Uhr

Der dynamische und moderne Betrieb wurde mehrfach erblich geteilt und steht heute für unkomplizierte und trinkfreudige Rieslinge. Bis auf wenige Partien Spätburgunder ist der klassische Riesling der Held im Weingut, und das vor allem, wenn er im legendären Berncasteler Doctor Berg gewachsen ist. Einst der teuerste Weinberg der Welt, ist der „Doctor" noch heute ein Markenzeichen für elegante Spitzenweine von der Mosel. Produziert werden die Weine im über 350 Jahre alten Berncasteler Doctorkeller, der unterhalb des Weinbergs in den Fels gehauen wurde und für konstante Temperaturen sorgt. Hier befindet sich auch die legendäre Schatzkammer, in der kostbare Raritäten lagern. Die aktuellen Weine können im Bernkasteler Stadtpalais, zu dem auch ein Café mit Blick auf die Mosel gehört, verkostet werden.

2019 Berncasteler Doctor Riesling Kabinett
20€ · 9%
Tropischer Auftakt mit zarter Süße. Ein filigraner Wein, der vorbeiflattert wie ein Schmetterling und den festzuhalten kaum möglich ist.

2019 Berncasteler Doctor Riesling Spätlese
30€ · 8,5%
Verspielt, tänzelnd, dennoch komplexer Körper mit Ausdruck und Strahlkraft. Feiner Wein, der im Menü auftritt oder als krönender Abschluss serviert werden kann.

2019 Bernkasteler Badstube Riesling Kabinett

12€ · 8,5%

Feste gelbe Frucht trifft klare und helle Fruchtsüße. Den richtigen Kick gibt eine leicht salzige Note am Gaumen, die einen langen Eindruck hinterlässt und ein verführerisches Spiel mit der Süße eingeht.

2019 Bernkasteler Badstube Riesling Kabinett trocken

12€ · 12%

Kräuterelixier und zarte Zitrusaromen.

2019 Bernkasteler Graben Riesling Spätlese

15€ · 8%

Mit ein bisschen Fantasie entführt einen dieser Wein auf warmen Schieferboden am letzten schönen Herbsttag, wenn die Luft schon kühl und der Boden noch warm ist. Diese Mischung ist so entspannend, dass man das Glas eigentlich gar nicht mehr absetzen möchte.

2019 Bernkasteler Graben Riesling Spätlese „GG" trocken

20€ · 12,5%

Puristischer Typ mit klassischer Mosel-Säure und charmanter Bitternis im Abgang. Dieser Wein ist nicht nur Spaß im Glas, er kann auch breit eingesetzt werden, sei es zu asiatisch angehauchten Speisen oder einem klassischen Ofenhuhn.

2019 Bernkasteler Lay Riesling Spätlese „GG" trocken

20€ · 12,5%

Ein unheimlich komplexer Wein. Der Holzeinsatz braucht noch etwas Zeit, aber der Grip am Gaumen ist schon sensationell. Gäbe es doch Zeitreisen für Weine ...

2019 Bernkasteler Lay Riesling „Alte Reben" Spätlese feinherb

15€ · 12%

Der Duft erinnert an ein langsam erlöschendes Lagerfeuer. Am Gaumen dann ein Süße-Säure-Spiel, bei dem die Säure klar die Oberhand behält.

2020 Lieserer Niederberg-Helden Pinot Noir „Dr. Thanisch Rosé" feinherb

12,50€ · 13%

2015 Riesling „1000 l" brut

17€ · 12,5%

Ausgewogen, rund und saftig, herrlich frische Säure, reife Aromen von Kaffeebohne und Schokolade. Das CO_2 liefert eine feine cremige Perlage.

Julius Treis Neueinsteiger

Fischelstraße 24–26,
56861 Reil
T +49 (0) 6542 9002 00
www.julius-treis.de

Inhaber Tobias Treis
Rebfläche 6 ha
Produktion 40.000 Flaschen
Gründung 1684
Verkaufszeiten
Mo–Sa 9–18 Uhr

Senior Theo Treis hat einen beneidenswerten Job, denn er verwaltet die Schatzkammer des Familienbetriebs, in der Weine aus über sechs Jahrzehnten liegen. Derweil bewirtschaftet Sohn Tobias das sechs Hektar große Weingut, unterstützt wird er dabei von seiner Partnerin Andrea Schlechter. Ein gutes Team, das bestens zusammenpasst und das fortführt, was Generationen vor ihnen begonnen hatten. Im Mittelpunkt des Weingeschehens des kleinen Betriebs steht der Riesling, angebaut in Steil- und Steilstlagen, wo eine Bearbeitung nur per Hand möglich ist. Einige Partien Burgunder ergänzen das Weinsortiment, dazu gehören auch Spätburgunder. Fragt man Tobias Treis nach seiner Spitzenlage, nennt er den Mullay-Hofberg mit seinen kleinen Terrassen und dem blauen Schieferboden. Für den Winzer ist die Lage der Garant für mineralisch fruchtige Mosel-Rieslinge wie aus dem Bilderbuch.

2018 Pündericher Marienburg Riesling Auslese „GG" trocken

34€ · 13%

Die verschlossene Nase erzeugt Spannung, im Mund belohnt der Wein das Warten, baut sich kraftvoll auf, zeigt Karamell, eine üppige Riesling-Aromatik, herbe Kräuternoten und endet mit köstlicher Saftigkeit.

2018 Reiler Mullay-Hofberg Riesling „Terrassen" Spätlese feinherb

14,50€ · 12%

2019 Gewürztraminer

9€ · 13%

♥	2019	Riesling „Alte Rebe"	🍇🍇🍇
		14,50€ · 12,5% Kraftvoller, vielschichtiger, aufrechter Typ. Klar wie ein Bergquell.	
	2019	Weißburgunder	🍇
		9€ · 13%	
	2015	Riesling „Prestige" brut	🍇
		16€ · 12,5%	

Michael Trossen

Jesuitenhofstraße 42,
54536 Kröv
T +49 (0) 6541 8120 05
www.das-weingut.com

Inhaber Michael Trossen
Rebfläche 4 ha
Produktion 35.000 Flaschen
Gründung 1970
Verkaufszeiten
nach Vereinbarung

Wer den sympathischen Winzer Michael Trossen kennt, weiß, dass er nicht gerne halbe Sachen macht. Weinbau ist für den Winzer, der seit mehr als 20 Jahren die Geschicke des Familienbetriebes am Ortsrand von Kröv leitet, eine Herzensangelegenheit, die Können, Erfahrung und eine gehörige Portion Bauchgefühl verlangt. Michel Trossen bringt das alles mit, der gelernte Weinbautechniker produziert auf seiner kleinen Rebfläche von nur vier Hektar eine gute Phalanx moseltypischer Rieslinge und sortentypischer Burgunder. Die Spätburgunder lässt er mindestens ein Jahr lang im Barrique reifen, damit sie ihre burgundische Balance finden, die längst auch an der Mosel gefragt ist. Vor zwei Jahren investierte Familie Trossen in ein schickes Weinhotel, das in unmittelbarer Nachbarschaft zum gutseigenen Gästehaus direkt an der Mosel steht.

2019	Kröver Kirchlay Riesling Kabinett	🍇🍇
	6,70€ · 9,5% Ein echter Sweety für Fruchtliebhaber. Tänzelnde Süße am Gaumen, unkompliziert und ohne Allüren.	
2019	Kröver Kirchlay Riesling Kabinett trocken	🍇🍇🍇
	6,70€ · 12,5% So muss Kabi schmecken. Unaufdringliche Eleganz, durchdachte Struktur und tolle Balance. Charmant und präsent und nebenbei ein absoluter Preis-Leistungs-Tipp.	
2019	Kröver Letterlay Riesling „Bergblüter ®" Spätlese feinherb	🍇🍇🍇
	9,20€ · 13% Hell und lebendig, saftig und elegant, säurebetont und mit Minzwürze. Zu feinen vietnamesischen Vorspeisen.	
2019	Kröver Letterlay Riesling „Bergblüter ®" Auslese	🍇🍇🍇🍇
	18€ · 8,5% Das Bild, das dieser Wein von flirrender Luft und Sommerhitze malt, das kann wohl nur die Mosel hervorbringen. Tänzerisch und frei, zart und filigran mit klarer Tiefe.	

Stiftungsweingut Vereinigte Hospitien

Krahnenufer 19, 54290 Trier
T +49 (0) 651 9451 210
**www.weingut.
vereinigtehospitien.de**

Betriebsleiter Joachim Arns
Kellermeister Klaus Schneider
Verbände VDP,
Vereinigung europäischer
Stiftungsweingüter
Rebfläche 25 ha
Produktion 150.000 Flaschen
Gründung 1804
Verkaufszeiten
Mo–Do 8–12.30 Uhr
und 13.30–17 Uhr
Fr 8–12.30 Uhr und 13.30–16 Uhr

Dass Napoleon Bonaparte kein Kostverächter war, ist bekannt. Kein Wunder also, dass der kleine Korse auch die Weinwelt erobern wollte und im Jahr 1804 der Gründung der Vereinigten Hospitien den Weg ebnete. Damals wie heute gehört zur gemeinnützigen Stiftung ein Weingut, das auf Rebhänge in besten Lagen an Saar und Mosel zurückgreifen kann. Dazu gehören Parzellen im legendären Scharzhofberg in Wiltingen, im Kanzemer Altenberg und im Piesporter Goldtröpfchen, nicht zu vergessen die drei Monopollagen Wiltinger Hölle, Saarfelser Schlossberg und Trierer Augenscheiner. Ein immenses Lagenpotenzial, das vor allem mit Rieslingen bestockt ist, die von Kellermeister Klaus Schneider zu nachhaltig fruchtbetonten Weinen mit lebendiger Säure und mineralischer Prägung bei gleichzeitig moderaten Alkoholwerten ausgebaut werden.

2018 Trierer Thiergarten Riesling Auslese
20€ · 7,5%
Süßholz, Golden Delicious und fast vibrierend. Mit Luft öffnet er sich immer mehr. Darf noch im Keller bleiben.

2019 Scharzhofberger Riesling Spätlese
17€ · 8,5%
Introvertierter Auftakt mit Noten von Anis und Fenchel. Ruhiger Typ, der Begleitung braucht, die Spannung aufbaut: toll mit orientalischen Speisen.

2020 Piesporter Goldtröpfchen Riesling Kabinett
12€ · 9%
Elegant und würzig mit viel weißem Pfirsich und gelben Früchten.

2020 Riesling halbtrocken ♦♦♦
8,50€ · 10,5%
Frische Animation im Glas mit klarer Rieslingfrucht und zart floralen Noten. Dazu ein pochierter Skrei, um die Leichtigkeit des Weins nicht zu übertünchen.

2020 Saar Riesling ♦♦♦
8,50€ · 10,5%
Der Wein fließt den Rachen hinunter wie ein ewig langes Seidentuch. Ganz zart und filigran.

2020 Serriger Schloss Saarfelser Schlossberg Riesling ♦♦♦
9,80€ · 11,5%
Viel Wein im Glas, Fülle und Saftigkeit. Animiert mit jedem Schluck zum nächsten. Stellen Sie für Ihre Sommerparty genug kalt.

2020 Wiltinger Riesling feinherb ♦♦
9,80€ · 10,5%
Saftige Pfirsichfrucht mit cremiger Vanillenote und bezaubernder Süße. Ein wunderbarer Partner sind hier orientalische Gewürze, passt zu Couscous mit Lamm.

2017 Pinot Noir „Rosé" brut nature ♦♦
20€ · 12,5%
Ungemein feine Pinot-Noir-Aromatik, gefolgt von schöner Cremigkeit gepaart mit sanftem Druck am Gaumen und erfrischend harmonischem Finale, ein Abend kann kaum schöner beginnen!

2018 Riesling extra brut ♦♦
13,80€ · 12%
Ungemein harmonisch komponierter Rieslingsekt mit feiner Cremigkeit und ebenso feiner Perlage, ganz besonders herrlich zu Austern.

2018 Riesling „Vereinigte Hospitien" brut ♦♦♦
13,80€ · 11,5%
Stoffige Struktur und ein beherzter Auftritt werden getragen von einem kraftvollen CO_2. Die zarten Fruchtaromen wie Birne und Aprikose verleihen dem Sekt elegante Ausstrahlung.

2019 Serriger Schloss Saarfelser Schlossberg Riesling „Goldkapsel" Auslese ♦♦♦♦
26€ · 7,5%
Brillante Säure, Aromen von frischen und getrockneten Aprikosen, sehr passend zu gereiften Hartkäsen, zum Beispiel Comté.

Weingüter Wegeler – Gutshaus Mosel

Martertal 2,
54470 Bernkastel-Kues
T +49 (0) 6531 2493
www.wegeler.com

Inhaber
Familie Wegeler-Drieseberg
Betriebsleiter Norbert Breit
Kellermeister Norbert Breit
Verbände VDP
Rebfläche 14 ha
Produktion 100.000 Flaschen
Verkaufszeiten
nach Vereinbarung

Auch an der Mosel hat sich die Familie Wegeler-Drieseberg ganz dem Riesling verschrieben. Mit Lagen wie dem Bernkasteler Doctor, dem Graacher Himmelreich oder der Wehlener Sonnenuhr – um nur einige zu nennen – hat man ein Lagenportfolio, das sich liest wie die Stammaufstellung des FC Bayern. Absolute Weltklasse im Kader. Und die Weine strotzen nur so von Eleganz und Noblesse, bringen Frucht und Mineralität in harmonischste Balance und haben vor allem das, was eigentlich alle Wegeler-Weine auszeichnet: Alterungspotenzial für Jahrzehnte. Jeder Wein ein Volltreffer, möchte man hier sagen. Natürlich liegt es nicht nur an den Lagen, dass die Weine ein solches Potenzial zeigen: Die Familie Wegeler hat mit deutlich über 100 Jahren genug Erfahrung, um zu wissen, wie man den sehr einfach klingenden Leitspruch „Qualität ist unser Motto" am besten umsetzt und den Weinen die Zeit, Aufmerksamkeit und Ruhe angedeihen lassen kann, um sie zu Großen zu machen. Der beste Kader nutzt schließlich nichts, wenn das Team drumherum nicht genauso gut ist.

2019 Riesling „Badstube" Kabinett
17,50€ · 9,5%
Fein strukturierter Kabinett. Leicht rauchig mit Eleganz und sehr langem Finale, der nicht zu kühl genossen werden sollte.

2019 Riesling „Bernkasteler"
15€ · 12,5%
In sich stimmig zeigt sich hier ein kompletter Riesling mit Schiefer in der Nase, Biss und einer belebenden Vibration am Gaumen.

2019 Riesling „Doctor" GG
55€ · 13%
Sehr charmanter Stil mit duftiger Frucht im Anklang, die am Gaumen einen pikanten Säurenerv zur Seite gestellt bekommt und dann zum mundwässerndern Ende kommt. Sofort das zweite Glas!

2019 Riesling „Doctor" Spätlese
55€ · 8%
Ein Duft wie ein Spaziergang durch den Obstgarten, man will gar nicht mehr aufhören, in diesen Wein hineinzuschnuppern. Tiefgang, Zukunft, Größe und bei aller Ernsthaftigkeit auch so viel Freude im Glas. Wunderschön.

2019 Riesling „Graacher" feinherb
15€ · 11,5%
Popcorn, Feuerwerk und Grapefruit in der Nase. Am Gaumen pikant und aufregend, dabei gleichzeitig mit großer Tiefe und Substanz ausgestattet.

2019 Riesling „Lay" feinherb ♣♣♣♣

23,50€ · 12,5%

Der starke Riesling-Ausdruck wird nur gebremst von der jugendlichen Verschlossenheit des Weins und schimmert durch wie Morgennebel, die einen sonnigen Tag ankündigen.

2019 Riesling „Sonnenuhr" ♣♣♣♣

23,50€ · 8,5%

Karamellnoten, Maracuja, Mango und Ananas pur. Verführerisches Bukett, das sich am Gaumen fortsetzt und nicht mehr enden will. Ein Wein für viele, viele Jahre, der sein monumentales Potenzial jetzt schon zeigt.

2019 Riesling „Sonnenuhr" GG ♣♣♣♣

33€ · 13,5%

„Das Leben ist ein langer Fluss", scheint einem dieser Wein mit seiner leisen Eleganz und der glasklaren Brillanz zuzuflüstern. Als würde er einen aus dem Glas heraus anlächeln.

2019 Riesling „Wegeler" feinherb ♣♣♣

11,50€ · 11,5%

Die elegante, spritzige Säure findet eine gute Balance mit etwas feinherber Restsüße. Sehr delikat und feingliedrig passt dieser Riesling zu gratiniertem Blumenkohl oder einem klassischem Leipziger Allerlei.

2019 Riesling „Doctor" Auslese ♣♣♣♣

34€ · 8%

Dicht und gelbfruchtig mit Nelke und Orangenschale. Dabei sehr fein und keineswegs opulent.

Nik Weis – St. Urbans-Hof

Urbanusstraße 16,
54340 Leiwen
T +49 (0) 6507 93770
www.nikweis.com

Inhaber Nik Weis
Betriebsleiter Nik Weis
Kellermeister Kai Hausen
Verbände VDP, Fair'n Green

Um von einem Grandseigneur zu sprechen, dafür ist Nik Weis noch etwas zu jung. Aber der Winzer ist einer der ganz großen Moselwinzer, ein charismatischer Macher mit dem Gespür für Feinheiten und Finessen und ein perfekter Botschafter für die Anbauregion und deren Weine. Einen kleinen, aber wichtigen Teil davon produzieren er und sein Kellermeister Kai Hausen im stattlichen Betrieb mit 38 Hektar Rebfläche. Aus dem St. Urbans-Hof kommen Rieslinge aus prestigeträchtigen Einzellagen von der Mosel und von der Saar. Moseltypisch, saartypisch, traditionell und modern, lifestylige Weine mit dem geraden Blick zurück und nach vorne. Eben Weine von Nik Weis – und damit von besonderem Format. Jeder Weis-Wein hat seinen eigenen Charakter, ist individuell, spielt gekonnt die Klaviatur der Lagen aus und zeigt damit seine Herkunft im Geschmack. Um dieses Ziel in jedem Jahrgang zu erreichen, kann sich Nik Weis auf ein Team von Spezialisten verlassen, die mit Engagement und Freude zusammenarbeiten.

Rebfläche 38 ha
Produktion 250.000 Flaschen
Gründung 1947
Verkaufszeiten
Mo–Fr 9–17 Uhr
Sa 10–17 Uhr
So nach Vereinbarung

2019 Leiwener Laurentiuslay Riesling GG
45€ · 13%
Duftige Stachelbeere und Fruchtfülle zur Zitronentarte mit Vanillebaiser.

2019 Ockfener Bockstein Riesling GG
34€ · 12,5%
Große Fülle, Blütenduft und gediegene Eleganz. Perfekt zum feierlichen Sonntag.

2019 Ockfener Bockstein Riesling Kabinett
16,80€ · 7%
Bunter Früchtekorb, die Säure bringt Spannung und Trinkfluss zum geschmorten Kaninchen auf einem Petersilienbett.

2019 Piesporter Goldtröpfchen Riesling Spätlese
27,50€ · 7,5%
Traumhaft jugendlich frische und dennoch reife Rieslingaromatik vom Allerfeinsten. Mango und Passionsfrucht tanzen miteinander in ein ungemein auf Harmonie angelegtes, ewig anhaltendes Finale, Exotik pur!

2019 Riesling „Wiltinger Alte Reben" feinherb
15,80€ · 11,5%
Ein Wein, der von seiner kräuterigen Würze lebt und viel Lebensfreude ausstrahlt. Am Gaumen überzeugt das ausgewogene Spiel von Süße und Säure.

2020 Mosel Riesling 🍇🍇🍇

9,80€ · 11%

Schon in der Nase sehr saftig und geschliffen, mit Zug am Gaumen, aber alles sehr stimmig. Terrassenmöbel raus und genug Flaschen kaltstellen.

2020 Riesling „Schiefer" feinherb 🍇🍇

11,60€ · 11,5%

Angenehm trocken für einen feinherben Wein. Einladend mit viel Schieferwürze.

2020 Saar Riesling feinherb 🍇🍇🍇🍇

9,80€ · 9,5%

Wilde spontane Nase mit leicht rauchigen und nussigen Aromen. Rustikal mit viel Spannung und durchaus polarisierend. In der Sonne trinken und von der Saar träumen.

2017 Ockfener Bockstein Riesling „Zickelgarten" Trockenbeerenauslese 🍇🍇🍇🍇🍇

300€ · 6%

Eine Persönlichkeit für sich ist diese Parzellen-Selektion aus dem Zickelgarten, mehr an Komplexität ist nicht vorstellbar, für die Ewigkeit.

2018 Piesporter Goldtröpfchen Riesling Trockenbeerenauslese 🍇🍇🍇🍇🍇

300€ · 5,5%

Schon beim ersten Schluck erinnern wir uns an die Sonne von 2018. Wahrlich edel-süß mit sehr guter Säurestruktur.

2019 Ockfener Bockstein Riesling Auslese 🍇🍇🍇🍇

19,50€ · 7,5%

Zart herbal und fein, mit Luft kommt rauchiger Feuerstein hinzu. Im Finale sehr frisch und viel Spannung am Gaumen.

2019 Ockfener Bockstein Riesling „Goldkapsel" Auslese 🍇🍇🍇🍇🍇

34€ · 7%

Noch sehr jung, riesiges Potenzial, honigsüß, schmeichelnd.

Weingut Werner

Römerstraße 17, 54340 Leiwen
T +49 (0) 6507 4341
www.weingut-werner.de

Inhaber Bernhard Werner
Verbände Bernkasteler Ring
Rebfläche 6 ha
Produktion 42.000 Flaschen
Gründung 1658
Verkaufszeiten
Mo–Fr 10–18 Uhr
Sa–So nach Vereinbarung

In seinen wilden Zeiten war Bernhard Werner Vorsitzender der Leiwener Jungwinzer und brachte vor rund 35 Jahren mit seinen Kollegen frischen Schwung an die weinbaulich konservative Mosel. Heute ist Werner ruhiger geworden, aber immer noch ein Macher, setzt weiterhin auf kompromisslosen Qualitätsweinbau und ist leidenschaftlicher Hobbykoch und Genussmensch, was nicht spurlos an ihm vorübergegangen ist. Die Idee, dass seine Weine zum Essen passen müssen, ist ein wichtiger Teil seiner Weinbauphilosophie, die er konsequent durchzieht. Ausgebaut werden die Rieslinge zum größten Teil im klassischen Fuderfass, die Gärung findet mit natürlichen Hefen statt. Auf einen bestimmten Geschmack ist Bernhard Werner nicht festgelegt, seine Weine sind mal trocken, feinherb, restsüß oder edelsüß. Für jede Stilistik kann Bernhard Werner immer das passende Gericht empfehlen.

2019 Annaberg Riesling Spätlese
12€ · 8%
Passionsfrucht: tropisch frisch mit Zug und präzise würzigem Finale. Das Rotliegend im Schweicher Annaberg gut in Szene gesetzt und mit viel Potenzial versehen.

2019 Annaberg Riesling Spätlese 1. Lage trocken
12€ · 12%
Eine honigsüße und würzige Nase entwickelt sich am Gaumen kraftvoll und saftig.

♥ **2019** Annaberg Riesling „Summer of 59" feinherb
20€ · 12%
Saftig, reif, ätherisch und kraftvoll. Ein „gastronomischer" Wein, der gut kombinierbar ist, beispielsweise zu Geflügelgerichten mit Trüffel.

2019 Laurentiuslay Riesling Spätlese 1. Lage feinherb 🍇🍇🍇

12€ · 11%

Rustikal, aber harmonisch mit viel Würze am Gaumen und ausgewogenem Spiel von Süße und Säure.

2019 Schweicher Annaberg Riesling „GG" 🍇🍇🍇

22€ · 13%

Von seiner Herkunft geprägt, kraftvoller Körper, langer Nachhall, ein Bauernbub im Sonntagsanzug.

2019 Trittenheimer Apotheke Riesling „GG" 🍇🍇🍇🍇

22€ · 13%

Diese Apotheke zeigt sehr viel Individualität, Komplexität und Schmelz. Mit etwas Luft entwickelt sich im Glas das gesamte Potenzial, ohne abzuheben. Einfach unaufgeregt, gut!

2019 Schweicher Annaberg Riesling Beerenauslese 🍇🍇🍇🍇🍇

56€ · 8%

Die strahlende Säure bringt Frische, flüssiges Gold, unendliche Leichtigkeit.

2019 Trittenheimer Apotheke Riesling „wurzelecht" Auslese 🍇🍇🍇🍇

36,50€ · 8%

Tiefgründig und monumental mit Noten von Muskatnuss und Lakritze. Ein in sich ruhender Wein, der Entschleunigung verspricht und über immenses Lagerpotenzial verfügt.

Essen

CAFÉ HANSEN
Markt 26, 54470 Bernkastel
T +49 (0) 6531 2215
www.cafehansen.de
Seit mehr als 100 Jahren gibt es dieses Café schon, das in dritter Generation geführt wird und sich in einem historischen Jugendstilhaus am Marktplatz befindet. Das Angebot klingt verlockend: Pralinen, Schokolade und Eis, aber eben auch eine große Auswahl an Torten und Kuchen. Spezialität des Hauses sind mehrstöckige Hochzeitstorten.
Empfohlen von
Weingut Schmitz-Herges

GASTHAUS OCHS IM BURGBLICKHOTEL
Goethestraße 29, 54470 Bernkastel
T +49 (0) 6531 9722 770
www.ochs-restaurant.de
Im Schlachthaus der ehemaligen Metzgerei wurde hier ein kleines, gemütliches rustikales Restaurant eingerichtet. Auf der Karte steht eine feine Landhausküche mit mediterranen Einflüssen. Zum Beispiel wird zum Zander oder zur Ochsenbacke Gräwes serviert: Kartoffelpüree mit Sauerkraut, das mit Speck in Riesling gegart wurde. Tagliatelle kommen mit Waldpilzen und in einer Riesling-Rahmsauce auf den Teller. In der Weinbar werden moseltypische Weine eingeschenkt und es gibt eine kleine Karte mit Flammkuchen, Käse und Suppen. Zum Haus gehören auch Hotelzimmer und Ferienwohnungen, die in einem der alten Fachwerkhäuser in der Altstadt untergebracht sind.
Empfohlen von
Weingut F-J Regnery

GRAACHER TOR
Graacher Straße 3, 54470 Bernkastel
T +49 (0) 6531 4659
www.graacher-tor.de
Gutbürgerliche kulinarische Leckerbissen stehen in diesem alten Fachwerkhaus im Mittelpunkt. Das können Riesengarnelen mit Reibekuchen sein, aber auch Spargelragout mit Rinderfilet. Dazu gibt es trockene, feinherbe oder fruchtsüße Weine von der Mittelmosel, die Karte umfasst rund 80 Positionen. Das Graacher Tor ist übrigens das einzige noch erhaltene Stadttor von Bernkastel-Kues.
Empfohlen von
Weingut Thanisch

RATSKELLER
Markt 30, 54470 Bernkastel
T +49 (0) 6531 9731 000
www.bernkastel-ratskeller.de
Hier wurde Geschichte geschrieben: Denn das Restaurant befindet sich im historischen Rathaus von Bernkastel. Die bis heute erhaltene Rathausfassade des Trierer Bildhauers R. H. Hoffmann wurde 1608 in der deutschen Spätrenaissance erbaut. Gekocht wird aber ganz modern: marinierter Thunfisch, asiatische Nudeln, Königskrabbenravioli oder geschmorte Kalbsbäckchen mit Topinamburpüree stehen auf der Karte. Kreativer Küchenchef ist Sebastiano Ricciardetto, der zu den Spaghetti auch Seeigel und Makrelencreme serviert und das Restaurant zu einer Top-Adresse für Feinschmecker entwickelt hat.
Empfohlen von
S. A. Prüm

RESTAURANT RIVA
Gestade 3, 54470 Bernkastel
T +49 (0) 6531 9716 850
www.riva-bernkastel.de
Moderne, italienische Küche steht in diesem schicken und modernen Lokal mit seiner beliebten Terrasse am rechten Mosel-Ufer auf der Karte. Klassische Antipasti sind ebenso im Angebot wie Pizza und Pasta, Fleisch von Rind und Kalb sowie Fisch wie Lachs oder Scampi. Auf der Weinkarte stehen natürlich italienische Tropfen, aber viel mehr stammen aus der direkten Mosel-Region.
Empfohlen von
Wwe. Dr. H. Thanisch-Erben Müller-Burggraef

GASTHAUS ZUR MALERKLAUSE
15 | 20
Im Hofecken 2, 54413 Bescheid
T +49 (0) 6509 558
www.malerklause.de
Taubenbrust mit Trüffel, Lammkotelett auf Rahmwirsing oder Hummer in Gewürzsud: Hier wird absolut auf hohem Niveau gekocht, steht klassische Haute Cuisine nach französischem Vorbild auf der Karte. Hans-Georg Lorscheider, seine Frau Beate und Sohn Marco stehen für einen ausgesprochen gastfreundlichen und serviceorientierten Familienbetrieb, der seine Gäste in gemütlichem Ambiente begrüßt.
Empfohlen von
Weingut Lorenz

WALDHOTEL SONNORA

19,5 | 20

Auf dem Eichelfeld, 54518 Dreis
T +49 (0) 6579 9822 20
www.hotel-sonnora.de
Eine der Top-Adressen der Gourmet-Gastronomie: Das Restaurant Sonnora wurde von Clemens Rambichler und Magdalena Brandstätter übernommen und präsentiert sich in gleichbleibender Qualität. Wer einen Überblick über Philosophie der Küche und die enorm hohe Qualität Speisen bekommen möchte, kann dies beim achtgängigen Menü Sonnora tun. Oder er wählt à la carte und hat die Wahl zwischen Austern, der legendären Torte von Rinderfilet-Tatar und Imperial Gold Kaviar auf Rösti oder der getrüffelten Gänseleber als Vorspeise, Steinbutt mit Bouchot-Muscheln, Hummermedaillons mit indischem Curry oder gegrillter Jakobsmuschel auf cremiger Kartoffel. Beim Fleisch müsste man sich entscheiden zwischen Limousin-Lamm, gebraten in wildem Thymian, einem Eifler Rehrücken mit karamellisierten Nüssen oder Suprême von der Wachtel mit gegrillter Entenleber und Himbeere. Die Weinkarte hat viele gute Tropfen aus der Region und der ganzen Welt im Angebot. Zum Haus gehören außerdem 15 Zimmer und Suiten.
Empfohlen von
Dorothee Zilliken

RESTAURANT 1485

Euchariusstraße 10–12,
54340 Leiwen
T +49 (0) 6507 9393 901
www.vierzehn85.de
Essen und Wein gehen hier eine wunderbare Symbiose ein. Gespeist wird an historischer Adresse, denn das Restaurant befindet sich in einem früheren Zehnthof aus dem Jahr 1485, zu dem auch ein Stall, eine Scheune und ein Kelterhaus gehören, in dem die Winzer früher ihre Trauben pressen. Auf der Karte stehen regionale und saisonale Gerichte: Spargel-Bärlauch-Suppe mit Flusskrebsen, Lammhaxe mit Bohnen und Polenta oder ein Coq au Riesling mit Wurzelgemüse. Zum Haus gehören auch Gästezimmer und eine große Suite für bis zu sechs Personen.
Empfohlen von
Alfons Stoffel

RESTAURANT LEX

Euchariusstraße 15,
54340 Leiwen
T +49 (0) 6507 9390 55
www.restaurant-lex.de
Junge, frische Küche, in der Bewährtes mit Neuem kombiniert wird: Das ist das kulinarische Motto von Peter Lex und seinem Team, die ihre Gäste in einem historischen Gebäude begrüßen. Hier kommen Rindertatar mit bunten Rüben, Wolfsbarsch mit Linsen, Süßkartoffeln und Koriander oder eine Lachsforelle mit Winterrettich und Yuzu auf den Tisch. Zum Haus gehört auch ein kleines Hotel.
Empfohlen von
Carl Loewen

RESTAURANT PURICELLI IM SCHLOSS LIESER

Moselstraße 35, 54470 Lieser
T +49 (0) 6531 9869 90
www.schlosslieser.de

Ein besonderes Restaurant mit besonderem Konzept in einem besonderen Gebäude. Schloss Lieser ist das markanteste Gebäude in dem Ort, wurde 1884 als Residenz für den Weingutsbesitzer und Industriellen Eduard Puricelli gebaut und imponiert noch heute mit seiner ausgefallenen Architektur. Jetzt beherbergt es ein Hotel sowie ein Restaurant mit mehreren Räumen. Hier stellt sich der Gast sein eigenes drei- bis fünfgängiges Menü zusammen – egal, ob er im schicken Restaurant, in der Orangerie oder in einem der kleineren Salons diniert. Austern, Damwild-Schinken, Jakobsmuscheln, Hirschessenz mit Gin oder Steinbutt mit Krabben und Speck stehen zur Auswahl. Jedes Gericht hat dabei einen regionalen Aspekt – ebenso wie die Weinkarte, die gut sortiert ist und viele Tropfen von der Mosel bereithält.

Empfohlen von
Weingut F-J Regnery

DAS LANDGASTHAUS

Bachstraße 35, 54346 Mehring
T +49 (0) 6502 99123
www.mueller-mehring.de

Restaurant, Metzgerei, Hotel, Weingut und obendrein noch eine Location zum Feiern: All das beherbergt dieses Haus unter einem Dach im liebenswerten Weinort Mehring. Die Gäste werden von Ulli und Karl Müller und ihrer familiären Gastfreundschaft begrüßt, genießen traditionelle Landküche wie Wildbratwürstchen, Rinderroulade oder Roastbeef. In der Metzgerei wird das Fleisch von Tieren, das von regionalen Züchtern aus Hunsrück und Eifel stammt, verkauft. Die Weinkarte bietet eigene Tropfen, aber auch viele andere in großer Auswahl aus der Mosel-Region.

Empfohlen von
Weingut Karthäuserhof

RÜSSELS LANDHAUS

17 | 20

Büdlicherbrück 1, 54426 Naurath
T +49 (0) 6509 91400
www.ruessels-landhaus.de

Fast 30 Jahre wird in dieser wunderschönen Idylle auf allerhöchstem Niveau gekocht, Harald Rüssel wird mit seinem Team immer wieder ausgezeichnet und hoch gelobt und das Landhaus gehört zu den 30 besten deutschen Restaurants. Neben dem Hotel gibt es das Gourmetrestaurant und das Restaurant Hasenpfeffer, in dem lokale Landhausküche mit dem Schwerpunkt auf Wild auf der Karte steht. Im Fine-Dining-Restaurant werden vor allem regionale Produkte aus der Region Hunsrück-Mosselland-Eifel verwendet, die vom Spitzenkoch Rüssel auf feinste Art aromatisiert, kreativ kombiniert und als kulinarische Kunstwerke angerichtet werden. So kommt das Sellericher Ei mit Kartoffelcreme, Roter Bete und Schinkenbutter auf den Teller, die Taube mit Artischocke, Sanddorn-Aroma, Sellerie und Trüffel, der Rehrücken wird mit Melone, Wildkräuterpesto und Steinpilzen auf Ingwer-Jus angerichtet. Übernachtungsgäste betten sich in modernisierten Zimmern und Suiten im Landhausstil.

Empfohlen von
Bischöfliche Weingüter Trier

SCHANZ. RESTAURANT.

19 | 20

Bahnhofstraße 8a,
54498 Piesport
T +49 (0) 6507 92520
www.schanz-restaurant.de

Genuss, Atmosphäre und Leidenschaft für gutes Essen werden dem Gast in diesem Restaurant versprochen, das in warmen Farben, mit Mosel-Schiefer, Eichenholz und viel Naturstein eingerichtet wurde. Gastgeber Thomas Schanz, Gault Millau Koch des Jahres 2021, kocht französisch inspiriert und zeigt das in seinem ungewöhnlichen, aromatisch-filigranen Drei- bis Sechs-Gang-Menü. Das besteht aus Gänseleber mit Creme-Eis, Pazifik-Kohlenfisch mit Kohlrabi, Kokos und Thymian, Mittelmeerschwertfisch mit Staudensellerie und Ingwerbutter, Riesengarnele mit Fenchel und Ziegenricotta, Rehrücken mit Topinambur sowie zum Abschluss einer Zwergbanane-Muskat-Karamell-Mousselline und Bananen-Petersilien-Sorbet. Zu allen Gerichten werden die passenden Weine ausgesucht – nicht nur vom eigenen Weingut, sondern auch und vor allem aus der exzellenten Weinkarte. Übernachten kann man in einem der schönen Zimmer im Familienbetrieb Schanz.

Empfohlen von
Dieter Hoffmann

HEIM'S RESTAURANT IM REILER HOF

Gault Millau

Moselstraße 27, 56861 Reil
T +49 (0) 6542 2629
www.reiler-hof.de

Marktfrisch, saisonal, allerbeste Qualität: Das sind schon mal die Grundpfeiler der Küche von Christoph Heim in seinem Restaurant im 300 Jahre alten Fachwerkgebäude. Diese regionalen Zutaten kombiniert er mit viel Raffinesse, das gebackene Landei wird mit Spinat, Krabben und Parmaschinken-Chips serviert, der Lachs mit Wasabi-Sorbet oder das Rinder-Carpaccio mit gebackener Sardine. Das Wiener Schnitzel wird klassisch mit Bratkartoffeln angerichtet, der Schweinebauch mit Selleriepüree. Die Weinkarte hält viele Schätze von der Mosel parat. Sowohl im Reiler Hof als auch im Gästehaus zur Traube stehen Übernachtungsgästen schöne Zimmer zum Teil mit Moselblick oder eigener Sauna zur Verfügung.

Empfohlen von
Clemens Busch

MITTLERS RESTAURANT

Brückenstraße 8,
54338 Schweich
T +49 (0) 6502 9951 90
www.mittlers-restaurant.de

Naturfreunde, Wanderer und Radfahrer sind hier ganz besonders willkommen, denn von dieser Station aus können sie entspannt die Mosel-Region entdecken. Im gemütlichen Restaurant wird eine deutsch-französische Küche serviert: Flammkuchen Elsässer Art, französische Maispoulardenbrust oder Currygeschnetzeltes vom Rind mit Wokgemüse. Übernachten kann man in gemütlichen Zimmern.

Empfohlen von
Weingut F-J Regnery

BELLE EPOQUE

An der Mosel 11,
56841 Traben-Trarbach
T +49 (0) 6541 7030
www.bellevue-hotel.de

Nicht nur der Moselblick von der Terrasse begeistert hier, sondern auch das prachtvolle Jugendstil-Ambiente im ganzen Haus, vor allem im Restaurant, das zum Bellevue-Hotel gehört. Aber natürlich auch die klassisch-moderne, französisch inspirierte Küche von Matthias Meurer. Und so gibt es dort eine moselländische Marmitschessuppe aus Kalbfleisch, Paprika, Zwiebel und Kraut, Flat Iron Steak vom Black Angus, Lachsfilet, das zuvor in Peperonibutter confiert wurde, oder Dorade mit Limonen-Kartoffelstampf. Eifeler Roastbeef oder geschmorte Schweinebäckchen mit Döppekuchen sind unter dem Kapitel „Bewährtes" zu finden. Die Weinkarte zeigt viele tolle Tropfen von Mosel, Saar und Ruwer in großer Jahrgangstiefe.

Empfohlen von
der Redaktion

BECKER'S

17 | 20

Olewiger Straße 206, 54295 Trier
T +49 (0) 651 9380 80
www.beckers-trier.de

Ein geradliniges Restaurant mit exzellenter Speisekarte, die ausgefallene Aromen sowie kreative, fantasievolle Zusammenstellungen auf dem Teller bietet. Wolfgang Becker wird immer wieder ausgezeichnet, hoch gelobt, gehört zu den Top-Köchen in ganz Deutschland und begeistert seit Jahren sein Stammpublikum. Den Gästen steht das Gourmet-Restaurant mit Fine-Dining-Menü, aber auch das legere Weinhaus mit seiner Landhausküche zur Verfügung. Beim Chef's Table erlaubt das Küchenteam einen Blick hinter die Kulissen. Und weil Familie Becker auch Wein anbaut, steht natürlich auch der eine oder andere Tropfen aus der Region auf der Weinkarte. Zum Haus gehört außerdem ein Designhotel mit modern-komfortablen Zimmern.

Empfohlen von
der Redaktion

KLOSTERSCHENKE PFALZEL

Klosterstraße 10, 54293 Trier
T +49 (0) 651 9684 40
www.hotel-klosterschenke.de

In diesen historischen Räumen wird der Gast von modernem, reduziertem Design begrüßt. Die Kapelle in diesem früheren Kloster, das direkt am Moselufer liegt, existiert immer noch. Auf der Terrasse sitzt es sich unter Linden genauso gut wie in der Gaststube, in der auch große Feste stattfinden können. Auf der kreativen Karte stehen ein „Best of Klosterstyle", Thiergarten-Forelle, ein Burger namens Trierer Jung, Filet vom Lübchiner Strohschwein oder Lammwürstchen. Man kann aber auch hinter den Klostermauern übernachten, die Zimmer haben Namen wie Pilger, Prior oder Prior plus.

Empfohlen von
Weingut F-J Regnery

SCHLEMMEREULE

Domfreihof 1b, 54290 Trier
T +49 (0) 651 73616
www.schlemmereule.com

Kultur und Fine Dining werden hier groß geschrieben. Während der Gast in den hellen Räumen des Restaurants, in der Winterlounge oder auf der mediterranen Sommerterrasse gegenüber vom historischen Turm Jerusalem sein Essen genießt, erklingt – zumindest an den Wochenenden – dezente Pianomusik. Auf der Karte steht frische regionale Gourmet-Küche mit Jakobsmuscheln, Austern, Seezunge oder irischem Lammrücken, dazu werden Weine vornehmlich von der Mosel serviert.

Empfohlen von
Weingut Karthäuserhof

SCHLOSS MONAISE

16 | 20

Schloss Monaise, 54294 Trier
T +49 (0) 651 8286 70
www.schloss-monaise.de

Dieses Lustschlösschen aus dem Klassizismus liegt unweit des Moselufers in einem Wald mit viel Wiesen drumherum, nahe eines Reiterhofs. Erbaut wurde es 1780 als Sommersitz des Trierer Domdechanten und ist jetzt im Besitz der Stadt Trier. Gekocht wird dort immer noch fürstlich-exzellent, geradlinig, handwerklich perfekt. Hubert Scheid begeistert mit seiner Bouillabaisse, einem halben Hummer oder zarten Kalbsnieren. Er gilt als Meister in der Kombination von Speisen zu gereiften Mosel-Rieslingen.

Empfohlen von
Bischöfliche Weingüter Trier

VILLA WEISSHAUS

Weißhaus 1, 54293 Trier
T +49 (0) 651 9954 5460
www.villa-weisshaus.de

Schon von Weitem ist diese Villa, 1823 erbaut, auf ihrem hohen Sandsteinfelsen sichtbar. Einheimische und Besucher halten sich dort gleichermaßen gerne auf, um einen schönen Rundumblick über die Region rund um Trier zu bekommen. Aber natürlich auch, um im Restaurant einzukehren. Im Biergarten wird eine rustikale Brotzeit zum Bier serviert, sonntags gibt es einen Brunch.

Empfohlen von
Bischöfliche Weingüter Trier

WEINHAUS

Brückenstraße 7, 54290 Trier
T +49 (0) 651 1704 924
www.weinhaus-trier.de

Weine einzukaufen ist das eine an dieser Adresse, das andere aber das Essen. Denn sowohl mittags als auch abends stehen hier kleine, aber feine Gerichte auf der Karte. Schnitzel, Kabeljaufilet oder die trierische Spezialität Teerdisch (aus Sauerkraut, Schinken und Kartoffeln) sind bei den Gästen dieser Weinstube beliebt. Dazu werden Weine aus der Region eingeschenkt, die in einer Riesenauswahl zur Verfügung stehen. Dabei ist das komplette Anbaugebiet vertreten, zum Teil in einer ungewöhnlichen Jahrgangstiefe.

Empfohlen von
Dorothee Zilliken

WEINWIRTSCHAFT FRIEDRICH-WILHELM
Weberbach 75, 54290 Trier
T +49 (0) 651 9947 480
www.weinwirtschaft-fw.de
www.rendezvousmitgenuss.de
Die Weinwirtschaft Friedrich-Wilhelm befindet sich in einem historischen Kelterhaus im Herzen von Trier, ganz in der Nähe der Basilika. Früher wurde dort der Wein des Friedrich-Wilhelm-Gymnasiums gekeltert. Jetzt steht regionale Küche im Mittelpunkt, die in dem gemütlichen Restaurant sowie auf der schönen Terrasse serviert wird. Küchenchef Ali Boussi serviert Klassiker von der Mosel wie Saltimbocca vom Eifelschwein, aber auch mediterrane Gerichte wie Rinderhackfleisch mit orientalischen Kräutern oder Kokos-Curry-Hühnchen mit Koriander. In der Vinothek werden außerdem Tapas serviert.
Empfohlen von
Bischöfliche Weingüter Trier

YAMAMOTO'S ELEVEN
Fleischstraße 34, 54290 Trier
T +49 (0) 651 1451 6168
www.yamamotoeleven.de
Asiens Küche spielt hier die Hauptrolle, der Riesling den charmanten Begleiter. Denn vor allem zur scharfen, frischen Küche Asiens passen die restsüßen Weine, die an der Mosel wachsen, absolut perfekt. Zwar stehen vor allem thailändische Gerichte im Mittelpunkt, aber auch die Küche aus Vietnam, Korea oder Japan hinterlässt ihre kulinarischen Spuren auf der Speisekarte. Dort findet sich die Pho-Suppe genauso wie eine Sommerrolle oder das Thai-Curry nach Streetfood-Art, aber auch Sushi werden angeboten. Fast immer mit dabei sind Knoblauch, Minze, Thai-Basilikum und Koriander, Fischsauce und Limetten, bei den Beilagen Jasmin- oder Klebreis, Reisnudeln oder Salat. Wer drinnen Platz nimmt, hat einen guten Einblick in die offene Küche, zum Restaurant gehört aber auch eine schöne Sommerterrasse.
Empfohlen von
Bischöfliche Weingüter Trier

YONGYONG
Neustraße 39–40, 54290 Trier
T +49 (0) 651 1453 158
www.yongyong.de
Hühnersuppe mit Zitronengras, Kokos-Curry-Nudelsuppe, Riesengarnelen oder die Poké YongYong: Wer asiatische und vor allem die vietnamesische Küche liebt, ist hier goldrichtig. Zuerst als Suppenbar eingerichtet, ist jetzt hier ein Restaurant inklusive Concept Store, in dem man sogar Design-Objekte kaufen kann. In jeder Woche wechseln die hausgemachten Suppen, die nach Familienrezepten aus Vietnam zubereitet werden. An den Aktionstagen gibt es besondere Spezialitäten: Schweinebauch in Kokoswasser, Seidentofu, der im Bananenblatt gedämpft wird, dazu Morcheln und Lilienblüten.
Empfohlen von
Weingut Karthäuserhof

WEIN & TAFELHAUS OOS

17 | 20

Moselpromenade 4,
54349 Trittenheim
T +49 (0) 6507 7028 03
www.wein-tafelhaus.de

Ein ländlich-schickes Restaurant mit Blick auf die Weinberge im Allgemeinen, aber im Besonderen auf die Weinlage „Trittenheimer Apotheke". Dass in so einem Haus unter Regie von Daniela und Alexander Oos der Wein keine Nebenrolle spielt, ist eigentlich selbstverständlich. Zum Menü aus Gemüseterrine, Spargelcremesuppe, Perlhuhnbrust und Erdbeertörtchen wird der Wein im Paket mit angeboten – und passt perfekt. Wer nur ein Gläschen trinken und dazu ein kleines Gericht essen will, ist in der Weinbar gut aufgehoben, außerdem lädt eine schöne Terrasse bei gutem Wetter zum Freiluft-Genuss ein. Übernachtungsgästen stehen einige Zimmer, ebenfalls mit Blick in die Weinberge, zur Verfügung.

Empfohlen von
Claes Schmitt Erben

RESTAURANT RITTERSTURZ

Veldener Hammer 1a,
54472 Veldenz
T +49 (0) 6534 18292
www.rendezvousmitgenuss.de

Saisonale Menüs mit regionalen Bezügen, aber auch Themenwochen gehören zum kulinarischen Konzept dieses charmanten Restaurants, das zu Füßen der Burgruine von Schloss Veldenz liegt. Das Lokal liegt idyllisch, aber etwas versteckt und öffnet sich schließlich mit einem stilvollen Gastraum mit dunklen Holztischen und weißen Vorhängen. Auf der Karte stehen Garnelen, Rindercarpaccio mit Melone, Filet vom Rind oder vom Kabeljau oder Lamm-Medaillons mit Kräuterkruste. Von der Terrasse aus hat man den Blick auf Schlossruine und Rittersturz-Fels.

Empfohlen von
Weingut Thanisch

ALTES KELTERHAUS

Am Martiner Garten 13,
54487 Wintrich
T +49 (0) 6534 9496 67
www.altes-kelterhaus.de

Was früher ein Stall für Stiere war, ist heute ein stylisches Restaurant, in dem international gekocht wird. Zum einen gibt es À-la-carte-Gerichte, aber eben auch unterschiedliche Menüs – mit bis zu acht Gängen, auch vegetarisch, aber auch alles einzeln zu bestellen. Am Herd steht mit Markus Plein ein kreativer und zugleich musikalischer Koch, der Backesbrot, Butter, Käse, Schinken, Wurst oder schwarze Nüsse selber herstellt. Frische Kräuter, Kräutersalze, Krokante und Öle kommen aus einem Kräutergarten.

Empfohlen von
Weingut F-J Regnery

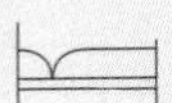

Schlafen

ALTE KIRCHE

Brückenstraße 15, 54470 Bernkastel
T +49 (0) 221 4009 026
www.bleibe.de/Wehlen

Eine ausgesprochen ungewöhnliche Übernachtungs- und Tagungsmöglichkeit bietet sich in dieser früheren Kirche aus dem Baujahr 1669. Es gibt elf Zimmer, sieben Bäder und eine komplette Küchenausstattung für die Selbstversorgung von Familien oder Gruppen. Auf dem Grundstück steht außerdem ein früheres Feuerwehrhaus, in dem noch einmal sechs Personen übernachten können. Drumherum liegen einige berühmte Mosel-Weingüter, von der Kirche aus hat man auch einen direkten Blick auf die berühmte Lage „Wehlener Sonnenuhr". Außerdem ist sie als Außenstelle des örtlichen Standesamtes legitimiert.

Empfohlen von
Bischöfliche Weingüter Trier

GASTHAUS BURKARD

Burgstraße 1, 54470 Bernkastel
T +49 (0) 6531 2380
www.gasthaus-burkard.de

Mitten in der Altstadt liegt dieses charmante, inhabergeführte Hotel mit seinen sieben Zimmern, die komfortabel und modern eingerichtet sind. Wer dort übernachtet, hat es nicht weit zum Ausflug in die Weinberge, abends werden im Restaurant Bernkasteler Zwiebelschnitzel oder Fleisch vom Grill serviert.

Empfohlen von
Weingut Schmitz-Herges

HOTEL MOSELAUEN

Saarallee 5, 54470 Bernkastel
T +49 (0) 6531 9174 455
www.hotel-moselauen.de

Ausstattung und Einrichtung in diesem neuen Hotel sind klassisch- modern und sollen damit einen Kontrast zum urig-romantischen Stadtbild von Bernkastel darstellen. Das Haus, das von Familie Kölchens geführt wird, liegt direkt am Mosel-Radweg, sodass man direkt zu einer Tour aufbrechen kann. Den Gästen stehen fünf Zimmerkategorien inklusive einer Wellness-Suite zur Verfügung. Das Frühstücksrestaurant ist auch für Nicht-Hotelgäste geöffnet.

Empfohlen von
Weingut Schmitz-Herges

DAS MOSELGARTEN - BOUTIQUEHOTEL

Alte Poststraße 10, 56859 Bullay
T +49 (0) 6542 9639 880
www.das-moselgarten.de

Nagelneu ist dieses Hotel mit seinen 20 Zimmern, die zum großen Teil den Blick auf Mosel, Weinberge, Burg Arras und Prinzenkopf freigeben. Außerdem stehen in der dritten Etage zwei Suiten mit Loggia zur Verfügung. Das Haus ist offen und in modernen Farben gestaltet, in der Lobby flackert ein gemütlicher Kamin. Im Restaurant finden 75 Gäste Platz, die direkten Einblick in die Arbeit von Küchenchef Jan Abbruzzino und seinem Team haben. Die Terrasse hat noch einmal 60 Sitzplätze, von dort hat man gleich einen Zugang zur Mosel.

Empfohlen von
Kilian und Angelina Franzen

MOSELHOTEL LUDWIGS

Beethovenstraße 14,
54340 Köwerich
T +49 (0) 6507 8024 56
www.moselhotel-ludwigs.de

Direkt an der römischen Weinstraße liegt dieses Hotel, das an Ludwig van Beethoven erinnert: Denn dessen Vorfahren stammen aus dem Örtchen, sind nicht nur Gründer des Weinguts Geschwister Köwerich, sondern prägten auch den Namen des Ortes. Das Geburtshaus des Urgroßvaters von Ludwig ist noch erhalten. Das Hotel bietet fünf komfortable Zimmer sowie eine Ferienwohnung. Im Restaurant wird mediterran und mit vielen Kräutern gekocht, nachdem auf den Märkten in der Region frisch und saisonal eingekauft wurde.

Empfohlen von
Weingut Loersch

GÄSTEHAUS ST. MAXIMIN

Maximinstraße 15, 54340 Leiwen
T +49 (0) 6507 3312
www.weingut-stoffel.de

Acht exklusive, modern eingerichtete Ferienwohnungen bieten hier die Gelegenheit zum Wohnen beim Winzer. Die Apartments liegen nah am Moselsteig, sind mit vier bis fünf Sternen klassifiziert und heißen – römisch inspiriert – Valentina, Florentina, Livia oder Helena. Zur Unterkunft gehört auch eine Liegewiese, auf der Obstbäume, Rosen und Lavendel blühen. Gastgeber-Familie Stoffel lädt abends auch gerne zur Weinverkostung der eigenen Weine ein.

Empfohlen von
der Redaktion

HOTEL SCHLOSS LIESER

Moselstraße 33, 54470 Lieser
T +49 (0) 6531 9869 90
www.schlosslieser.de

Nach einer wechselvollen Geschichte – erbaut 1884, mehrfach umgebaut, verkauft und gekauft – wurde das Luxushotel letztendlich 2019 als Teil der Autograph Collection Hotels eröffnet. Die 34 Zimmer, sieben Apartments und acht Suiten sind elegant und luxuriös eingerichtet, man hat entweder den Blick auf die Mosel oder in die Weinberge. Die Zimmer befinden sich entweder auf dem Schlossgelände oder im Cottage House, eine der ehemaligen historischen Stallungen. Zum Hotel gehören neben dem Restaurant (siehe dort) ein Spa, ein Weinkeller, eine Bibliothek sowie eine Kapelle, außerdem kann man vom Schloss aus eine Weinbergtour mitsamt Picknick unternehmen.

Empfohlen von
Axel Pauly

WINZERHÄUSCHEN

Kirchenweg 9, 54340 Longuich
T +49 (0) 6502 8345
www.longen-schloeder.de
Wohnen beim Winzer mal anders: Der preisgekrönte Architekt Matteo Thun hat auf dem Weingut von Familie Longen exklusive Winzerhäuschen geschaffen, die sich wie ein Tiny-Haus für ein bis vier Personen als Unterkunft anbieten. Die Häuschen sind aus heimischen Materialien wie Schiefer und Eichenholz gebaut und liegen direkt beim Weingut in den Streuobstwiesen. Sie haben einen eigenen Eingang, kleine Gärten und den garantierten Blick in die Weinberge. Das Weingut lädt zur klassischen Winzerküche und in die Vinothek zum Verkosten ein.
Empfohlen von
Bischöfliche Weingüter Trier

WEINROMANTIKHOTEL RICHTERSHOF

Hauptstraße 81, 54486 Mülheim
T +49 (0) 6534 9480
www.weinromantikhotel.com
Aus einem 300 Jahre alten Weingut entstand hier ein gemütliches Vier-Sterne-Superior, in dem sich die Gäste rundum wohlfühlen sollen. Die 43 Zimmer wurde gerade renoviert und neu möbliert, an den Wänden hängt Kunst von Bernd Schwarzer, Markus Lüpertz oder Johnny Friedländer, die Gastronomie lockt mit fast ausschließlich regionalen Produkten – egal, ob Wein, Bier, Sherry, Gin, Fleisch oder Fisch. Die Gäste können Platz nehmen in der Vinothek Remise, im Restaurant Culinarium R oder im Wintergarten mit der Alten Brennerei. Und wer mit dem Hubschrauber anreist, wird sogar auf dem hoteleigenen Landeplatz begrüßt.
Empfohlen von
Axel Pauly

WEINHOTEL PIESPORTER GOLDTRÖPFCHEN

Am Domhof 5, 54498 Piesport
T +49 (0) 6507 2442
www.weingut-hain.de
Die weltberühmte Weinlage hat auch diesem Hotel seinen Namen gegeben. Das Haus, das zum Weingut Hain gehört, liegt im Zentrum von Piesport direkt an der Mosel, Brücke und an der St. Michaelskirche gelegen, bietet mit seiner großen Terrasse mit Blick zur Mosel eine tolle Aussicht. Die Gäste finden Platz in einem der 14 Zimmer, im Haus befindet sich auch das Gutsrestaurant mit einer kleinen und feinen Karte.
Empfohlen von
der Redaktion

ZUR MARIENBURG
Hauptstr. 32, 56862 Pünderich
T +49 (0) 6542 1814 40
www.hotel-zur-marienburg.de
Hohe Weinberge, grüne Wiesen und weite Wälder umgeben dieses historische Gebäude aus dem Jahr 1800, das schon in vierter Generation von Familie Burch geführt wird. Die 22 Zimmer sowie die drei Suiten sind modern ausgestattet und thematisch dem Wein zugeordnet. Sie heißen Spätlese oder Beerenauslese, geben den Blick in die Weinberge oder auf die Marienburg frei und bieten viele Extras wie Tablet, eigene App, Spiele-Tipps oder Ausflugsplanung. Im Restaurant wird traditionelle Mosel-Küche mit Fleisch und Fisch serviert, Veganer oder Vegetarier sind genauso willkommen.
Empfohlen von
Frank Brohl

HOTEL MOSELSCHLÖSSCHEN
An der Mosel 15, 56841 Traben-Trarbach
T +49 (0) 6541 8320
www.moselschloesschen.de
Mitten im Moseltal, direkt an der Uferpromenade, liegt dieses Vier-Sterne-Superior Hotel mit seinen 61 individuell gestalteten Zimmern, die sich in der Villa, in der Schlösschengasse oder im Fachwerkhaus befinden. Eigentlich war das Haus im Jahr 1901 als repräsentatives Gebäude für Weinhandel und Kellerei geplant, vor zehn Jahren wurde es dann grundlegend saniert. Ganz neu wird auch ein Spa- und Wellnessbereich mit Pool, Sauna und Freiluftdachterrasse gebaut.
Im Restaurant Schlösschen sitzt man bei gutem Wetter sehr schön auf einer Natursteinterrasse, private Feiern finden im historischen Säulenkeller statt, außerdem findet man Platz im Wein- und Biergarten und kann an Kochkursen teilnehmen.
Empfohlen von
Weingut Caspari Kappel

ROMANTIK JUGENDSTIL-HOTEL BELLEVUE
An der Mosel 11, 56841 Traben-Trarbach
T +49 (0) 6541 7030
www.bellevue-hotel.de
69 Zimmer erwarten die Gäste in diesem Vier-Sterne-Superior-Hotel, das durch seinen konsequenten Jugendstil beeindruckt. Bruno Möhring, Berliner Jugendstil-Architekt, hatte dieses Haus entworfen, nachdem er in Traben-Trarbach nicht nur die Brücke zwischen beiden Ortsteilen, sondern auch viele andere Häuser im gleichen Stil baute. Das Hotel war 1837 als Fachwerkhaus gebaut, brannte 1900 aber nieder. 1903 wurde es dann im Jugendstil neu eröffnet und überstand zwei Weltkriege. Die modernisierten, klassisch eingerichteten Zimmer befinden sich im Haupthaus und in den Dependancen entlang der Moselpromenade. Die luxuriösen Suiten haben zum Teil einen offenen Kamin, einen privaten Dachgarten und meistens Moselblick. Zum Hotel gehört das Restaurant Belle Epoque (siehe dort) mit eigenem Stübchen, Bar, Terrasse und Art-déco-Salon.
Empfohlen von
Clemens Busch

HOTEL EURENER HOF
Eurener Straße 171, 54294 Trier
T +49 (0) 651 82400
www.eurener-hof.de
Moselländische Tradition wird in diesem Haus, das 1906 gebaut wurde und schon in vierter Generation geführt wird, groß geschrieben, ohne aber das moderne Zeitalter zu vernachlässigen. Es gibt unterschiedlich große Zimmer und Suiten, alle sind komfortabel eingerichtet. Zum Hotel gehört ein Spa mit Schwimmbad mit Saunalandschaft. Kulinarisch werden die Gäste in drei unterschiedlich eingerichteten Gasträumen – Wilder Kaiser, Laurentius- und Gutsstube – verwöhnt.
Empfohlen von
der Redaktion

HOTEL DEUTSCHHERRENHOF
Deutschherrenstraße 23,
54492 Zeltingen
T +49 (0) 6532 935
www.deutschherrenhof.de
55 moderne und renovierte Zimmer in einem historischen Gebäude, von dem aus man wunderbar seine Mosel-Erkundungstouren unternehmen kann, erwarten den Gast im Ortsteil Rachtig in diesem Drei-Sterne-Superior-Hotel. 1254 wurde der Deutschherrenhof zum ersten Mal erwähnt, später zerstört, wieder aufgebaut, 1968 zum ersten Mal als Gaststätte geführt, später kamen Hotel und Weingut dazu. Heute zeigt sich das Gebäude als modernes Hotel mit historischem Weinkeller, Wellness-Abteilung und einem Restaurant, in dem drinnen wie draußen die saisonal-regionale Küche genossen werden kann.
Empfohlen von
Weingut Selbach Oster

ROCHTER LANDHOTEL
Deutschherrenstraße 17,
54492 Zeltingen
T +49 (0) 6532 5004 186
www.rochter.de
Elf komfortable Zimmer sowie vier Ferien-Apartments stehen hier in Rocht, wie Rachtig im Moseldialekt heißt, in direkter Mosel-Nähe für Urlauber zur Verfügung. Erst wurde ein früheres Winzer- und Bauernhaus umgebaut, dann das frühere Hotel Chur Köln. Von hier aus lassen sich viele Ausflüge an die Mosel, in den Hunsrück oder in die Eifel unternehmen.
Empfohlen von
Weingut Heinrichshof

VEGAN HOTEL NICOLAY 1881

Uferallee 7, 54492 Zeltingen
T +49 (0) 6532 93910
www.hotel-nicolay.de

Das ist mal eine Ansage: Ein Haus, das komplett vegan, also ohne tierische Produkte, auskommt und sogar zu veganen Partys und veganen Kosmetikbehandlungen einlädt. Hintergrund: Vor zehn Jahren wurde Inhaber Johannes Nicolay quasi über Nacht aus gesundheitlichen Gründen selbst zum Veganer und eröffnete erst mal nur die Weinstube als veganes Restaurant. Und das an historischer Adresse. Denn schon sein Urahn betrieb seit 1866 den Gasthof „Zur Post", der in der Folge immer wieder aus- und umgebaut, zerstört und wiedereröffnet wurde. Jetzt wohnt es sich dort modern und gemütlich mit Blick auf die Mosel, in den Restaurants Postkutsche und Sonnenuhr wird vegane, aber durchaus kreative Küche serviert, die nicht nur von überzeugten Veganern, sondern auch von eigentlichen Fleischliebhabern durchaus geschätzt wird.

Empfohlen von
Albert Gessinger

WEINHOTEL ST. STEPHANUS

Uferallee 9, 54492 Zeltingen
T +49 (0) 6532 680
www.hotel-stephanus.de

Direkt an der Uferpromenade steht dieses klassizistische Herrenhaus aus dem Jahr 1850, in dessen Anbau 43 komfortable Zimmer, die luxuriöse Stephanus-Suite sowie Schwimmbad, Sauna und eine Beauty-Abteilung zur Verfügung stehen. In Saxler's Restaurant wird feinste Gourmetküche zwischen handgepflückter bretonischer Jakobsmuschel, aromatisierter Entenleber, schottischem Lachs oder Königsdorade serviert.

Empfohlen von
Weingut Selbach Oster

ZELTINGER HOF

Kurfürstenstraße 76,
54492 Zeltingen
T +49 (0) 6532 93820
www.zeltinger-hof.de

35 individuelle Zimmer und Apartments sowie zwei Ferienhäuser stehen in diesem ungewöhnlichen und beeindruckenden Drei-Sterne-Superior Hotel zur Verfügung. Dabei kann an mehreren Orten gewohnt werden: in Nostalgie-Zimmern im Gästehaus Ratsschänke aus dem Jahr 1657, in Winestyle-Zimmern im Gästehaus Weinkabinett, in Suiten im Gästehaus Alte Kellerei oder im historischen Winzerhaus von 1584. Kein Zimmer gleicht dem anderen, alle tragen den Namen einer Rebsorte oder einer Weinlage wie Ürziger Würzgarten oder Graacher Domprobst. Die Hotelgäste werden kulinarisch bestens verwöhnt. Auf der Karte stehen Steaks, Fischspezialitäten, Gebratenes von Lamm, Kalb oder Geflügel, aber auch heimisches Wild. Das Küchenteam empfiehlt zum Abschluss den hausgemachten Weißkäse mit Vanillesauce oder Riesling-Schokoladentrüffel. Beachtenswert: die Vinothek mit mehr als 2000 Weinen, darunter rund 160 Weine im offenen Ausschank. Das Hotel organisiert Weinbergstouren mit dem VW-Bulli.

Empfohlen von
Albert Gessinger

Einkaufen

WEIN KÜSST KÄSE
Dorfstraße 22, 56861 Reil
T +49 (0) 151 5081 0758
wein-kuesst-kaese.business.site
Käse-Affineur Wolfgang Schulz-Balluff verbindet Käse aus Kuh- und Schafsmilch mit Riesling, der in dem alten Schiefergewölbe des Bio-Weinguts Melsheimer reift. Jeder Laib wird von Hand aus Weide- und Heumilch in der Hofkäserei auf dem Schwalbenhof im Hunsrück gekäst, danach Tag für Tag im Weinkeller in Reil sorgsam mit Riesling veredelt oder im Weintrauben-Trester eingelegt – das kann Wochen, Monate, sogar Jahre dauern. Die vier Kilogramm schweren Laibe werden jeden Tag gewendet und mit Tiefensalz und dem Riesling von Melsheimer eingerieben. Verkauft wird der Käse ab Weingut Melsheimer sowie in einigen Naturkostläden in der Region.
Empfohlen von
der Redaktion

SCHÖNFELDER HOF
Nordallee 1, 54290 Trier
T +49 (0) 651 9916 224
www.bb-schoenfelderhof.de
Egal, ob Schinken, Wurst und Fleisch, Gemüse, Eier oder Säfte: Alle Waren, die vom Schönfelder Hof verkauft werden, stammen aus der Region oder werden selbst – wie zum Beispiel die Backwaren – produziert. Hof und Hofladen werden vom Orden der Barmherzigen Brüder betrieben. Der Hof selbst liegt in der vorderen Eifel in Zemmer, der Hofladen im Krankenhaus der Barmherzigen Brüder in Trier.
Empfohlen von
der Redaktion

WERWIE'S WILD
Wisportstraße 4, 54295 Trier
T +49 (0) 651 32432
In diesem Feinkostgeschäft gibt es eine große Auswahl an exzellentem Fleisch wie Wild und Huhn, aber auch Schinken, Käse sowie Wein und Sekt.
Empfohlen von
Schlossgut Liebieg

Empfehlenswerte Metzgereien

Fleischerei Mittler
54340 Ensch,
(Brunnenstraße 4)
www.metzgerei-mittler.de

Fleischerei Karlheinz Sopp
54486 Mülheim,
(Hauptstraße 50)
www.fleischerei-sopp.de

Fleischerei Haag
54292 Trier-Ruwer,
(Rheinstraße 4)
www.fleischerei-haag.de

Fleischerei Kaspary
54349 Trittenheim,
(Moselweinstraße 46)
www.fleischerei-kaspary.de

Vinothek

Viele Winzer an Mosel, Saar und Ruwer öffnen die ganze Woche über ihre Türen, um ihre Weine in den hauseigenen Vinotheken verkosten zu lassen. Ein Besuch (nach dem Blick auf die Internetseite oder einem kurzen Anruf) lohnt in jedem der Weinorte. Weitere Infos zu Vinotheken der Winzer auch auf der Internetseite www.weinland-mosel.de/weingueter.

RIESLINGHAUS

Hebegasse 11, 54470 Bernkastel
T +49 (0) 6531 6258
www.rieslinghaus-bernkastel.de
Die gesamte Bandbreite der Mosel-Weine kann hier verkostet oder gekauft werden: egal, ob gereifte Weine, restsüße oder trockene Rieslinge. Mehr als 500 Spitzenweine von Mosel, Saar und Ruwer stehen hier im Regal, aber auch Tropfen von Nahe oder aus Rheinhessen. Bei der WinePorn-Serie werden mit dem jeweiligen Winzer Weine ausgewählt, die dann nur in dieser Vinothek zu haben sind. Mit diesem Label soll auch an das Weinhaus Porn der Eltern der jetzigen Betreiberin erinnert werden. Zum Rieslinghaus gehört auch ein kleines Hotel mit acht Zimmern.
Empfohlen von
Clemens Busch

WEIN- UND GINBAR JU ZWÖLF

Palaststr. 12, 54290 Trier
T +49 (0) 651 4369 5991
www.ju12.de
Weil Inhaberin Kaboura Justinger auch Flugbegleiterin ist, hat sie den Namen für die Bar als Anspielung auf das Flugzeug mit dem Spitznamen „Tante Ju" gewählt, er steht aber auch für die Anfangsbuchstaben ihres Namens. Im Angebot sind Weißweine überwiegend von Mosel, Saar und Ruwer, bei Rotwein aber auch von internationalen Erzeugern. Im Sortiment sind zudem 20 bis 25 regionale und internationale Gins; damit man diese besser kennenlernen kann, wird zu Gin-Tastings eingeladen. Zum Wein werden kleine, überwiegend kalte Speisen angeboten, wie Käse und Wurst aus der Region, aber auch Flammkuchen.
Empfohlen von
der Redaktion

WEINBAR TRIER AN DER PORTA NIGRA

Simeonstraße 12, 54290 Trier
T +49 (0) 651 9946 6955
www.weinbar-trier.de
Weine von 230 Weingütern stehen hier im Regal und können vor dem Verkauf zum Teil auch verkostet werden. Den Schwerpunkt bilden Tropfen von Mosel, Saar und Ruwer, es gibt aber auch viele Weine aus Frankreich, Italien oder Neuseeland. Regelmäßig wird zu Weinproben eingeladen.
Empfohlen von
Nikolaus Köwerich

3
TERRASSENMOSEL

Hier kann man Weinterrassen sehen, die über Jahrhunderte von Menschenhand erbaut wurden – jene bei Winningen sind etwa ein eindrucksvolles Kulturdenkmal. Vielerorts thronen Burgen über den pittoresken Weinorten wie Beilstein, Cochem, Alken oder Kobern-Gondorf. In einem Seitental der Mosel versteckt liegt die berühmte Burg Eltz.

Geografische Lage Der nördlichste Teil des Anbaugebietes befindet sich zwischen Zell und Koblenz, wo die Mosel sich mit dem Rhein vereint.
Klima Gemäßigt warm, von atlantischen Einflüssen geprägt, mit mäßig kalten Wintern und angenehm warmen Sommern. Die Temperatur liegt im Jahresdurchschnitt bei über zehn Grad. Die Niederschlagsmenge liegt im Jahresdurchschnitt bei etwa 630 bis 670 mm; etwa 1.900 bis 2.000 Sonnenscheinstunden pro Jahr.
Boden Quarzitischer Sandstein aus den Küstenbereichen und Devonschiefer vom ehemaligen Meeresgrund des Urozeans vermischen sich in den Böden der Terrassenmosel; seltener kommt auch kalkhaltiger Sandstein vor.
Rebfläche 1.190 ha, Weißwein 85 %, Rotwein 15 %
Rebsorten Riesling, Müller-Thurgau, Weißburgunder, Spätburgunder, Dornfelder
Geschichte Vor den Rittern herrschten die Römer und huldigten an Kultstätten auf den Moselhöhen römischen und keltischen Gottheiten.
Besonderheiten Die Terrassenmosel mit ihren vielen steilen Hängen ist auch die Heimat für den steilsten Weinberg der Welt: Im Calmont zwischen Bremm und Ediger-Eller müssen Reben und Winzer schwindelfrei sein, bis zu 68 Grad Hangneigung wird dort gemessen.

WEINGÜTER

89
ZUM EULENTURM
Hauptstraße 218
56867 Briedel

90
KILIAN FRANZEN
Gartenstraße 14
56814 Bremm

91
LEO FUCHS

Hauptstraße 3
56829 Pommern

92
OTTO GÖRGEN
Römerstraße 30–32
56820 Briedern

93
LAURENTIUSHOF

Gartenstraße 13
56814 Bremm

94
THEO LOOSEN

Mittelstraße 12
56818 Klotten

95
FREIHERR VON SCHLEINITZ

Kirchstraße 15–17
56330 Kobern-Gondorf

96
WEINGUT SCHNEIDERS-MORITZ

Zehnthofstraße 8
56829 Pommern

97
PAUL SCHUNK

Hauptstraße 26
56814 Bruttig-Fankel

98
WEINGUT SCHWAAB

In der Laach 93
56072 Koblenz

Zum Eulenturm

Hauptstraße 218, 56867 Briedel
T +49 (0) 6542 4702
www.zum-eulenturm.de

Inhaber Timo C. Stölben
Rebfläche 3,5 ha
Produktion 20.000 Flaschen
Verkaufszeiten
nach Vereinbarung

Es sind nicht nur Weine, die in dem kleinen Betrieb produziert werden. Timo Stölben führt die Tradition seines Vaters fort und destilliert seine weit über die Grenzen des Ortes Briedel bekannten exzellenten Trester-Brände. Dazu wird im Weingut versektet, natürlich aus eigenen Stillweinen und aufwendig in traditioneller Flaschengärung. Was den Wein betrifft, hat man sich vollends auf Rieslinge spezialisiert. Die Rebfläche von rund 3,5 Hektar verteilt sich auf die beiden Einzellagen Schäferlay und Trieren, wo gerade die Terrassen und Trockenmauern restauriert und teils erneuert wurden. Bis zum Jahr 2022 plant Timo Stölben zudem, einen alten gerodeten Weinberg in einem Seitental von Briedel wieder aufzupflanzen und zu neuem vinologischen Leben zu erwecken.

♥ **2017** Trieren Riesling Spätlese trocken
16€ · 12%
Akazienhonig und helle Blüten im Auftakt, sehr kräftig am Gaumen. Ein Riesling für kalte Tage und kräftig gewürzte Speisen.

2019 Schäferlay Riesling Spätlese trocken
13€ · 12,5%
Hohe Reife und Opulenz mit Anklängen von Edelfäule und gleichzeitig tänzelnder Eleganz.

2019 Trieren Riesling Spätlese feinherb
13€ · 12%
Mit Kraft und Opulenz ein idealer Begleiter zu schlotzigem Risotto oder klassischen Spaghetti alla carbonara.

2015 Riesling brut nature ♦♦♦

17€ · 12%

Feine reife Noten zum Auftakt, gefolgt von jugendlicher Frische und geradliniger Kompromisslosigkeit. Ideal als Appetitanreger oder zu Sushi und Sashimi.

2016 Riesling brut ♦♦♦

15,40€ · 12%

Der Harmonische: sehr balanciert und stimmig, mit angedeuteter Süße, Karamell, Zitrus und Würze.

2016 Riesling brut nature ♦♦♦

15,40€ · 12%

Allrounder: stimmig und fruchtbetont, viel Pfirsich, zugänglich und charmant, saftig.

Kilian Franzen

Gartenstraße 14, 56814 Bremm
T +49 (0) 2675 412
www.weingut-franzen.de

Inhaber Kilian Franzen
Betriebsleiter Kilian & Angelina Franzen
Kellermeister Kilian Franzen & Leon Heimes & Johannes Haupts

Wer wissen möchte, wie steil ein Weinberg an der Mosel sein kann, sollte Kilian Franzen anrufen und mit ihm einen Besichtigungstermin im Bremmer Calmont vereinbaren. Denn der sympathische junge Winzer kultiviert Rieslinge im steilsten Weinberg Europas. Allein das ist eine enorme Leistung, die nur mit aufwendiger und kostenintensiver Handarbeit zu bewältigen ist. Kilian Franzen macht das zusammen mit seiner Frau Angelina und einem motiviertem Team, auf das er sich blind verlassen kann. Genauso wie auf seine Rieslinge, die dank der intensiven Pflege zu charaktervollen Weinen reifen können und in ihrer mineralischen Eleganz nicht nur das Terroir, sondern in ihrer Struktur auch das natürliche Gedächtnis eines Jahres in sich tragen. Kilian und Angelina Franzen und die beiden Kellermeister Leon Heimes und Johannes Haupts geben mit ihrer Arbeit diesem Zauber eine geschmackliche Realität.

2018 Riesling „Zeit" feinherb ♦♦♦

15,90€ · 11%

Die helle und doch kraftvolle Aromatik wird getragen von buttrigen Noten – perfekt zu Rhabarberkuchen.

2019 Bremmer Calmont Riesling Kabinett ♦♦♦♦

13,90€ · 8,5%

Sehr feine, reife Frucht, durchwoben von ebenso feiner Säure und Mineralität. Millirahmstrudel auf Aprikosenkompott.

2019 Bremmer Calmont Riesling „Bernkasteler Ring GG" ♦♦♦♦

26€ · 12,5%

Im Mund geradlinig und unaufgeregt, ein Hauch von Botrytis schmeichelt dem Wein. Zur gebratenen Sardine mit Rouille ein Gedicht!

2019 Lagencuvée Riesling „Der Sommer war sehr groß" feinherb 🍇🍇
12€ · 12%
Pikante Nase und am Gaumen karg wie ein schroffer Schieferfelsen. Das ist ein Statement!

Leo Fuchs

🍇🍇🍇

Hauptstraße 3, 56829 Pommern
T +49 (0) 2672 1326
www.leo-fuchs.de

Inhaber Ulrich Fuchs
Betriebsleiter Ulrich Fuchs
Kellermeister Bruno Fuchs
Verbände Bernkasteler Ring
Rebfläche 11 ha
Produktion 80.000 Flaschen
Gründung 1624
Verkaufszeiten
Mo–Do 17–19 Uhr
Fr 13–19 Uhr
Sa 10–17 Uhr
und nach Vereinbarung

Mitnichten sagen sich in Pommern Fuchs und Hase Gute Nacht. Der klitzekleine Winzerort ist hellwach und weinbaulich auf der Höhe der Zeit. Dafür sorgt seit Jahren Ulrich Fuchs im elf Hektar großen Familienbetrieb, der neuen und vor allem frischen Schwung in das Pommern'sche Weinumfeld gebracht hat. Klare Linie und klare Kante zeigen und schnörkellose Aromatik auf den Punkt bringen. Ulrich Fuchs macht das am liebsten mit Rieslingen, aber der Winzer hat auch Burgundersorten in seinen Weinbergen rund um Pommern und Klotten stehen. Richtig schön und ansprechend im Glas stehen die Weine zur Verkostung in der schicken Vinothek, die auch etwas fürs Auge bietet und gekonnt den Bogen zwischen moderner Architektur und traditionellem Gemäuer spannt. Das sollte man sich mal anschauen und gleichzeitig die Weine probieren, es lohnt sich!

2018 Pommerner Goldberg Riesling Spätlese 1. Lage feinherb 🍇🍇🍇🍇
13,50€ · 12%
Ein eleganter Wein mit enormer Länge, der sehr nobel und mit Würde daherkommt. Aber auch dem Jahrgang 2018 geschuldet, temperamentvoll, mit Würze und unheimlicher Tiefe.

2018 Pommerner Roenberg Gewürztraminer Auslese feinherb 🍇
15€ · 14,5%

2018 Pommerner Rosenberg Riesling „GG" 🍇🍇🍇

23€ · 14%

Feine, delikate, reife Fruchtsüße, ein Spaßbringer zur Kalbszunge mit Sauce Choron.

2018 Pommerner Zeisel Riesling Auslese feinherb 🍇🍇🍇🍇

19,50€ · 12,5%

In der Nase recht jugendlich, aber am Gaumen saftig und reif bringt diese feinherbe Auslese die Sonne von 2018 ins Glas.

2018 Pommerner Zeisel Riesling Spätlese 1. Lage 🍇🍇🍇

13,50€ · 9,5%

Speckige Spätlese, die keineswegs plump daherkommt. Aromen von Stachelbeere und Marille werden perfekt ergänzt durch Rauch und Grafit.

2019 Klottener Brauneberg Riesling „Von Alten Reben" Auslese feinherb 🍇🍇🍇

19,50€ · 12%

Intensiv und konzentrierter Duft, dicht am Gaumen und sehr elegant. Perfect Match mit geräuchertem Lachs und Avocado.

2019 Pommerner Rosenberg Riesling Spätlese 1. Lage feinherb 🍇🍇🍇🍇

13,50€ · 11%

Ein großer Riesling, der alles mitbringt, was die Rebsorte hergibt. Top Balance mit feiner Säure, großer Eleganz und Tiefgang. Moderner Klassiker.

2019 Pommerner Zeisel Riesling Spätlese 1. Lage trocken 🍇🍇🍇

13,50€ · 12,5%

Sahnig, harmonisch, exotische Frucht, benetzte Kräuter im Weinberg, rauchige mineralische Noten.

2016 Riesling „Vom grauen Schiefer" brut 🍇🍇🍇

13,50€ · 12,5%

Saftige Säure, schöne Riesling-Interpretation, stimmig, animierend, schöne Interpretation, Körper, phenolische Struktur.

2018 Pommerner Zeisel Riesling Auslese ♣♣
19,50€ · 9%

2018 Pommerner Zeisel Riesling „***" Auslese ♣♣♣♣
19,50€ · 10,5%
Ein monumentaler Solist, der mit überbordender Opulenz und Länge problemlos eine große Gästeschar zum Staunen und Verweilen einlädt. Die Aromen von Waldboden, Honig und Würze sind perfekt aufeinander abgestimmt.

2019 Pommerner Zeisel Riesling Auslese ♣♣♣♣
19,50€ · 8,5%
Brillanter und großer Riesling-Stil mit erfrischender, spritzig wirkender Säure, die als Antagonist zur Süße für Balance sorgt.

Otto Görgen

Neueinsteiger

Römerstraße 30–32,
56820 Briedern
T +49 (0) 2673 1809
www.weingut-goergen.de

Inhaber Matthias Görgen
Rebfläche 14 ha
Produktion 120.000 Flaschen
Gründung 1707
Verkaufszeiten
Mo–Sa 9–11.30 Uhr
Vinothek
Bachstraße 48, 56814 Beilstein:
Ostern–Juni:
Sa, So 14–19 Uhr
Juli–Oktober
Mo–So 14–19 Uhr

Zwischen Cochem und Zelt gelegen, betreibt Familie Görgen in Briedern Weinbau schon in achter Generation. Heute bewirtschaftet Weinbautechniker Matthias Görgen zusammen mit seinen Eltern den 14 Hektar großen Betrieb. Markenzeichen des Weinguts und Favorit der vielen treuen Stammkunden sind die leichten, süffigen Rieslinge, die Matthias Görgen in allen Geschmacksstufen von trocken bis lieblich ausbaut. Und weil der Wein dort am besten schmeckt, wo er gewachsen ist, kann man die Görgen-Gewächse in einem gemütlich eingerichteten Gewölbekeller im Nachbarort Beilstein verkosten. Dort hat Familie Görgen die alte Burg Metternich erworben, die nach und nach renoviert werden soll.

2019 Beilsteiner Silberberg Riesling „von alten Reben" Spätlese feinherb ♣♣♣♣
8,50€ · 11,5%
Duftiger Stil mit zarter Frucht und Bergamotte-Note. Am Gaumen kommt dann richtig Action auf mit langem Abspann.

2019 Briedeler Herzchen Riesling feinherb ♣♣
6,20€ · 11,5%
Spontane Freude, gestützt von Anis und exotischer Frucht zum klassischen Toast Hawaii.

2019 Briederner Rüberberger Domherrenberg Riesling „von alten Reben" Spätlese trocken ♣♣♣
8,50€ · 12,5%
Eine Schönheit im Schiefermantel. Auf Zukunft angelegter Wein, den man jetzt in den Keller legen und dann am besten mal vergessen sollte. Großartige Struktur mit viel Biss am Gaumen und ein Preis-Leistungs-Tipp.

2019 Riesling „Nikolaus G" 🍇🍇
6,80€ · 12,5%
Sehr saftig mit Kraft und Würze. Im Glas öffnet sich der Wein und zeigt seine Harmonie.

2020 Mosel Grauburgunder „Classic" 🍇🍇
6,20€ · 12,5%
Zimt, Kastanienholz, korpulenter Wein, der Fett in Speisen, wie in geräucherter Leberwurst, vertragen kann.

2020 Mosel Riesling 🍇🍇
5,20€ · 11,5%
Sehr einladend. In der Nase tänzelt der Wein dann elegant und feingliedrig über die Zunge.

2020 Rivaner 🍇
5,40€ · 10,5%

2018 Pinot Noir 🍇🍇
7€ · 14%
Oldschool-Spätburgunder mit Noten von Hagebutte, Herbstlaub und Brioche. Ein Hasenrücken mit Kürbisgemüse rundet diese Aromenwelt perfekt ab.

2020 Pinot Noir „Rosé" 🍇
6,20€ · 12,5%

2019 Riesling extra trocken 🍇
8€ · 12,5%

2019 Briederner Rüberberger Domherrenberg Riesling Spätlese 🍇🍇🍇🍇
8,50€ · 9,5%
Sehr spannendes Spiel mit Süße, Säure und Adstringenz. Ein kühler Typ ohne Allüren, der sich gekonnt im Hintergrund hält und von dort aus begeistert.

Laurentiushof

Neueinsteiger

Gartenstraße 13, 56814 Bremm
T +49 (0) 2675 508
www.bioweingut24.de

Inhaber
Thomas Franzen-Martiny

Biologischer Weinbau, der auch die Produktion von veganen Weinen einschließt, ist für Thomas Franzen-Martiny ein wichtiger weinbaulicher Aspekt und eine Herausforderung, der sich der engagierte Winzer täglich im Weinberg stellt. Umweltschonend und naturnah sind für Franzen-Martiny keine Worthülsen, wer in seinem kleinen Weingut, das nur drei Hektar umfasst, einkauft, kann sicher sein, hundertprozentige Bio-Qualität zu bekommen. Trotz der überschaubaren Größe des Betriebs ist das Angebot an unterschiedlichen Weinen relativ umfangreich. Auch ein handgerüttelter „Mosel Schampus" aus Riesling- oder Elbling-Trauben ist im Angebot des rührigen Weinmachers. Wer sich das alles aus der Nähe anschauen möchte, ist im gemütlich eingerichteten Gästehaus gut untergebracht.

Verbände Ecovin
Rebfläche 3 ha
Produktion 30.000 Flaschen
Gründung 1874
Verkaufszeiten
nach Vereinbarung

2018 Bremmer Calmont Riesling Spätlese feinherb
9,80€ · 11%
Ein kompromissloser Wein, der mit seinen Noten von Petrol, Rauch, Schiefer und Schießpulver facettenreiche Aromen zeigt und von einem großen Glas und viel Zeit profitiert. Für Entdecker und Neugierige.

♥ **2020** Bremmer Calmont Riesling „Urgestein"
9,10€ · 12%
Verspielte Frucht, erinnert an Himbeerbonbons und Rote Johannisbeeren. Begleitet von einer gewissen Schärfe.

2020 Neefer Frauenberg Riesling feinherb
9,10€ · 11%
Ein Chamäleon: bei jedem Schluck anders. Das bringt Spannung und animiert zum Weitertrinken.

Theo Loosen

Mittelstraße 12, 56818 Klotten
T +49 (0) 2671 7501
www.weingut-loosen.de

Inhaber Hans-Theo Loosen
Rebfläche 5,5 ha
Produktion 60.000 Flaschen
Verkaufszeiten
Mo–Sa 8–18 Uhr
So 9–14 Uhr
und nach Vereinbarung

Mit seinen grauen Schieferböden steht Hans-Theo Loosen auf Du und Du, das mineralisch durchsetzte Gestein ist im wahrsten Sinne des Wortes die Grundlage seiner Rieslinge, die alles andere als grau sind. Und deswegen gehört ihnen die ganze Leidenschaft und Hingabe des jungen Winzers, der aus fast vergessenen Lagen wie dem Klottener Brauneberg und der Burg Coraidelstein sehr respektable Weine macht. Naturnah und umweltschonend werden die rund 5,5 Hektar Weinberge gepflegt, im Keller legt Loosen so wenig wie möglich Aktionismus an den Tag und lässt vielmehr die Weine ihre natürliche Balance finden. Das sind nicht nur klassische Moselrieslinge, Loosen hat auch Rotling und Dornfelder im Anbau. Wer das Weingut besuchen möchte, kann nach ausgiebiger Weinprobe auch in der modern ausgestatteten Ferienwohnung übernachten.

2019 Klottener Brauneberg Riesling „Finesse" feinherb 
9€ · 12,1%
Der Geheimagent unter den Rieslingen. Dieser Wein hat alle Tools und macht ein Pokerface. Will erobert werden.

2019 Klottener Burg Coraidelstein Riesling „Alte Rebe" 
11€ · 13%
Dieser Riesling marschiert, er tanzt nicht. Die brillante Nase strahlt ebenfalls pure Kraft aus.

2019 Riesling „Grauschiefer" 
7€ · 12,8%
Herbe Frische, salzig, freche Säure, genussbereit zur salzigen Praline von der Kalbsleber.

2020 Klottener Brauneberg Riesling „Loosen S" 
9€ · 12,5%
Ausdrucksstark, dicht und cremig, steckt aber noch in seinen jugendlichen Fesseln.

2019 Cuvée „Vignoble R"
14€ · 13,1%
Aparte Ausnahme-Cuvée, von der dunkellila Robe über den süßen Auftritt bis zur Rauch-Lakritze-Humidor-Mundfülle.

Freiherr von Schleinitz

Kirchstraße 15–17,
56330 Kobern-Gondorf
T +49 (0) 2607 9720 20
www.vonschleinitz.de

Inhaber
VS-Weinhandels-GmbH
Betriebsleiter Martin Gerlach
Kellermeister Martin Gerlach
Rebfläche 22 ha
Produktion 130.000 Flaschen
Verkaufszeiten
Mo–Fr 9–18 Uhr
Sa nach Vereinbarung

Einigkeit macht stark, das dachten sich die Weingüter von Schleinitz und Gerlachs Mühle und haben sich vor drei Jahren zusammengeschlossen. Geführt werden die vereinigten Weingüter von Martin Gerlach, der auch für den Keller zuständig ist und der gleich für einige Neuerungen sorgte. So wird im Keller auf den Einsatz von Reinzuchthefen verzichtet und alle Weine nur noch spontan vergoren. Ziel des Teams um Gerlach ist es, frische Weine herzustellen, die die Aromenvielfalt der Trauben widerspiegeln, aber auch die Besonderheiten der Lage deutlich machen. Neu im Weingut ist auch der Ausbau der Rotweine in gebrauchten Barriques, die dadurch in ihrer Struktur etwas markanter werden. Die vielen Auszeichnungen der Weine zeigen, dass der Zusammenschluss der beiden Weingüter die richtige Entscheidung war und der Betrieb auf einem guten Weg in die Zukunft ist.

♥ **2019** Koberner Uhlen Riesling
12€ · 12%
Zunächst etwas behäbig, zeigt sich mit Luft die Schieferwürze und mündet in einem langen, harmonischen Nachhall.

2019 Riesling feinherb
7€ · 11,5%
Sehr trinkig und durchaus gut zu deftiger Küche kombinierbar wie Himmel und Erd.

2019 Riesling „Apollo" halbtrocken
9€ · 12%
Molliger Riesling, der uns erfreut wie ein schönes Stück Buttercremetorte. Lecker!

2019 Riesling „Nitor"
8,50€ · 12,5%
Dezent und leise bleibt dieser Wein mit seinem feinen Schmelz und der zarten Bitternote am Gaumen. Ein Wein für den entspannten Sommerabend zu zweit.

2019 Riesling „Stehkragen"
7,80€ · 12,5%
Sehr klassischer Riesling, der mit deutlichen Noten von Brioche und Aprikose seinem Namen alle Ehre macht.

2019 Weißburgunder
7,50€ · 12,5%
Leichte Spargelgerichte lassen sich hiermit perfekt kombinieren. Mineralisch und ausgewogen mit Biss und Würze.

2018 Pinot Noir
9,50€ · 13%
Ein klassischer Mosel-Spätburgunder mit viel Frische, der sogar leicht gekühlt im Sommer serviert werden kann. Dazu ein mediterraner Salat mit Knoblauch und Rosmarin.

Weingut Schneiders-Moritz

Neueinsteiger

Zehnthofstraße 8,
56829 Pommern
T +49 (0) 2672 93660
www.schneiders-moritz.de

Visitenkarte des Weingutes an der Terrassenmosel ist zweifelsohne der Riesling, auch wenn hier längst andere Rebsorten, wie etwa der trendige Sauvignon Blanc und Merlot, mit im Boot sind. Doch der Riesling gehört in seinem ganzen Facettenreichtum zur Historie des Familienbetriebs, der älteste Rieslinge-Weinberg in der Steillage Pommern Rosenberg wurde bereits im Jahre 1860 angelegt, steht bis heute im Ertrag und ist der ganze Stolz der Winzerfamilie. Kilian Moritz ist der Kopf des Weinguts, ein junger engagierter Winzer, der viel Arbeit in die Weinberge investiert, um im wahrsten Sinne des Wortes den Boden für charaktervolle Weine zu bereiten. Zwei gemütlich eingerichtete Ferienwohnungen gehören zum Weingut, hier kann man die Terrassenmosel in ein paar erholsamen Tagen entspannt erleben.

Inhaber Kilian & Hildegard Moritz
Betriebsleiter Kilian Moritz
Rebfläche 9,7 ha
Produktion 60.000 Flaschen
Gründung 1650
Verkaufszeiten
Mo–Fr 9–17.30 Uhr
Sa 11–14 Uhr
und nach Vereinbarung

2017 Pommerner Rosenberg Riesling ♣♣♣
12,50€ · 13%
Die Reben für diesen Wein aus Terrassenlagen kommen aus einer der ältesten, wurzelechten Rieslinganlagen Europas, deren Datierung auf Mitte des 19. Jahrhunderts geschätzt wird. Erinnert mit seiner Würzigkeit fast an weiße Riojas und sorgt am Gaumen mit seiner kräftigen Säure für den typischen Riesling-Kick. Für Experimentaltrinker.

2019 Riesling „Mons Martis" ♣♣
7,50€ · 12%
Spannungsgeladene Säure, helle, noch verhaltene, doch rassige Frucht, dazu eine klassische Ceviche.

2019 Weißburgunder ♣♣
8,90€ · 13,5%
Für Weißbugunder-Fans und die ersten Sonnenstrahlen im Frühling. Typisch Weißburgunder!

2020 Spätburgunder halbtrocken ♣
7,50€ · 12%

♥ **2018** Pommerner Rosenberg Riesling Spätlese ♣♣♣
12,50€ · 8,7%
Volle Attacke am Gaumen, dieser Wein hält nicht bei Rot. Ganz eigenständiger Stil, der sich nicht um Konventionen schert und der sich nicht darum kümmert, warum er wem gefällt.

2019 Klottener Brauneberg Riesling Auslese ♣♣♣♣
12,50€ · 8,5%
Üppiger Fruchtkorb, der sehr saftig und mundfüllend ist und bei jedem Schluck erfrischt.

Paul Schunk

Hauptstraße 26,
56814 Bruttig-Fankel
T +49 (0) 2671 1458
www.weingut-schunk.de

Inhaber Paul Schunk
Rebfläche 4,3 ha
Produktion 28.500 Flaschen
Gründung 1625
Verkaufszeiten
Mo–Sa 8–18 Uhr

Das Markenzeichen von Paul Schunk sind trocken und feinherb ausgebaute Weine aus den steilen, mineralisch geprägten Schieferlagen der Terrassenmosel, mit denen sich der erfahrene Winzer im Laufe der Jahre eine treue Stammkundschaft aufgebaut hat. Weit über die Grenzen des Anbaugebiets hinaus schätzt man Schunks facettenreiche und tiefgründige Weine, die sowohl im Edelstahltank als auch im klassischen Holzfass reifen und denen Paul Schunk ausreichend Zeit auf der Hefe gönnt. Auch mit der Produktion von prickelnden Gewächsen kennt sich der Winzermeister bestens aus, neben seinen Sekten hat der kleine Weinbaubetrieb auch hausgemachte Brände und Liköre im attraktiven Portfolio. Unverbindlich probieren kann man Schunks Moselgewächse im historischen Ambiente des Weingutes, dabei hat der Hausherr die eine oder andere Anekdote zu erzählen.

2018 Pommerner Sonnenuhr Riesling Auslese trocken
11,40€ · 12,4%
Florale Noten von Flieder und weißen Blüten lassen vom Frühling auf dem Land träumen. Die charaktervolle Stoffigkeit und der cremige Schmelz machen den Abgang geschmeidig und sanft.

2019 Bruttiger Götterlay Riesling „Vinovation" Auslese trocken
12,50€ · 13,3%
Frühling im Glas mit Noten von weißen Blüten und Ananas. Dieser Wein muss nicht erobert werden, er springt einen direkt an und macht mit seiner animierenden Säure lange Spaß.

2019 Fankeler Rosenberg Riesling Spätlese trocken
9,50€ · 13,2%
Interessant, reif und konzentriert mit Schmelz und Länge. Unbedingt zu einem indischen Curry mit Geflügel und exotischen Früchten probieren.

♥ **2019** Pommerner Sonnenuhr Riesling Spätlese trocken
9,50€ · 12,4%
Spannungsgeladen und markant. Hier liegt Schießpulver in der Luft. So darf Mosel schmecken.

2018 Riesling trocken
10,60€ · 12%

2019 Bruttiger Götterlay Riesling Beerenauslese
30€ · 7,5%
Karamellisierte Birnentarte und Sultaninen, ehrwürdige, sehr reife Botrytis, Schmelz und Kaffee-Aromen.

Weingut Schwaab

In der Laach 93, 56072 Koblenz
T +49 (0) 261 4030 840
www.weinkeller-schwaab.de

Inhaber Christof Schwaab
Rebfläche 6 ha
Produktion 30.000 Flaschen
Gründung 1890
Verkaufszeiten
Mo–Fr 9–12 Uhr und 14–18 Uhr
Sa 9–13 Uhr

Auf wie viele unterschiedliche Arten man Wein erleben und erfahren und sich dem einzigartigen Getränk nähern kann, zeigt das Weingut von Christof Schwaab in Koblenz. Einem engagierten jungen Team kann man sich zur Felsenkellertour anschließen, auf Entdeckertour gehen, sich auf die Spurensuche nach Aromen machen oder einfach die Klassiker „Wein und Schokolade" oder „Wein trifft Craft-Bier" buchen. Unterhaltsame und gleichzeitig lehrreiche Programme, die fast vergessen lassen, dass hier auch Weine produziert werden. Und zwar auf sechs Hektar in den Steilterrassen der Lage Koblenzer Marienberg. Was an gesunden und reifen Trauben in den Keller kommt, wird traditionell spontan vergoren und in vier verschiedenen Linien ausgebaut. Die Premiumlinie umfasst dabei die Spitzenweine der Terrassenmosel und repräsentiert das Terroir in trockenen bis edelsüßen Rieslingen.

2019 Koblenzer Marienberg Riesling „1890"
9,30€ · 12,5%
Druckvoll und dabei sehr elegant und schiefergeprägt. Ein Wein, der kräftige Speisen nicht scheuen muss.

2019 Koblenzer Marienberg Riesling „Von Terrassen"
14,50€ · 13%
Ein gern gesehener Gast bei jeder Einladung, der schnell neue Freunde findet und mit seiner unauffälligen Art nicht aneckt. Toll in Begleitung zu leicht asiatisch abgeschmeckten Speisen.

2019 Koblenzer Marienberg Weißburgunder feinherb
9,30€ · 12%

2018 Koblenzer Marienberg Spätburgunder „Barrique Goldlinie"
16,50€ · 13,5%
Aromen von Schokorosinen und Kaminfeuer versprechen barocke Eleganz und einen gemütlichen Abend. Dieser Wein strahlt entspannte Noblesse aus.

Essen

TURMGASTHAUS BURG THURANT
Moselstraße 15, 56332 Alken
T +49 (0) 2605 8498 5880
www.turmgasthaus.de
Mit Blick auf die Alkener Moselpromenade verweilt man hier an historischer Stätte. Drinnen wartet ein Kaminfeuer und bei gutem Wetter sitzt es sich auch gut auf der Außenterrasse. Die Karte präsentiert sich regional-saisonal mit Eifeler Schweinefilet, Hunsrücker Spießbraten oder Geschmortem vom Rind in Spätburgunder. Zum Haus gehören vier Hotelzimmer, zum Teil mit Moselblick.
Empfohlen von
Weingut Schneiders-Moritz

WINZERSCHENKE SAUSEN
Klostertreppe 29, 56814 Beilstein
T +49 (0) 2673 1354
www.winzerschenke-beilstein.de
Zwischen Weinbergen und Wäldern liegt der denkmalgeschützte Ort Beilstein, der schon oft als Filmkulisse diente. Und direkt im Herzen dieses Ortes findet sich die gemütliche und urige Winzerschenke, die sogar vier Gästezimmer anbietet. Auf der Speisekarte stehen hausgemachte Winzerspezialitäten, vor allem der Speckkartoffelsalat von Marie Luise Sausen ist legendär.
Empfohlen von
Otto Görgen

WEINHAUS BERG
Moselstraße 39, 56814 Bremm
T +49 (0) 2675 301
www.weinhausberg.de
Hühnersuppe oder Gulaschsuppe, Schnitzel vom Schwein aus der Eifel, ein kräftiger Käseteller oder Hähnchenbrust indisch: Hier wird bodenständig und regional gekocht, dazu werden Weine aus der Region eingeschenkt. Die Terrasse ist einer der beliebtesten Plätze in der Region. Wer übernachten will, findet in einem der 20 Zimmer einen schönen Platz mit Mosel-Blick.
Empfohlen von
Laurentiushof

HISTORISCHE MÜHLE VOGELSANG
Rhein-Mosel-Straße 63, 56332 Brodenbach
T +49 (0) 26051 437
www.muehle-vogelsang.de
Hier, unterhalb der Ehrenburg direkt an den Wanderwegen, ist alles möglich. Essen und Trinken, mit Freunden und der Familie feiern, einen Vesper-Stopp beim Wandern einlegen und sogar übernachten. Und das geht ganz traditionell in einem Zimmer im Scheunenhaus, auf dem Campingplatz oder in einem Tiny-Haus. Gekocht wird in der 450 Jahre alten Mühle, in der regionale Mosel-Landhausküche auf der Karte steht. „Es kommen keine Tiere aus Massentierhaltung auf den Teller, es gibt kein Fast Food", verspricht Familie Heinz. Stattdessen wird viel mit Kräutern aus dem Mühlengarten oder Wildkräutern aus der Grummetswiese gekocht. Sobald die Sonne scheint, wird der Mühlen-Biergarten geöffnet.
Empfohlen von
Weingut Schneiders-Moritz

GASTSTÄTTE NOSS

Moselpromenade 4,
56812 Cochem
T +49 (0) 2671 7067
www.noss-cochem.de

Mitten in Cochem, zwischen Bockbrunnenplatz und Bernstraße, sitzt man hier direkt an der Mosel, unweit der Schiffsanlegestellen. Von hier aus kann man einen Stadtrundgang unternehmen und hinterher zur Pause einkehren, um sich beim Bauernomelett, Reibekuchen, Schnitzel oder Nudeln mit Tomatensauce zu stärken. Die Zutaten stammen von Produzenten aus der Region: Spargel vom Spargelhof Adams, Backwaren aus der Bäckerei „Die Lohners", Fleisch- und Wurstwaren aus der Metzgerei Noss und die Weine von benachbarten Winzern.

Empfohlen von
Weingut Schneiders-Moritz

NEOS – RESTAURANT & WEINBAR

Liniusstraße 4, 56812 Cochem
T +49 (0) 2671 9153 370
www.neos-restaurant.com

Alte Reben, junges Gemüse – serviert von einem jungen Team: Das ist das Motto in dieser mit viel Holz eingerichteten Weinbar im Zentrum von Cochem. Es gibt Pflücksalat und Bio-Lachs, Kräuterdip zum Brot vom Lieblingsbäcker, Spargel zum Eifeler Rinderfilet oder Risotto.

Empfohlen von
Weingut Schneiders-Moritz

„ZOM STÜFFJE"

Oberbachstraße 14,
56812 Cochem
T +49 (0) 2671 7260
www.zomstueffje.com

In dieser altdeutschen Weinstube (übersetzt: Die gute Stube) aus dem Jahr 1642 kann man sich nur wohl fühlen: Die Inneneinrichtung ist gemütlich mit vielen Holzelementen, außerdem zieren Wandmalereien und Bleiglas Wände und Fenster in diesem Lokal direkt neben dem Branntweingässchen. Die Speisekarte mit den gutbürgerlichen Gerichten macht den Aufenthalt perfekt: Es gibt Winzertaler, Eifeler Bauernschnitzel oder eine Bratwurstschnecke mit Bratkartoffeln.

Empfohlen von
Leo Fuchs

LANDHAUS HALFERSCHENKE

16 | 20

Hauptstraße 63, 56332 Dieblich
T +49 (0) 2607 7499 154
www.halferschenke-dieblich.de

Geselligkeit, Sinnlichkeit, Genuss, Respekt gegenüber der Natur und den Lebensmitteln: Darum geht es Carina und Christoph Schmah, die gerade erst das Mosel-Landhaus zu neuem Leben erweckt haben. Bei den Zutaten für ihre hochgelobte Speisekarte legen sie Wert auf Produkte aus heimischen Wäldern und von regionalen Produzenten, bieten aber auch einen bretonischen Steinbutt an. Und so begeistert das Küchenteam mit angegrilltem Sashimi vom Thunfisch, Schaumsüppchen von frischen Frühlingskräutern, in Spätburgunder geschmorten Ochsenbäckchen oder Spargel zum Perlgraupen-Bärlauch-Risotto. Bei gutem Wetter sitzt es sich schick auf der Terrasse; wer zudem übernachten möchte, findet in einem der vier Landhauszimmer genug Platz.

Empfohlen von
Schlossgut Liebieg

RESTAURANT CAFÉ KAFFEEWIRTSCHAFT

Im Paradies 1, 56068 Koblenz
T +49 (0) 261 9144 702
www.kaffeewirtschaft.de

Ein Kaffeehaus wie aus vergangenen Zeiten erwartet den Gast hier, der als Erstes von der Architektur begeistert ist: Denn der Raum wurde 1911 zur Zeit des Jugendstils gestaltet. Historische Bauelemente wurden modern mit Stuck, Stein, Stahl und Glas kombiniert. Fenstertüren öffnen den Raum zum Münzplatz, draußen bietet eine 20 Meter lange Terrasse unter den Baumreihen idyllischen Platz, um die Kaffee-Spezialitäten und Snacks zu genießen. Das Café bietet ebenfalls Raum für unterschiedliche Kulturveranstaltungen.

Empfohlen von
Weingut Schwaab

WEINHAUS SCHWAAB RESTAURANT

Winninger Straße 84, 56072 Koblenz
T +49 (0) 261 9224 483
www.weinkeller-schwaab.de

Direkt an der Mosel liegt dieses Restaurant, das zum gleichnamigen Weingut gehört. Zur ländlichen Küche mit Schmalzbroten, Siedewürstchen, Winzerteller oder Schweinenackensteak werden darum auch vorzugsweise Weine aus dem eigenen Keller serviert. Es gibt reichlich Platz im gemütlichen Restaurant sowie auf der wunderbaren Terrasse mit Moselblick. Familie Schwaab bietet auch eine Ferienwohnung an und organisiert Weinbergswanderungen mit Verkostungen.

Empfohlen von
der Redaktion

GASTHAUS „ONKEL OTTO"

Lindenstraße 13, 56829 Pommern
T +49 (0) 2672 2407
www.onkel-otto.com

In der Ortsmitte von Pommern, direkt am Moselsteig, lässt sich hier Station machen – egal, ob man etwas essen und trinken oder gleich in einem der 13 Zimmer übernachten möchte. Die Speisekarte ist eine schöne Mischung zwischen Hausmannskost und französischen Spezialitäten, die die Gäste bevorzugt bei gutem Wetter im Biergarten genießen.

Empfohlen von
Weingut Schneiders-Moritz

ZUM EICHAMT

Rohrgasse 2, 56856 Zell
T +49 (0) 6542 22475
www.zumeichamt.de

Lachsroulade mit Weinbergpfirsich-Dressing, Zackenbarschfilet mit Krustentiersauce oder Schnitzel vom Maibock mit Orangensauce: Die Speisekarte richtet sich nach der Saison und wechselt entsprechend regelmäßig, die Atmosphäre in diesem hübschen Fachwerkhaus direkt an der Mosel bleibt dabei immer gleich nett und gemütlich.

Empfohlen von
Weingut zum Eulenturm

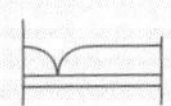

Schlafen

ICHZEIT – APART HOTEL

Bergstraße 30, 56812 Cochem
T +49 (0) 170 7900 808
www.ichzeit-cochem.de

Dieses neugebaute Designhotel erstreckt sich über drei Etagen und bietet neun Appartements. Von Terrasse oder Balkon hat man einen schönen Blick auf Altstadt und Mosel. Von dort aus sind Wanderwege, Golfplätze oder Weinberge und Winzer gut zu erreichen und die Region lässt sich bequem entdecken. Einmal im Monat wird im Innenhof gemeinsam gegrillt.

Empfohlen von
der Redaktion

MOSELROMANTIKHOTEL WEISSMÜHLE

Wilde Endert 2, 56812 Cochem
T +49 (0) 2671 8955
www.hotel-weissmuehle.de

Hier stand wirklich mal eine Mühle aus dem 18. Jahrhundert, aus der im Laufe der Jahre erst eine Einkehr für Wanderer, später dann ein Hotel entstand. Die gemütlichen Zimmer sind unterschiedlich groß, wer hier übernachtet, kann rund ums Tal der Wilden Endert die Natur entdecken. Gegessen wird in der Müllerstube oder im Sommerrestaurant, serviert wird regionale Küche mit frischen Forellen aus eigenen Teichen, Rib-Eye-Steak oder Filet vom Steinbutt.

Empfohlen von
Theo Loosen

VILLA VINUM

Moselstraße 18, 56812 Cochem
T +49 (0) 2671 9165 445
www.villa-vinum-cochem.de

Dieses inhabergeführte Boutique-Hotel liegt direkt an der Mosel, steht unter Denkmalschutz und lädt zum Übernachten in einem der zwölf luxuriösen Zimmer oder Suiten ein. Im kleinen Speiseraum dürfen die Gäste auch nach ihren Ausflügen und Wanderungen mit Blick auf die Cochemer Weinberge noch ein Glas Wein trinken. Das Hotel organisiert zudem Weintouren oder Verkostungen.

Empfohlen von
der Redaktion

WELLNESSHOTEL KESSLER-MEYER

Am Reilsbach 10–14, 56812 Cochem
T +49 (0) 2671 97880
www.hotel-kessler-meyer.de

„Well & Wine" ist das Motto in diesem Haus: Hier sollen sich alle Gäste entspannen und wohlfühlen, der Wein spielt dabei im direkten Genuss, aber auch bei den Anwendungen im großzügigen Spa – unter anderem mit Sauna und Schwimmbad – eine Rolle. Das Öl aus Traubenkernen wird für die Massagen angewendet. Viele der komfortabel eingerichteten Zimmer haben einen Balkon und geben den direkten Blick auf die Mosel frei. Der kulinarische Genuss spielt ebenso eine bedeutende Rolle. Die Philosophie des Hauses, regional und nachhaltig zu arbeiten, spiegelt sich in der Speisekarte für die verschiedenen Stuben, Gasträume oder die Terrasse wider.

Empfohlen von
Weingut Schneiders-Moritz

HOTEL PISTONO

Hauptstraße 30, 56332 Dieblich
T +49 (0) 2607 218
www.hotelpistono.de

Kultur und Wein, Burgen und Wanderpfade, Ruhe und Entspannung: All das will dieses Drei-Sterne-Superior-Hotel im beschaulichen Örtchen Dieblich an der Untermosel seinen Gästen bieten. Zur Verfügung stehen verschiedene Zimmertypen, Gäste können auch Halbpension buchen und dann im hoteleigenen Restaurant mit seiner gehobenen und gutbürgerlichen Küche essen. Das Spa mit Schwimmbad und Sauna steht den Hotelgästen ebenso zur Verfügung.

Empfohlen von
Leo Fuchs

MOSELSTERNHOTEL WEINHAUS FUHRMANN

Moselweinstraße 21,
56821 Ellenz
T +49 (0) 2673 9310
www.hotel-fuhrmann.de

Der Wein und die Mosel spielen die Hauptrolle in diesem Haus. Die Balkonzimmer im Haupthaus, zu dem auch das Weinrestaurant mit großer Sommerterrasse gehört, wurden gerade renoviert, weitere Zimmer stehen im Gästehaus zur Verfügung. Auf der Speisekarte in den beiden Restaurants stehen regionale Gerichte wie der Mosel-Grillteller, Rinderroulade nach dem Rezept der Großmutter oder ein Weinküfersteak vom Eifeler Schwein. Die Weinkarte zeigt die Vielfalt der Mosel-Weine.

Empfohlen von
Leo Fuchs

ALTE MÜHLE THOMAS HÖRETH

Mühlental 17,
56330 Kobern-Gondorf
T +49 (0) 2607 6474
www.altemuehlehoereth.de

Mit einer ganz besonderen Liebe zum Detail wurde dieses historische Haus aus dem 11. Jahrhundert über viele Jahre eingerichtet und zu einem kulinarischen Wohlfühl-Landhotel gestaltet. Jedes Zimmer hat seine eigene Ausstrahlung, es gibt Landhaus-, Rosen- und Brunnenzimmer. Dazu plätschert der Mühlbach am Haus vorbei und die Weinberge reichen bis an die Mühle heran. In gleich mehreren Stuben kann man die Küche des Hotels mit moselländischen Gerichten wie Weinbauernpastete, Winzerbrotzeit oder Weinbauernpfanne genießen und dazu den hauseigenen Wein verkosten.

Empfohlen von
der Redaktion

HOTEL KLEINER RIESEN
*Januarius-Zick-Str. 11,
56068 Koblenz
T +49 (0) 261 3034 60
www.hotel-kleinerriesen.de*
Direkt an der Rheinpromenade im Zentrum von Koblenz liegt dieses Hotel Garni, das zu Ausflügen rund um Koblenz einlädt. Die Zimmer und Suiten sind unterschiedlich groß und gemütlich eingerichtet. 30 Meter entfernt liegt das Augusta-Séparée, das an Kaiserin Augusta von Sachsen-Weimar-Eisenach erinnert, die sich angeblich gerne in Koblenz aufgehalten hat. Im Hotel gibt es eine kleine Bistro-Karte mit Snacks.
Empfohlen von
Weingut Schwaab

HOTEL SANDER
*Casinostraße 17, 56068 Koblenz
T +49 (0) 261 8968 720
www.sander-hotel.com*
Zentral, aber trotzdem ruhig liegt dieses Haus mit seinen 100 schick eingerichteten Zimmern, das sich an Geschäftsreisende ebenso richtet wie an Kurzurlauber. Die Hotelbar lädt abends zum Cocktail oder Wein ein, zum Frühstück gibt es die hauseigene Kaffeemischung.
Empfohlen von
Weingut Schwaab

HOTEL KAPELLENHOF
*Am Kapellenberg 14,
56818 Klotten
T +49 (0) 2671 1261
www.hotel-kapellenhof.de*
Mitten in den Weinbergen, mit grandioser Aussicht auf die Mosel und die Burgruine Coraidelstein, liegt dieses Hotel mit seinem Weingut. Es ist seit mehr als 40 Jahren im Familienbesitz. Die Zimmer haben zum Teil Blick auf die Mosel, alle sind hell und modern eingerichtet. Zum Restaurant gehören auch eine schöne Terrasse, eine Grillecke und ein Kinderspielplatz.
Empfohlen von
Theo Loosen

MOSELSTERN HOTEL KRÄHENNEST
*Auf der Kräh 2, 56332 Löf
T +49 (0) 2673 9310
www.parkhotel-kraehennest.de*
Mit seinem großen Fitness- und Wellnessbereich präsentiert sich dieses Haus im idyllischen Löf rund um das Thema Vitalität. Schwimmbad, Sauna, Kosmetikbehandlungen, Massagen Ayurveda, Wassergymnastik – alles ist hier möglich. Restaurant, Hotelbar, Wintergarten und eine große Sommerterrasse bieten Platz, um auch die kulinarischen Angebote und den Wein aus der Region zu genießen.
Empfohlen von
Leo Fuchs

HOTEL HALFENSTUBE & VILLA SPA 1894
*Moselweinstraße 30,
56820 Senhals
T +49 (0) 2673 4579
www.hotel-halfenstube.de*
In diesem Fachwerkhaus von 1752 lässt es sich gemütlich übernachten, die meisten Zimmer haben Moselblick. Auch in der Villa 1894, zu der ein schicker Spa inklusive Außenpool gehört, kann man wohnen. Direkt am Moselradweg liegt auch die Terrasse, die zum Hotelrestaurant gehört und auf der es sich bei gutem Wetter wunderschön sitzen und die Natur genießen lässt – allerdings nur für Hausgäste. Die Weinkarte in diesem Hotel liest sich spannend: Winzersekt, trockene, feinherbe oder fruchtsüße Weine, aber auch trockene Rotweine, allesamt gewachsen an der Mosel, laden zum Verkosten ein.
Empfohlen von
Leo Fuchs

Einkaufen

SCHLOSS-HOTEL PETRY

St.-Castor-Straße 80,
56253 Treis-Karden
T +49 (0) 2672 9340
www.schloss-hotel-petry.de

Aus vier Häusern besteht diese Hotelanlage, die dadurch den Gästen 70 unterschiedliche Zimmer bieten kann. Einzel- oder Doppelzimmer, Suiten oder ganze Familienzimmer stehen zur Verfügung. Im Haus kann man zwischen verschiedenen Restaurants wählen, es gibt einen Spa, eine Kaminlounge, sogar eine Kegelbahn und eine große Liegewiese zum Spielen oder Entspannen

Empfohlen von
Leo Fuchs

HOTEL MOSELBLICK

An der B 416, 56333 Winningen
T +49 (0) 2606 9208 10
www.hotel-moselblick.de

Als Tagungs- und Ferienhotel bietet sich dieses Drei-Sterne-Haus mit seinen 36 renovierten Zimmern an. Die Balkone bieten jeweils die Aussicht in die Weinberge oder den Blick über die Mosel. Das Hotelrestaurant mitsamt toller Terrasse bietet regionale Spezialitäten an.

Empfohlen von
der Redaktion

GÖBEL'S GENUSSGESELLSCHAFT

Endertplatz, 56812 Cochem
T +49 (0) 2671 7444
www.goebel-schleyer.com

In diesem Wein- und Feinkostladen des Weinguts Göbel-Schleyer-Erben gibt es eine ganze Palette an Produkten aus dem Roten Weinbergpfirsich, von Brotaufstrich bis zu Essig, Likör und Bränden, Bonbons, Fruchtgummi oder Rieslingsenf.

Empfohlen von
der Redaktion

HISTORISCHE SENFMÜHLE

Endertstraße 18, 56812 Cochem
T +49 (0) 2671 6076 65
www.senfmuehle.net

Bis ins 18. Jahrhundert zurück reicht die Geschichte der Senfmühlen, die nach einer umfangreichen jahrelangen Restaurierung wieder in Betrieb sind. Mittlerweile gehört nicht nur Senf in zahlreichen Geschmacksvarianten zum Sortiment in diesem Geschäft, sondern auch Brotaufstriche, Wurstwaren im Glas, Gewürze oder Senf-Kräuter-Likör.

Empfohlen von
der Redaktion

GENUSSZIMMER „REGIONAL VERFÜHRT"

Ferdinand-Sauerbruch-Straße 36,
56073 Koblenz
T +49 (0) 261 9429 9714
www.stilpunkte.de

Regionale Spezialitäten gehören hier zum Sortiment: Weine von der Mosel, dem Mittelrhein und der Ahr oder aus Koblenz, Spirituosen aus Mosel-Brennereien oder Liköre wie das „Kowelenzer Schängelche", außerdem Feinkostprodukte aus Manufakturen von Hunsrück, Eifel und Westerwald sowie entlang der Mosel und des Rheins. Außerdem werden Essige, Speiseöle, Fruchtaufstriche und Chutneys, Senfsorten und Wildspezialitäten angeboten.

Empfohlen von
Weingut Schneiders-Moritz

PFIRSICHHOF

Alte Kirchstraße 20, 56858 Neef
T +49 (0) 6542 21073
www.moselpfirsich.de

Der Rote Weinbergpfirsich („de rud peesch") ist eine Spezialität von der Mosel und diese alte, sehr aromareiche Sorte mit ihrer pelzigen Außenhaut erlebt gerade eine Renaissance. Im alten Ortskern von Neef, direkt vor dem 600 Jahre alten Glockenturm, liegt der Pfirsichhof der Familie Bremm-Gerhards. Moselpfirsiche und Moselpfirsich-Produkte wie Saft, Mus, Aufstriche oder Liköre können direkt ab Hof gekauft werden.

Empfohlen von
der Redaktion

Empfehlenswerte Bäckerei

Bäckerei Thilmann
Kastorbachstraße 16,
56330 Kobern-Gondorf
T +49 (0) 2607 4139

Patisserie Schneiders
Zehnthofstraße 1,
56829 Pommern
T +49 (0) 163 2357 082;
www.patisserie-schneiders.de

Vinothek

Viele Winzer an Mosel, Saar und Ruwer öffnen die ganze Woche über ihre Türen, um ihre Weine in den hauseigenen Vinotheken verkosten zu lassen. Ein Besuch (nach dem Blick auf die Internetseite oder einem kurzen Anruf) lohnt in jedem der Weinorte. Weitere Infos zu Vinotheken auch auf der Internetseite www.weinland-mosel.de/de/weingueter

Sachsen

SACHSEN

Mit 500 Hektar zählt Sachsen zu einem der kleinsten deutschen Anbaugebiete. Mit 67 verschiedenen Rebsorten wächst hier unter klimatisch günstigen Bedingungen eine Vielzahl von Weinen, die zumeist im Steilhang und auf landschaftlich prägenden Terrassenlagen gedeihen. Die nördliche Weinregion lässt sich bei einer Tour auf der Sächsischen Weinstraße von Pirna bis nach Diesbar-Seußlitz ganz entspannt und informativ kennenlernen.

DIE BESTEN WEINE BIS 15€

Terrassen, Trockenmauern, Steillagen: Viele Weinberge erfordern reine Handarbeit - und das kann man schmecken. Diese hier gelisteten Weine sind preiswerte **Preziosen für jeden Tag.**

WEISSWEIN

2020	Cuvée „Pauline"	🍇🍇🍇
	14€ · 10,5% · Schloss Proschwitz Prinz zur Lippe	
2019	Jessener Gorrenberg Chardonnay Kabinett trocken	🍇🍇🍇
	8,50€ · 13% · Weingut Hanke	
2020	Dresdner Elbhänge Weißburgunder	🍇🍇🍇
	12€ · 12% · Winzer Lutz Müller	
2020	Dresdner Elbhänge Riesling	🍇🍇🍇
	13€ · 7,5% · Winzer Lutz Müller	
2019	Seußlitzer Heinrichsburg Solaris	🍇🍇🍇
	13€ · 13,5% · Jan Ulrich	
2019	Meißner Ratsweinberg Grauburgunder	🍇🍇🍇
	14€ · 13,5% · Rothes Gut Meißen	
2019	Jessener Gorrenberg Cabernet Blanc halbtrocken	🍇🍇
	7€ · 13% · Weingut Hanke	
2020	Cuvée „Weiss"	🍇🍇
	8€ · 12% · Drei Herren	
2020	Dresdner Elbhänge Müller Thurgau	🍇🍇
	9,50€ · 10,5% · Winzer Lutz Müller	
2020	Elbling	🍇🍇
	11€ · 11,5% · Schloss Proschwitz Prinz zur Lippe	
2020	Goldriesling	🍇🍇
	11€ · 11,5% · Schloss Proschwitz Prinz zur Lippe	
2020	Dresdner Elbhänge Scheurebe	🍇🍇
	12€ · 11% · Winzer Lutz Müller	
2019	Cuvée „Wochenende"	🍇🍇
	12€ · 13% · Weingut Wolkenberg	

2019 Klausenberg Weißburgunder
12,50€ · 13% · Weingut Schuh

2019 Seußlitzer Heinrichsburg Cabernet Blanc
12,70€ · 13,5% · Jan Ulrich

2020 Weißburgunder
13€ · 12% · Schloss Proschwitz Prinz zur Lippe

2020 Bereich Meißen Scheurebe
14€ · 13% · Rothes Gut Meißen

2019 Schönburger
15€ · 13% · Weingut Wolkenberg

SEKT

Hommage 1836 extra trocken
14,90€ · 13% · Sächsisches Staatsweingut Schloss Wackerbarth

Hommage 1836 Rosé extra trocken
14,90€ · 12% · Sächsisches Staatsweingut Schloss Wackerbarth

WO DER KERNLING UND DIE PERLE VON ZALA WACHSEN

Von Anke Kronemeyer

Hier reift Deutschlands fast nördlichster Wein, genauer: auf dem **51. Breitengrad**. Zum Anbaugebiet Sachsen gehören Rebflächen in den Bundesländern **Sachsen, Sachsen-Anhalt und Brandenburg**, die meisten Flächen befinden sich aber im Großraum Dresden, der Geburtsstadt von August dem Starken. Insgesamt wird auf 500 Hektar Wein angebaut. Den größten Anteil unter der stolzen Zahl von 67 Rebsorten haben **Müller-Thurgau** und **Riesling**.

Es ist diese liebliche Landschaft im Elbtal, die immer wieder bei einem Besuch in Sachsen fasziniert und begeistert. Der Blick schweift über die harmonisch angelegte Terrassenlandschaft, immer wieder sieht man Rebstöcke seitlich der Elbe oder auf freier Fläche im Landesinneren. Und weil hier so viel Wein wächst und damit die Region prägt, hat mal ein Wein-Experte den Begriff der „trinkbaren Landschaft" geprägt. Das klingt romantisch und trifft es irgendwie.

Die Weingenießer in Sachsen haben eine große Auswahl unter 67 Rebsorten. Grund: Wegen des knappen Pflanzguts wurde früher die Sorte gepflanzt, für die es eben Pflanzgut gab. Und so haben sich die Endverbraucher – nicht nur die aus dem eigenen Land – eben daran gewöhnt, ihre Rebsorte zu kaufen und zu trinken: egal, ob es sich dabei um Johanniter, Souvignier Gris, Kernling, Helios, Perle von Zala, Müllerrebe oder Cabernet Cortis handelt. Aber auf den oberen Plätzen stehen Müller-Thurgau, Riesling sowie Weiß- und Grauburgunder, der hier unter Ruländer firmiert. Auch der aromatische Traminer und vor allem der Goldriesling, der oft schon im Dezember auf der Flasche ist, spielen eine gewichtige Rolle in der Beliebtheitsskala.

Mehr als 60 Rebsorten: Das ist Vielfalt!

Die aktuellen 500 Hektar (82 Prozent Weiß-, 18 Prozent Rotwein) sind im Vergleich zu früheren Zeiten eigentlich nichts: Denn im 17. Jahrhundert wuchs der sächsische Wein auf sage und schreibe 5.000 Hektar. Die Reblaus und viele strenge Winter reduzierten die Flächen schließlich gegen Ende des 19. Jahrhunderts gen Null, bis vor einigen Jahrzehnten der Weinanbau wieder forciert wurde.

Mittlerweile gibt es zwar 1.862 Winzer, die bewirtschaften aber zum größten Teil sehr kleine Flächen und liefern an die Genossenschaft ab. Die Zahl der Kleinwinzer sinkt weiter – vor gut zehn Jahren waren es noch mehr als 2.500. Im Haupterwerb arbeiten dabei nur 37 Winzer, im Nebenerwerb weitere 41. Und genau deren Arbeit ist übers ganze Jahr ziemlich anstrengend, weil viele Weinberge in Steillagen und auf Terrassen angelegt sind. Keine Chance für den Vollernter, Handarbeit ist angesagt. Wie gut, dass dann zumindest das Klima stimmt. Trotz unberechenbarer Witterungseinflüsse wie Starkregen, Hagel oder Spätfrost gibt es lange Sonnenperioden, eine Durchschnittstemperatur von knapp zehn Grad und nur selten lange Frostperioden.

Immer an der Elbe entlang

Wer als Tourist nach Sachsen kommt, trifft nicht nur viele herzliche Gastgeber in Hotellerie und Gastronomie, sondern hat viele Gelegenheiten, selbst mobil die Gegend zu erkunden. Denn das Weinanbaugebiet erstreckt sich entlang der Elbe von Pirna über Dresden, Radebeul und Meißen bis hin zum Weindorf Diesbar-Seußlitz, das nordwestlich von Meißen liegt. Man kann die Sächsische Weinstraße entlang der idyllischen Elbweindörfer abwandern oder abfahren, aber auch der Sächsische Weinwanderweg mit seinen sechs Etappen liefert viele Informationen und Eindrücke von der sächsischen Weinkultur.

Und wer sich von seiner Reise noch mehr als Informationen über Wein mitnehmen will, sollte den Meißner Fummel probieren. Das ist ein echtes Unikum und passt zu dem verschmitzten Humor der Sachsen. Denn eigentlich ist dieser Fummel – nichts. Einfach nur Luft, umgeben von super dünnem Teig, einmal kurz gebacken. Die Geschichte dahinter ist nicht wirklich belegt, wird aber immer wieder gerne erzählt. Es heißt, August der Starke habe diese hauchdünnen

Fummel anfertigen lassen, um damit die Kurierreiter zwischen Dresden und Meißen auszutricksen. Denn die transportierten eigentlich wertvolles Meißner Porzellan, was aber immer mal wieder auf der Reise zerbrach. Angeblich, weil die Reiter zu viel vom Meißner Wein getrunken hatten. Nun befahl der Kurfürst den Bäckern, dass sie dieses Gebäck herstellen sollten, um Obacht und Aufmerksamkeit der Reiter zu erhöhen. Denn weder Porzellan noch Gebäck durften beschädigt abgegeben werden. Noch heute bringen Ehemänner nach dem Ausflug am Vatertag ihren Frauen einen Meißner Fummel mit, um zu beweisen, dass sie gar nicht so ausschweifend gefeiert haben.

INTERNETADRESSEN
www.dresden-elbland.de

Zahlen & Fakten

LAGE
Zum Anbaugebiet gehören das Elbtal und die Nebentäler zwischen Pirna und Diesbar-Seußlitz über eine Strecke von 55 Kilometern, außerdem das Elstertal in Sachsen-Anhalt sowie Schlieben in Brandenburg.

REBFLÄCHE
500 Hektar, Weißwein 82 %, Rotwein 18 %

REBSORTEN
Müller-Thurgau, Riesling, Weißburgunder, Spätburgunder, Dornfelder

BODEN
Granit-Syenit und Granitporphyr-Verwitterungen, Lehm, Löss, Sandstein

CHARMANTER UNDERDOG AUS SACHSEN: DER ELBLING

Von Jana Schellenberg

Der Weinbau in Sachsen hat eine sehr lange Tradition und umso mehr wundere ich mich regelmäßig darüber, wenn ich von Gästen angesprochen werde, ob hier denn tatsächlich Wein wachse. In diesem Fall empfehle ich einen Ausflug entlang der Sächsischen Weinstraße von Pillnitz bis Diesbar-Seusslitz. Diese romantische Tour führt durch die Weinorte mit kleinen Straußwirtschaften und renommierten Weingütern, in denen man den sächsischen Wein in all seinen Facetten erleben kann.

Auf den rund 500 Hektar Rebfläche gedeihen vor allem weiße Rebsorten, nur etwa 20 Prozent Rotwein werden hier angebaut. Ihre Wurzeln schlagen die Rebstöcke in verschiedene Gesteinsarten. Im Elbtal finden sich verwitterter Granit sowie Sandstein, wobei auch Löss partiell eine Rolle spielt. Dabei sind mehr als die Hälfte der Weinberge so steil, dass die Winzer hier ausschließlich manuell bewirtschaften.

Viele individuelle Kleinwinzer bestimmen das Gesamtbild und es lohnt sich, die Weine der Region bei einem Besuch zu erkunden. Hier kultivieren ambitionierte Winzer ihre Trauben und bringen ganz eigene Interpretationen auf die Flasche. Langweilig wird es in Sachsens Weingegend nicht.

Genauso wenig langweilig wird es bei der Auswahl der Rebsorten im Elbtal. Ein breites Spektrum steht im Weinberg von Müller-Thurgau über Riesling zu den Burgundern, Kerner, Scheurebe bis zum Gewürztraminer und natürlich dem Elbling.

Der Elbling ist ein treuer Begleiter meiner „Weinlaufbahn" in Sachsens Restaurants: Wenn er – mal wieder – ausgetrunken ist und von unserer Weinkarte gestrichen wird, gibt es sofort Proteste der Fangemeinde. Und die hat er tatsächlich hier, obwohl er in Sachsen eine Minirolle spielt und nur von zwei Weingütern, dem Weingut Schuh und Schloss Proschwitz, angebaut wird. Das sind gerade mal rund neun Hektar! Aber, hier ist weniger mehr.

Unzählige Gäste fragen nach dem „Elbwein", dieser Rarität von der Elbe. Natürlich lässt sich dies in Sachsen super vermarkten, aber der Wein hat so gar nichts mit dem Fluss Elbe, der durch Dresden fließt, zu tun. Er wächst außer in Sachsen vor allem an der Obermosel, wo er vorrangig für Sektgrundweine oder als Cuvée angebaut wird.

Woher kommt also dieser Name? Obwohl der Elbling recht unbekannt ist, gehört er zu den ältesten kultivierten Weißweinrebsorten Europas und wurde von den Römern vor mehr als 2.000 Jahren nach Deutschland gebracht. Die Römer nannten ihn wohl „vitis alba", die „weiße Rebe", und so entwickelten sich aus dem Wort „alba" die Begriffe „Alben" und „Elben" und letztendlich der Name Elbling für diese Rebsorte.
Und was ist der Elbling nun für ein Weintyp? Er ist eine kleine Rarität – das ist sicher. „Aber" es ist kein Wein, über den man lange philosophieren müsste. Der Elbling braucht auch keinen großen Auftritt. Eher unprätentiös ist er und „einfach" anders. Er steht für Frische, Frucht und Spritzigkeit, ein leichter Sommerwein, der mich an heißen Tagen auf meiner Terrasse belohnt und von dem ich gut ein Glas mehr trinken kann. Er erfrischt mich mit einer knackigen Säure und Frucht, die von Zitrus bis Apfel so einiges kann.
Charmant flirtet er mit leichten Vorspeisen. Wildkräutersalat mit Melone, Schafskäse und Limettenvinaigrette oder ein kaltes Erbsen-Minz-Süppchen werden gern von ihm hofiert. Ebenso kommt er mit einer deftigen Brotzeit gut zurecht.
Der Elbling als „Easy-Drinking-Wein" ist im Weinberg allerdings alles andere als „easy working". Bei dieser sehr ertragreichen Rebsorte müssen die Winzer mit gezielten Maßnahmen eine Mengenreduzierung durchführen, um dann mit Qualität punkten zu können. Die Trauben sind sehr dünnhäutig und daher anfällig für Krankheiten und Fäulnis. Hier hat der Winzer alle Hände voll zu tun, um die Früchte gesund bis zur Lese zu bringen.
Ist dies gelungen, freuen wir uns auf den charmanten Underdog, der nie von meiner Karte verschwinden darf. Wir lieben es, zusammen mit guten Freunden an den Dresdner Elbwiesen zu sitzen, die Landschaft, eine Vesper und eine Flasche Elbling zu genießen. Oder auch zwei. Da sind wir uns einig: Das Leben ist schön!
Und für mich steht wieder einmal fest: Das Einfache kann so besonders sein.

TOP 10 — BURGUNDER

Echte Raritäten aus dem östlichsten Anbaugebiet. Gewachsen entlang der **Elbe** – mit großem Können vinifiziert.

2018 Friedstein Pinot Noir

Martin Schwarz, Meißen

Die Kirsche auf der Spätburgundertorte! Zug und Druck im Mund, dennoch federleicht, gleichzeitig komplex, viele feine gut platzierte Tannine, wie ein purpurfarbenes Samttuch.

45€ · 13,5%

2018 Goldener Wagen Spätburgunder

Karl Friedrich Aust, Radebeul

Sommerreife Schwarzkirsche, dunkle Waldbeeren, sahnig weiche Rundungen. Die feinen Tannine verschmelzen mit dem fruchtigen Saft des Weins – Windbeutel mit Brombeerkompott dazu.

21,50€ · 13%

2018 Kloster Heilig Kreuz Spätburgunder 1. Lage

Schloss Proschwitz, Meißen

Dunkle Schönheit, kühle Unterholz-Aromen, Tabak, Süße der Reife. Geflügelleber-Tartelette zum Candlelight-Dinner-Wein.

29,50€ · 13,5%

2018 Thonberg Spätburgunder

Schloss Wackerbarth – Sächsisches Staatsweingut, Radebeul

Voller satter Kirschbaumhain zur Erntezeit. Steckt das fordernde Tannin locker weg. Reizvoll, leicht animalisch, wird serviert zum heimischen Hirschragout.

45€ · 14,5%

2019 Jessener Gorrenberg Chardonnay Kabinett trocken

Weingut Hanke, Jessen

Die eigenständige Chardonnay-Interpretation vereint Fülle, Kraft und verspielte duftige Aromen miteinander.

8,50€ · 13%

2020 Dresdner Elbhänge Weißburgunder

Winzer Lutz Müller, Dresden

Belebende Struktur geprägt von Feuerstein und Zitronenmelisse, zeigt erdverbundenen Burgundercharakter. Zum ersten Date serviert mit Rotbarbe auf Fenchel.

12€ · 12%

2017 Pinot Noir „Spätburgunder“

Drei Herren, Radebeul

Duftige Nase, anziehende Pfeffer-Würze, Marzipan, Mandeln, saftige Zwetschge, Hagebutte und viele sehr feine Tannine formen einen Pinot-Noir-Klassiker.

16€ · 13%

2020 Kirchstück Grauburgunder

Weinbau Andreas R. Kretschko, Radeberg

Grauburgunder-Alarm – dunkles Geflügel wie eine knusprige Martinsgans badet in herzhaftem Apfel-Blaukraut.

16€ · 12,5%

2018 Kurfürstlicher Weinberg Meißen Frühburgunder

Rothes Gut Meißen, Meißen

Torf und Mutterboden reflektieren die weichen Holzaromen. Eine deutliche Salzkomponente frischt das Bild auf. Wie eine Amarenakirsche auf dem Schwarzwaldbecher.

17€ · 12,5%

2019 Weißburgunder „Goldlinie“

Drei Herren, Radebeul

Sehr aromatische exotische Früchte, darunter Maracuja, Litschi. Das Holz macht sich zurückhaltend bemerkbar. Wir servieren einen pikanten vietnamesischen Rindfleischsalat dazu.

18€ · 12%

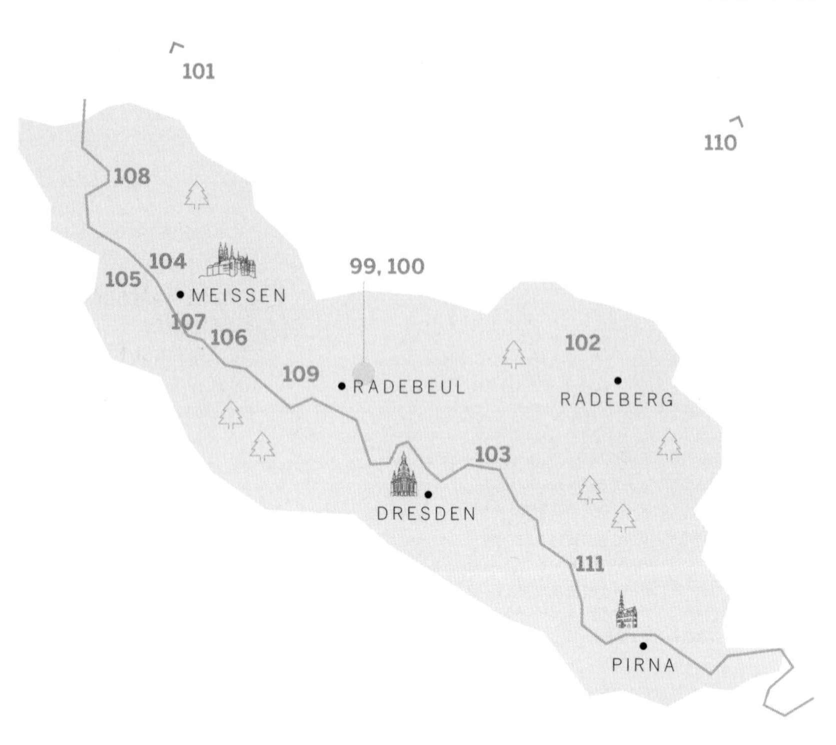

In diesem kleinen Anbaugebiet wachsen unter einzigartigen klimatischen Bedingungen große Tropfen heran, die mit aromatischer Eleganz national und international begeistern. Dabei sind es nicht nur Stillweine, sondern auch Sekte etwa von Schloss Wackerbarth, die den Ruf des sächsischen Weinbaus prägen.

Geografische Lage Zum Anbaugebiet gehören das Elbtal und die Nebentäler zwischen Pirna und Diesbar-Seußlitz über eine Strecke von 55 Kilometern, außerdem das Elstertal in Sachsen-Anhalt sowie Schlieben in Brandenburg.
Klima Es herrscht ein gemäßigtes Kontinentalklima mit durchschnittlichen Niederschlägen, aber oft kaltem Winter; Regenmenge: 650 mm.
Boden Granit-Syenit und Granitporphyr-Verwitterungen, Lehm, Löss, Sandstein
Rebfläche 500 Hektar,
Weißwein 82 %, Rotwein 18 %
Rebsorten Müller-Thurgau, Riesling, Weißburgunder, Spätburgunder, Dornfelder
Geschichte Wer war's – Benno oder Otto? Beiden wird nachgesagt, den Weinbau nach Sachsen gebracht zu haben. Eigentlich soll es Bischof Benno gewesen sein, allerdings wird in der urkundlichen Ersterwähnung nicht Benno, sondern Markgraf Otto der Reiche genannt. Demnach hat Otto der Reiche 1161, also vor 860 Jahren, einen schon gut im Ertrag stehenden Weinberg an die Kapelle Sankt Egidien übereignet. Das bedeutet, dass es keine Neupflanzung war. Vielleicht war es dann doch Benno, der bereits Anfang des 12. Jahrhunderts die ersten Reben nahe dem Meißner Burgberg gepflanzt hat?
Besonderheiten Nur in Sachsen wächst der Goldriesling, der mit 5,8 Prozent einen nicht unbedeutenden Anteil im Weißweinanbau hat. Er wird früh reif, ist oft schon im Dezember gefüllt und wird auch als eleganter Sommerwein genossen.

WEINGÜTER

99
KARL FRIEDRICH AUST

Weinbergstraße 10
01445 Radebeul

100
DREI HERREN
Weinbergstraße 34
01445 Radebeul

101
WEINGUT HANKE

Alte Schweinitzer Straße 80
06917 Jessen

102
WEINBAU ANDREAS R. KRETSCHKO
Langebrücker Straße 67
01454 Radeberg

103
WINZER LUTZ MÜLLER
Bautzener Straße 130
01099 Dresden

104
SCHLOSS PROSCHWITZ PRINZ ZUR LIPPE

Heiliger Grund 2
01662 Meißen

105
ROTHES GUT MEISSEN
Lehmberg 4
01662 Meißen

106
WEINGUT SCHUH

Dresdner Straße 314
01640 Coswig

107
MARTIN SCHWARZ

Dresdener Straße 71
01662 Meißen

108
JAN ULRICH

An der Weinstraße 40
01612 Nünchritz

109
SCHLOSS WACKERBARTH – SÄCHSISCHES STAATSWEINGUT

Wackerbarthstraße 1
01445 Radebeul

110
WEINGUT WOLKENBERG

Dreifertstraße 9
03044 Cottbus

111
KLAUS ZIMMERLING

Bergweg 27
01326 Dresden

Karl Friedrich Aust

Weinbergstraße 10,
01445 Radebeul
T +49 (0) 351 8939 0100
www.weingut-aust.de

Inhaber Karl Friedrich Aust
Verbände Weinbauverband Sachsen
Rebfläche 6,5 ha
Produktion 30.000 Flaschen
Gründung 1650
Verkaufszeiten
nach Vereinbarung

Riesling und Burgundersorten sind das vinologische Steckenpferd von Karl Friedrich Aust, der eigentlich gelernter Steinmetz und Steinbildhauer ist und heute sein eigenes Weingut in Radebeul leitet. Doch damit nicht genug, zum Betrieb gehören auch ein Gutsladen und ein gemütliches Restaurant. Karl Friedrich Aust ist Genusshandwerker in Sachen Essen und Trinken und lässt seine Gäste und Kunden gerne an seiner unbeschwerten Lebensfreude teilhaben. Seine besten Weine, die er überwiegend kalt vergären lässt, kommen aus Parzellen in Weinbergterrassen rund um Radebeul, die mit alten Trockenmauern umgeben sind und die Aust gerade aufwendig saniert hat. Neu in Austs Genusswelt ist der einladende Weingutsgarten mit Blick auf die eigenen Steillagen am Goldenen Wagen, einer exponierten Lage der sächsischen Anbauregion.

2019 Goldener Wagen Riesling
18€ · 12,5%
Leise karamellig mit Noten von Russisch Brot. Bezaubernde Aromatik, die einen nicht mehr loslässt.

2019 Goldener Wagen Traminer Spätlese feinherb
19,50€ · 13%
Gelbe reife Früchte und Bitterorange. Ausgeglichen, dicht, kräftig. Duftet nach Karamellcreme und Muskatblüte.

2019 Radebeuler Steinrücken Auxerrois halbtrocken
19,50€ · 12,5%
Amalfi-Zitronen grüßen, bilden den Kern des fleischigen Duftkerns und geben dem Wein zarte, definierte Formen. Toller Begleiter zu gebratenen Mittelmeerfischen.

2018 Goldener Wagen Spätburgunder
21,50€ · 13%
Sommerreife Schwarzkirsche, dunkle Waldbeeren, sahnig weiche Rundungen. Die feinen Tannine verschmelzen mit dem fruchtigen Saft des Weins – Windbeutel mit Brombeerkompott dazu.

Drei Herren

Weinbergstraße 34,
01445 Radebeul
T +49 (0) 351 7956 099
www.weingutdreiherren.de

Inhaber Rainer Beck
Kellermeister Jacob Wiedemann
Rebfläche 5,5 ha
Produktion 40.000 Flaschen
Gründung 16
Verkaufszeiten
Mo–Mi 10–16 Uhr
Do–Fr 15–21 Uhr
Sa, So und Feiertag 11–21 Uhr
und nach Vereinbarung

Entgegen dem Namen ist das Weingut keine reine Männersache, in dem Radebeuler Traditionsbetrieb arbeiten auch Frauen und geben dem Ganzen einen besonderen Charme. In puncto Wein hat Jacob Wiedemann im Keller das Sagen, hier werden die Trauben verarbeitet, die zuvor von Hand geerntet und schonend zu Most gekeltert wurden. In der Hauptsache sind das Rieslinge und Burgundersorten, aber auch der traditionelle Goldriesling hat noch seinen Platz in den Steilhängen rund um Radebeul. Seit 2018 ist die kleine geografische Einheit „Sörnewitzer Boselberg" als Monopollage in der Weinbergsrolle eingetragen und gehört zu den „Sahneschnittchen" des Weingutes. Und weil die Kunst, einen guten Wein zu produzieren, viel Fingerspitzengefühl, aber auch mutige Vorgehensweisen erfordert, lädt der nahe Wein- und Kunstwanderweg dazu ein, sich Schritt für Schritt dem Wahren, Schönen und Guten zu nähern.

2018 Sörnewitzer Boselberg Riesling halbtrocken
16,50€ · 11,5%

2019 Weißburgunder „Goldlinie"
18€ · 12%
Sehr aromatische exotische Früchte, darunter Maracuja, Litschi. Das Holz macht sich zurückhaltend bemerkbar. Wir servieren einen pikanten vietnamesischen Rindfleischsalat dazu.

2020 Cuvée „Weiss"
8€ · 12%
Ein Flügelspieler. Dezent, leichtfüßig und ausgeglichen, begeistert mit seiner Anpassungsfähigkeit zu einem Speisenspektrum von Königsberger Klopsen über Senfeier bis hin zu herbstlichen Pilzgerichten.

2020 Muskateller
18€ · 13%
Komplex am Gaumen. Muskatwürze, Mandel, Akazie, Rose, Flieder, gute Säure. Datteln im Speckmantel ergänzen den wunderbaren Apéro.

♥ **2020** Radebeuler Goldener Wagen Riesling Spätlese trocken
18€ · 12,5%
Kräuterwürziger Klassiker mit charmanter Rustikalität, der sich über ein Ragout fin als Speisebegleitung freut.

2020 Radebeuler Goldener Wagen Scheurebe
16€ · 12%

2020 Sörnewitzer Boselberg Riesling „Spontan“
14€ · 12%

2020 Traminer
16€ · 13%

2017 Pinot Noir „Spätburgunder“
16€ · 13%
Duftige Nase, anziehende Pfeffer-Würze, Marzipan, Mandeln, saftige Zwetschge, Hagebutte und viele sehr feine Tannine formen einen Pinot-Noir-Klassiker.

Weingut Hanke

Neueinsteiger

Alte Schweinitzer Straße 80, 06917 Jessen
T +49 (0) 3537 2127 70
www.weingut-hanke.de

Rebfläche 14 ha
Gründung 1994
Verkaufszeiten nach Vereinbarung

Frank und Ingo Hanke nehmen für sich in Anspruch, das nordöstlichste Qualitätsweingut Deutschlands zu betreiben. Und das machen sie mit viel Herzblut und einer Familientradition im Rücken, die sich dem Weinbau lange Zeit nur für den Eigenbedarf widmete. Erst im Jahre 1994 wurde das Weingut gegründet und die Produktion in Weinberg und Keller professionalisiert. Aus kleinen Anfängen heraus sind mittlerweile 14 Hektar geworden, die mit einer Vielzahl an weißen und roten Rebsorten bestockt sind. Die Brüder Hanke setzen in ihrem Betrieb nicht nur auf Stillweine, sondern haben auch Sekt und Crémant aus traditioneller Flaschengärung im Angebot, dazu hausgemachte Obstsäfte, Brände und Weingelee. In der gemütlichen Weinstube kann das alles probiert werden, auf Wunsch wird dazu eine deftige Winzermahlzeit gereicht.

2019 Jessener Gorrenberg Cabernet Blanc halbtrocken 
7€ · 13%
Vegetarier trinken den Wein zu glasiertem Fenchel oder Mais vom Grill, Spargel mit geklärter Butter – alle anderen nehmen noch eine Kalbskopfsülze dazu.

2019 Jessener Gorrenberg Chardonnay Kabinett trocken
8,50€ · 13%
Die eigenständige Chardonnay-Interpretation vereint Fülle, Kraft und verspielte duftige Aromen miteinander.

2019 Jessener Gorrenberg Riesling Kabinett trocken

8€ · 12,5%

Der nussige Auftakt wird am Gaumen von einer straffen Säure, Extrakt und stoffiger Fülle begleitet. Dazu eine hausgemachte Pasta und die besten Freunde.

2019 Jessener Gorrenberg Regent

8,50€ · 12,5%

Weinbau Andreas R. Kretschko

Langebrücker Straße 67,
01454 Radeberg
T +49 (0) 152 3386 8019
www.kretschko-weine.de

Inhaber Andreas R. Kretschko
Verbände Gemischte Bude
Rebfläche 1,8 ha
Produktion 12.000 Flaschen
Gründung 2012
Verkaufszeiten nach Vereinbarung

Wer wissen möchte, wo genau die Trauben für Andreas Kretschkos Weine wachsen, kann mit ihm eine Weinbergtour buchen. Eine spannende Begegnung mit einem engagierten und ambitionierten Winzer, bei der man viel über seine Ideen, aber auch Wünsche und Träume in Sachen Wein erfährt. Angefangen hat seine Erfolgsstory mit einigen wenigen Parzellen, heute sind es knapp zwei Hektar, die Kretschko im Anbau hat. Nicht viel, aber von bester Bodenqualität und bestockt mit Riesling und Burgundersorten, aus denen er auch Sekte vinifiziert. Für die Zukunft hat sich Andreas Kretschko einiges vorgenommen, möchte weiter in die Kellerwirtschaft investieren und neue Holzfässer anschaffen, eine launige Besenwirtschaft eröffnen und vor allem die Rebfläche im Proschwitzer Katzensprung erweitern. Es geht also weiter bei Andreas Kretschko, und es geht immer nach vorne!

2020 Goldener Wagen Riesling

16€ · 12%

Ein schlanker Riesling mit Noten von Brioche und Birnenkompott, der sich als perfekter Begleiter zum Salat mit Ziegenfrischkäse erweist.

2020 Goldener Wagen Weißburgunder

13,50€ · 12%

2020 Kirchstück Grauburgunder

16€ · 12,5%

Wundervoll zu dunklem Geflügel – wir denken an eine knusprige Martinsgans mit Apfel-Rotkraut.

2019 Kirchstück Spätburgunder

18€ · 13,5%

Sweet and sour, interpretiert als Wein. Am besten bleiben Sie beim Thema und servieren dazu einen lackierten Schweinebauch nach chinesischer Art.

2018 Riesling brut

16€ · 12%

Reifer Grundwein, deutliche Reduktion der Fruchtaromen, feine Perlage. Grande classe.

Winzer Lutz Müller

Bautzener Straße 130,
01099 Dresden
T +49 (0) 172 9930 205
www.winzerlutzmueller.de

Rebfläche 3,5 ha
Produktion 20.000 Flaschen
Verkaufszeiten
März–Nov.
Sa, So und Feiertag 11–19 Uhr
und nach Vereinbarung

Gut 25 Jahre sind vergangen, seit Lutz Müller sein Hobby zum Beruf gemacht und das Weingut aus der Taufe gehoben hat. Rund 3,5 Hektar groß ist die Fläche im Dresdner Elbtal, die Müller, der seine Ausbildung im ehemaligen Staatsweingut Radebeul absolvierte, naturnah und umweltschonend bewirtschaftet. Auch im Keller steht der behutsame Umgang mit Trauben und Most an erster Stelle, Müllers Weine sind denn auch aromatische Spiegelbilder des Terroirs, aus dem sie kommen. Das kann man am authentischsten in der launigen Straußwirtschaft erleben, die inmitten der Weinberge mit malerischem Blick auf Dresden liegt. Bei herzhaften einfachen Speisen und den Weinen von Lutz Müller kommt man schnell ins Gespräch und genießt das in vollen Zügen, was man Weinseligkeit nennt.

2019 Dresdner Elbhänge Sauvignon Blanc
13€ · 12,5%
Klassischer Sauvignon-Blanc-Vertreter mit Aromen von Cassis und Buchsbaum, mit einer kräftigen Säure. Einsatzbereit zum Wildgeflügel in der Salzkruste.

2020 Dresdner Elbhänge Müller Thurgau
9,50€ · 10,5%
Charmante Muskatnote, säurebetont und salzig, fein zur Forelle Müllerin oder einem saftigen Cordon bleu.

2020 Dresdner Elbhänge Riesling
13€ · 7,5%
Spritzig, rassige Säure, Ananas, weißer Pfirsich, helle Blüten. Ein Allrounder zum Apéro, der rustikalen Leberpaté, würzigen Käsen, Macarons oder als Begleiter durch einen langen Abend.

2020 Dresdner Elbhänge Riesling feinherb
12€ · 10,5%
Eine krachend-animierende Säure trifft auf schmeichelnde Süße. Viel Spannung ist hier garantiert.

2020 Dresdner Elbhänge Scheurebe
12€ · 11%
Würzige Kräuternase, dazu mischt sich leicht das Aroma von Schießpulver. Sehr pikant, kraftvoll und dicht verwoben.

2020 Dresdner Elbhänge Weißburgunder
12€ · 12%
Belebende Struktur geprägt von Feuerstein und Zitronenmelisse, zeigt Burgundercharakter. Zum ersten Date serviert mit Rotbarbe auf Fenchel.

Schloss Proschwitz Prinz zur Lippe

Neueinsteiger

Heiliger Grund 2,
01662 Meißen
T +49 (0) 3521 4767 90
www.schloss-proschwitz.de

Inhaber Georg Prinz zur Lippe
Verbände VDP, Weinbauverband Sachsen
Rebfläche 70 ha
Produktion 350.000 Flaschen
Verkaufszeiten
Mo–So 10–18 Uhr

Als Georg Prinz zur Lippe kurz nach der Wende nach Sachsen kam, stand er vor den Trümmern eines ehemals florierenden Familienbetriebs. Mehr als 30 Jahre später gehört das Weingut wieder zu den unbestrittenen Größen im sächsischen und deutschen Weinbau, das barocke Familienschloss ist kulturelles Zentrum in Sachsen. Dahinter steckt nicht nur akribische Aufbauarbeit und unternehmerische Weitsicht, sondern auch Teamgeist, den Georg Prinz zur Lippe in seinem Betrieb aus Überzeugung vorlebt. Heute umfassen die Weinberge beiderseits der Elbe rund 70 Hektar, neben der Hauptlage Schloss Proschwitz auf dem rechten Elbufer bewirtschaftet das Weingut auch seit knapp zwanzig Jahren die wieder aufgerebte Lage Kloster Heilig Kreuz auf der linken Uferseite. Ergänzend zum Weingut wurde eine kleine Sektmanufaktur aufgebaut, seit 1999 werden in der eigenen „Meissener Spezialitätenbrennerei" hochwertige Destillate und Liköre sowie ein sächsischer Whiskey produziert.

2020 Cuvée „Pauline"
14€ · 10,5%
Ätherischer Mandarinenduft, Joghurt-Frische und fordernde Limette gefallen der Pauline zum gegrillten Pulpo oder Sarde in saor.

2020 Elbling
11€ · 11,5%
Duftiger Sommerbote, weißblütig, tolle kühle Frische, gefällt zur Brotzeit. Auf zum Tanz auf dem Heuboden!

2020 Goldriesling
11€ · 11,5%
Unbeschwerte exotische Schönheit. Kann Belüftung vertragen. Einatmen, ausatmen, zurücklehnen, genießen.

2020 Kloster Heilig Kreuz Grauburgunder 1. Lage
16,50€ · 13%

2020 Kloster Heilig Kreuz Riesling Spätlese 1. Lage
29,50€ · 10%
Die feine Süße wird untermalt von einer vielschichtigen Fruchtkomposition. Erdverbunden, subtil, schlank und elegant.

2020 Kloster Heilig Kreuz Weißburgunder 1. Lage
16,50€ · 13%
Haselnüsse, Fenchel, ausbalanciert zwischen Cremigkeit und Säure. Frische herbale Kräuter kommen hinzu, am Gaumen öffnet sich der Wein. Skrei in feiner Estragonsauce passt wunderbar.

2020 Weißburgunder ♣♣
13€ · 12%
Saftig, leichtfüßig, Länge, Eleganz und Balance stehen in ausgewogenem Verhältnis, wunderbarer Abi-Ball-Wein.

2018 Kloster Heilig Kreuz Frühburgunder 1. Lage ♣♣♣
29,50€ · 13,5%
Braucht etwas Luft im Glas. Süßer Kern, gut balancierter Extrakt.

2018 Kloster Heilig Kreuz Spätburgunder 1. Lage ♣♣♣
29,50€ · 13,5%
Dunkle Schönheit, kühle Unterholz-Aromen, Tabak, Süße der Reife. Geflügelleber-Tartelette zum Candlelight-Dinner-Wein.

2018 Schloss Proschwitz Spätburgunder GG ♣♣♣♣
42€ · 14,5%
Kaminfeuerwein! Der lange gemütliche Winterabend kann kommen. Die komplexe Aromatik im Glas und am Gaumen zeigen Tabak, dunkle Schokolade, Waldfrüchte und ein betörendes Finale.

2018 Frühburgunder „Pinot Madeleine" brut nature ♣♣
19€ · 12,5%

Rothes Gut Meißen

Neueinsteiger

Lehmberg 4, 01662 Meißen
T +49 (0) 3521 7545 467
www.rothesgut.de

Inhaber Tim Strasser
Kellermeister Lucas Bornschein
Rebfläche 19 ha
Produktion 90.000 Flaschen
Gründung 2010
Verkaufszeiten
April–Okt.
Mo–Di 10–16 Uhr
Mi–Sa 10–18 Uhr
So und Feiertag 11–16 Uhr
Nov.–März
Mo–Sa 10–16 Uhr
So und Feiertag 11–16 Uhr

Nur wenige Gehminuten von der Meißner Albrechtsburg entfernt liegt das Weingut „Rothes Gut", zu erkennen an den hohen Ziegelmauern mit den altehrwürdigen Steinrosetten. So sehr hier auch die Historie seit Mitte des 18. Jahrhunderts ihren angestammten Platz hat, so konsequent werden auf dem renommierten Gut Weine mit moderner Technik auf die Flaschen gebracht. Alles aber im Rahmen des Notwendigen, der Familienbetrieb unter der Leitung von Tim Strasser setzt bei der Bewirtschaftung des 19 Hektar großen Betriebes vom Anbau bis hin zum Keltern auf naturnahe und umweltschonende Methoden und Maßnahmen. Nur bei der Qualität macht man keine Kompromisse, davon kann man sich in der liebevoll sanierten Vinothek einen Eindruck verschaffen und alle Gewächse von Kellermeister Lucas Bornschein verkosten.

2019 Meißner Ratsweinberg Grauburgunder ♣♣♣
14€ · 13,5%
Erinnert an Blütentee, ist vielschichtig, tänzelnd. Hat Schmelz, Exotik und elegante Säure. Damit passt der köstliche Grauburgunder zu vielen feinen Fischgerichten, etwa zu pochierter Forelle mit Wildkräutern oder Ceviche von der Rotbarbe.

2020 Bereich Meißen Scheurebe
14€ · 13%
Dezent rauchiger Auftakt mit Noten von grünem Apfel und Holunderblüten, animierend und rassig. Lässt unsere Herzen höher schlagen.

2018 Kurfürstlicher Weinberg Meißen Frühburgunder
17€ · 12,5%
Torf und Mutterboden reflektieren die weichen Holzaromen. Eine deutliche Salzkomponente frischt das Bild auf.

2020 Bereich Meißen Rosé
11€ · 12%

2018 Scheurebe extra trocken
19€ · 12,5%
Kräuterige Noten von Basilikum treffen auf fein-bittere Limettenschale. Sehr angenehm feinperlig am Gaumen.

2018 Meißner Ratsweinberg Hibernal Beerenauslese
25€ · 12%
Grapefruit, Mango und Blutorange machen den Auftakt laut und aromatisch. Nektarsüß am Gaumen und eine Rebsorte für Weinkenner, die schon alles getrunken haben. Wer kennt schon Hibernal?

Weingut Schuh

Dresdner Straße 314,
01640 Coswig
T +49 (0) 3523 84810
www.weingut-schuh.de

Inhaber Martina & Matthias & Katharina Schuh
Kellermeister Matthias Schuh
Verbände Vinissima
Rebfläche 5 ha
Produktion 60.000 Flaschen
Gründung 1990
Verkaufszeiten
Di–Fr 12–18 Uhr
Sa 11–16 Uhr

Familie Schuh versteht sich nicht nur aufs Weinmachen, zu ihrem kleinen Genuss-Imperium gehören neben einigen Gästezimmern auch ein gemütliches Restaurant, für das Martina Schuh verantwortlich ist. Herzhafte regionale Gerichte und internationale Küchen-Klassiker kommen hier auf die Teller, begleitet von Weinen, die Matthias Schuh auf die Flasche gebracht hat. Der ist Winzer mit Leib und Seele, hat die Weinwelt in Neuseeland und dem Bordelais gesehen und widmet sich mit Sorgfalt und viel Engagement dem heimischen Betrieb, den er seit 2016 leitet. Jung, fröhlich und modern wirken die bunten Etiketten, mit denen die Schuhs ihre Flaschen ausstatten. In ihnen befinden sich klare Rebsortenweine, erfrischend unkompliziert auf den geschmacklichen Punkt gebracht und sortentypisch ausgebaut.

2018 Grauburgunder „Ungestüm"
19,90€ · 13%
Die Aromen in der Nase sind ausgewogen, würzig, knackig saftig, schillernd und vieldimensional. Spannende Aromen von Zimt, Sauerkirsche und Nougat. Schultert locker geräucherten Aal oder gebratene Gänseleber mit Sauerkirschragout nach Hans Haas.

2019 Kapitelberg Riesling „Halbstück“
18,90€ · 12,5%
Ein fordernder Riesling, der seinen Ausbau im Holz deutlich zeigt. Aromen von Limone und Harz sind etwas für Fans ungewöhnlicher Stilistiken.

2019 Klausenberg Weißburgunder
12,50€ · 13%
Sahnig-cremiger Auftakt mit Noten von Papaya und hellem Karamell. Am Gaumen kräftig und voll. Dieser Wein bietet sich als perfekter Begleiter für ein Kalbsgeschnetzeltes mit Spätzle an und schmeckt besonders gut mit vielen Freunden am Tisch.

Martin Schwarz

Dresdener Straße 71,
01662 Meißen
T +49 (0) 351 8956 072
www.schwarz-wein.de

Inhaber Martin Schwarz
Verbände Weinbauverband Sachsen
Rebfläche 3 ha
Produktion 20.000 Flaschen
Verkaufszeiten nach Vereinbarung

Wer Martin Schwarz begegnet, spürt sofort, dass er kompromisslos auf Qualität setzt. Und das ist keine Worthülse, Schwarz und seine Partnerin Grit Geißler kennen in ihren Weinbergen nur Handarbeit, zwar aufwendig und kostenintensiv, aber letztendlich effizient und akribisch genau. Ohnehin wäre in den Steillagen, die Geißler und Schwarz entlang der sächsischen Weinstraße bewirtschaften und in denen ihre knapp 30 Jahre alten Rebstöcke stehen, kaum etwas anderes möglich. Rieslinge und Traminer sind im Anbau, die letzten Neupflanzungen brachten französischen Pinot Noir und Chardonnay in die Parzellen. Ausgebaut werden die Weine so schonend wie möglich in neuen und alten Holzfässern, je nach Stilistik. Allen Weine gemeinsam ist eine enorme Komplexität und Finesse.

2018 Cuvée 
24€ · 13,5%
Im besten Sinne ein anstrengender Wein mit jodig-ätherischen Noten und einem Touch von Melone. Diese Aromatik sollte man auch in der Speise spiegeln: Melone mit Parmaschinken.

2018 Meissner Kapitelberg Riesling
24€ · 13%
Ganz charmanter Auftakt mit Brioche- und Rauchnoten, pikant und harmonisch am Gaumen. Leichter Schmelz bringt Eleganz an den Gaumen.

2019 Spätburgunder „Weiß von Schwarz“
28€ · 13,5%
Noch steht der Holzausbau im Vordergrund, zeigt Tee- und Röstaromen. Wenn der Wein reifen darf, dann wird er zum weiß ausgebauten Burgunder-Ideal. Zeigt weißen Pfirsich, Birne, Hagebutte, Rose, Salzigkeit und Speck.

2018 Friedstein Pinot Noir
45€ · 13,5%
Zug und Druck im Mund, dennoch federleicht, gleichzeitig komplex, viele feine gut platzierte Tannine, wie ein purpurfarbenes Samttuch.

2013 Weißburgunder „Reserve 52" brut nature
55€ · 11,5%
Staubtrocken, cremig, gut gebundene Perlage. Der burgundische Grundwein zeigt gute Schaumwein-Qualität.

Jan Ulrich Neueinsteiger

An der Weinstraße 40,
01612 Nünchritz
T +49 (0) 35267 51015
www.weingut-jan-ulrich.de

Inhaber Jan Ulrich
Verbände PIWI International
Rebfläche 16 ha
Produktion 150.000 Flaschen
Gründung 1992
Verkaufszeiten
Mo–Fr 8–12 Uhr und 13–16 Uhr
Sa, So 10–12 Uhr und 13–16 Uhr

Aus bescheidenen Anfängen heraus ist in den letzten 30 Jahren ein stattliches Weingut entstanden, das nur wenige Kilometer elbabwärts von der Porzellanstadt Meißen liegt. Seit rund 800 Jahren werden hier, im sonnenverwöhnten Elbbogen, Reben kultiviert, die Weinberge gehören zu den nordöstlichsten Lagen Deutschlands. Im Fokus des Familienbetriebes stehen vor allem Weißweinsorten, dazu gehören auch der selten gewordene Goldriesling und einige pilzwiderstandsfähige Neuzüchtungen, die deutlich weniger Pflanzenschutzmittel benötigen als herkömmliche Sorten. Mit dem Ausbau in verschiedenen Qualitätsstufen ist das Angebot vielfältig und abwechslungsreich, fast alle Weine präsentieren sich frisch und spritzig und verfügen über einen angenehmen Touch an Restzucker.

♥ **2019** Seußlitzer Heinrichsburg Cabernet Blanc
12,70€ · 13,5%
Deutlich erkennbare Cabernet-Aromen. Gut gekühlt, im großen Glas serviert zur gefüllten Paprikaschote mit Reis.

2019 Seußlitzer Heinrichsburg Solaris
13€ · 13,5%
Pfefferwürze und weiche Säurestruktur, erkennbare Feinherbe, etwas Lakritze, dazu gibt's Lauchgemüse in Senf-Sahne-Reduktion zum geschmorten Wildhasen.

2020 Seußlitzer Heinrichsburg Kerner
11,20€ · 12,5%
Kernig, bodenständig, ausdrucksstarker Zechwein. Perfekt auch zum Bohneneintopf mit Speck.

Schloss Wackerbarth – Sächsisches Staatsweingut

Wackerbarthstraße 1,
01445 Radebeul
T +49 (0) 351 89550
www.schloss-wackerbarth.de
Betriebsleiter Sonja Schilg
Verbände Verband traditioneller Sektmacher
Rebfläche 92 ha
Produktion 600.000 Flaschen
Verkaufszeiten
Mo–Sa 10–19 Uhr
So 11–19 Uhr

Schloss Wackerbarth ist mehr als ein Staatsweingut: Vielmehr ist die gesamte Anlage inmitten der Radebeuler Weinberge ein einzigartiges Erlebnisweingut, das sehenswerte barocke Bauten, eine malerische Kulturlandschaft und eine moderne Weinmanufaktur mit Gasthaus, Shop und Veranstaltungsräumlichkeiten verbindet. Ein Genussort, der für viele Ansprüche das Passende bietet und auch in Sachen Wein auf der Höhe der Zeit ist. Im 92 Hektar großen Weingut werden nicht nur mit Umsicht und der Idee, möglichst schonend mit den natürlichen Ressourcen umzugehen, beste Weine aus unterschiedlichsten Rebsorten vinifiziert. Schloss Wackerbarth ist auch bekannt für die herausragende Qualität seiner Sekte aus sächsischen Trauben und traditioneller Flaschengärung, deren Tradition rund 180 Jahre zurückreicht.

2019 Gemischter Satz
59€ · 13%
Selbstbewusster Auftritt, markante Säure, bodengeprägt, puristisch, dezente Frucht. Ein Wein für besondere Anlässe.

2019 Goldener Wagen Traminer Spätlese
16,90€ · 12,5%
Würziger Kern, gut integrierte Süße, Exotik, Mango, exzellenter Partner zur orientalisch gewürzten Entenbrust.

2020 Wackerbarthberg Scheurebe
24€ · 12%

2018 Thonberg Spätburgunder
45€ · 14,5%
Voller satter Kirschbaumhain zur Erntezeit. Steckt das fordernde Tannin locker weg. Reizvoll, leicht animalisch, wird serviert zum heimischen Hirschragout.

2015 Pinot brut
18,90€ · 12,5%
Die reife Aprikose trifft auf knackigen Krokant. Saftig und elegant, dabei feinnervig und schlank.

2016 Spätburgunder brut
24,90€ · 12,5%
Mollig, feinperlig, seidig, gefällt zu Käsen wie Brillat-Savarin oder Chaource.

2017 Spätburgunder „Blanc de Noir" brut
49€ · 11%
Salziger Auftakt, burgundisch, buttrig und weinig, mit deutlich schmeckbaren Waldbeerenaromen. Unser Serviervorschlag: als bester Kullerpfirsich aller Zeiten zum Franzbrötchen mit Schmand.

© Oliver Killig

2018 Scheurebe trocken 🍇🍇🍇
24,90€ · 12,5%
Lässt einen vom Sommer in den Bergen träumen. Zum Picknick in einer blühenden Wiese ganz wunderbar: finessenreich, erfrischend und animierend.

Hommage 1836 Rosé extra trocken 🍇🍇🍇
14,90€ · 12%
Trockenfrüchte, exotische Würze. Ein distinguierter, eleganter Allrounder mit salzigen Aromen.

Hommage 1836 extra trocken 🍇🍇🍇
14,90€ · 13%
Sehr frisch und stoffig, durchgängig mit Spannung. Erfrischend, zarte Bitternoten, Melisse und Limette.

2019 Goldener Wagen Riesling Auslese 🍇🍇🍇
24,90€ · 9%
Eine Auslese, die mit ihrer lebendigen Säure und vitalen Art begeistert!

2019 Wackerbarthberg Riesling Beerenauslese 🍇🍇🍇🍇
79€ · 8%
Vielschichtige Rieslingfrucht, die von exotischen Fruchtnoten getragen wird. Die honigartige Süße wird von einer straffen Säure begleitet.

Weingut Wolkenberg

Dreifertstraße 9, 03044 Cottbus
T +49 (0) 163 8764 131
www.wolkenberg-gmbh.de

Inhaber Wolkenberg GmbH
Betriebsleiter Bettina Muthmann & Martin Schwarz
Kellermeister Martin Schwarz
Rebfläche 6,2 ha
Produktion 28.000 Flaschen
Verkaufszeiten nach Vereinbarung

Martin Schwarz ist ein erfahrener Önologe und talentierter Weinmacher, der seit vielen Jahren sehr individuelle, besonders charaktervolle und bemerkenswert tiefgründige Weine auf die Flaschen bringt. Die Wolkenberger Weine stammen aus dem rekultivierten Gelände des Tagebaus Welzow-Süd und werden in der Meißner Weinmanufaktur, die Schwarz zusammen mit Bettina Muthmann leitet, ausgebaut. Acht verschiedene, teils seltene Rebsorten wie Roter Riesling stehen in einem rund sechs Hektar großen Weinberg. Von Mai bis Oktober kann man jeden Sonntag direkt am Weinberg die Wolkenberg-Gewächse verkosten und mit den Winzern über Gott und die Welt, aber natürlich auch über ihre Weine plaudern.

2019 Cuvée „Wochenende"
12€ · 13%
Springt auf im Glas und präsentiert sich offen! Steht locker allein, ohne Essensbegleitung, kann aber auch sehr gut zum Lamm-Navarin gereicht werden.

2019 Grauburgunder
15€ · 13%

2019 Kernling
18€ · 13%

♥ **2019** Roter Riesling
16€ · 12,5%
Blumig rosig und intensiv würzig, Steinobst, reife Noten, cremig, etwas korpulent, zu Lachs mit Senfkruste.

2019 Schönburger
15€ · 13%
Eine Duftwolke von Muskatnuss, Estragon, Dillblüten und feiner spritziger Limette umweht die erdige Struktur. Sardinen auf den Grill, dazu eine pikante Dill-Senf-Sauce.

2018 Cabernet Dorsa
18€ · 14,4%

2017 Schönburger „Festtagssekt" brut nature
20€ · 12%
Leichte und verspielte Duftigkeit mit saftigem Quittensaft, feinem Grip, floralen Aromen wie Rose.

Klaus Zimmerling

Neueinsteiger

Bergweg 27, 01326 Dresden
T +49 (0) 351 4384 0233
www.weingut-zimmerling.de

Inhaber Klaus Zimmerling
Verbände VDP
Rebfläche 4 ha
Gründung 1991
Verkaufszeiten
Gutsausschank
Mi–Do 11–16 Uhr
Fr–So und Feiertag 11–18 Uhr

Wer Klaus Zimmerling in seinem kleinen Weingut unweit von Dresden besucht, erlebt dort die inspirierende Symbiose von Wein und Kunst. Denn während Klaus Zimmerling seine Rebstoöcke, die vorwiegend auf verwittertem Granit der Lage Pillnitzer Königlicher Weinberg stehen, naturnah und umweltschonend bearbeitet, schnitzt seine Frau Malgorzata Chodakowska aus Holzstämmen anmutige und grazile Frauengestalten mit feinen Zügen. Es sind bemerkenswerte Kunstobjekte und außergewöhnliche Weine, die Chodakowska und Zimmerling weit über die Grenzen der Region hinaus bekannt gemacht haben. Klaus Zimmerling gelingt das unter den extremen Bedingungen im sächsischen Anbaugebiet seit fast 30 Jahren: Seinen Weinberg, die Rysselkuppe, empfindet der Winzer als großes Geschenk und Naturwunder. Die Lage ist perfekt nach Süden ausgerichtet und erinnert an eine Stufenpyramide. Auch das ein Kunstwerk!

2020 Muskateller halbtrocken
22€ · 13%

2020 Pillnitzer Königlicher Weinberg Kerner „Alte Reben" halbtrocken
15€ · 13%
Die „französische" Art des Kerners – klingt ungewöhnlich und ist es auch. Mit einem Croque Monsieur ist dieser Wein stilecht begleitet.

2020 Pillnitzer Königlicher Weinberg Riesling 1. Lage halbtrocken
16€ · 13%
Exotische Frucht mit deutlicher Süße und stark cremiger Note. Da darf es auch zur Begleitung süß werden. Wir wünschen uns, ganz regional, eine Eierschecke.

Fotocredit: DWI

DIE TIPPS DER WINZER

Wo gibt es leckeren Sächsischen Sauerbraten oder süße traditionelle Quarkkeulchen? In welcher Stadt befinden sich schöne Hotels, von denen aus man das Elbland erkunden kann? Wo kann ich Weine verkosten oder regionale Produkte einkaufen? Wer, wenn nicht **der Winzer vor Ort** kennt sich bestens in seiner Region aus? Darum haben wir Winzer und ihre Familien nach **ihren persönlichen Tipps** gefragt.

P.S. Prüfen Sie bitte vor Ihrem Besuch, ob alle Lokale und Geschäfte wieder geöffnet haben und welche aktuellen Öffnungszeiten gelten.

Essen

AVE MARIE

An der Weinstraße 45, 01612 Diesbar-Seußlitz
T +49 (0) 35267 50780
www.ave-marie.de

Ein kleines, gemütlich eingerichtetes Restaurant, das von Bruder und Schwester geführt wird: So präsentiert sich das Ave Marie, das vor allem mit seiner bunten, frischen Karte mit der kreativen Mischung aus deutschen und österreichischen Gerichten begeistern will. Das heißt, dass es viel Gemüse gibt, dass viele Kräuter auf dem Teller landen, dass es aber genauso gut einen Kaiserschmarrn zum Nachtisch gibt. Bei schönem Wetter wird auf der Sommerterrasse serviert. Zum Haus gehört auch ein kleines Hotel.

Empfohlen von
Jan Ulrich

CAROUSSEL

Königstraße 14, 01097 Dresden
T +49 (0) 351 80030
www.buelow-palais.de/restaurants-bar/#caroussel

E-VITRUM BY MARIO PATTIS

Lennéstraße 1, 01069 Dresden
T +49 (0) 351 4204 250
www.vitrum-dresden.de

ELEMENTS

16 | 20
Königsbrücker Straße 96, 01099 Dresden
T +49 (0) 351 2721 696
www.restaurant-elements.de

GENUSS-ATELIER

15 | 20
Bautzner Straße 149, 01099 Dresden
T +49 (0) 351 2502 8337
www.genuss-atelier.net

KÖRNERGARTEN

Friedrich-Wieck-Straße 26, 01326 Dresden
T +49 (0) 351 2683 620
www.koernergarten.de

Sächsische Spezialitäten stehen in diesem eleganten Restaurant, das am Blauen Wunder und an der Elbe liegt, auf der Karte. Das Wirtshaus besteht seit 1877 und war schon immer ein beliebtes Ausflugsziel für Wanderer oder Radler, die sich drinnen oder im Biergarten und auf der Terrasse stärken können. Hähnchenbrust, Schweineleber oder Wolfsbarsch in der Gemüsepfanne, aber auch vegetarische Gerichte stehen hier auf der Karte.

Empfohlen von
der Redaktion

LUISENHOF

Bergbahnstraße 8, 01324 Dresden
T +49 (0) 351 2877 7830
www.luisenhof-in-dresden.de

Eine berühmte, aber auch skandalumwitterte Namensgeberin stand Patin für dieses Restaurant: Es ist nach Luise von Österreich-Toskana benannt, Ehefrau von Friedrich August III. und letzte Kronprinzessin des Königreichs Sachsen. Das Restaurant, das im Familienbetrieb geführt wird, befindet sich gegenüber der Bergstation der Dresdner Standseilbahn. Durch den Standort an den oberen Elbhängen wird der Luisenhof auch als „Balkon Dresdens" bezeichnet. Es bietet eine klassisch-moderne deutsche Küche mit hausgemachtem Gurkensalat, dem klassischen Würzfleisch, Wildgulasch mit Rotkohl oder dem Luisenhof-Burger. Aber auch Eisbecher, Kaffee und Kuchen werden hier serviert.

Empfohlen von
der Redaktion

PULVERTURM

An der Frauenkirche 12,
01067 Dresden
T +49 (0) 351 2626 00
www.pulverturm-dresden.de

Direkt neben der Frauenkirche weist eine historische Kanone den Weg ins Restaurant. Dort steht sogenannte Erlebnisgastronomie im Mittelpunkt. Gäste werden in den geschichtsträchtigen Gewölben in die barocke Zeit von August dem Starken entführt. Zauberer, Gaukler und Musikanten gestalten das Programm, auf der Speisekarte steht eine sächsisch-deftige Küche mit Sauerbraten, Rinderroulade und dem Ferkel im Brotteig.

Empfohlen von
der Redaktion

RASKOLNIKOFF

Gault&Millau

Böhmische Straße 34,
01099 Dresden
T +49 (0) 351 8045 706
www.raskolnikoff.de

RESTAURANT FINESSE

Gault&Millau

Schützengasse 13,
01067 Dresden
T +49 (0) 351 4845 4930
www.restaurant-finesse.de

RESTAURANT KLEINERT AM BLAUEN WUNDER

Friedrich-Wieck-Straße 45B,
01326 Dresden
T +49 (0) 351 2633 395
www.kleinerts-spezialitaeten.de

Vom Frühstück bis zum Abendessen sitzt man hier mit wunderbarem Elbblick und kann die entspannte Küche des schwäbischen Gastgebers Eckhard Kleinert genießen. Er macht die Spätzle selbst, Maultaschen gibt es auch, aber ebenso Austern oder Seeteufel-Medaillons. Dabei lässt er sich in der offenen Küche gerne zugucken. Die Karte wechselt immer mal wieder, richtet sich nach Saison und Angebot auf dem Markt. Zum Restaurant gehört auch ein Ladengeschäft, in dem es internationale Spezialitäten gibt.

Empfohlen von
Weingut Drei Herren

RESTAURANT MORITZ

Gault&Millau

An der Frauenkirche 13,
01067 Dresden
T +49 (0) 351 4172 70
www.moritz-dresden.de

SANKT PAULI TAGESBAR + RESTAURANT

Tannenstraße 56, 01097 Dresden
T +49 (0) 351 2751 482
www.sankt-pauli.in

Ein unkompliziertes Restaurant in der Neustadt/Hechtviertel: Hier gibt es Frühstück und Sonntagsbrunch, auf der Karte stehen ansonsten internationale Gerichte wie Spargelrisotto, Maischolle, Ochsenbacke auf Sellerie-Zitronen-Püree, aber auch Wiener Schnitzel oder Zander-Frikadelle.

Empfohlen von
Weingut Hey

SCHILLERGARTEN

Schillerplatz 9, 01309 Dresden
T +49 (0) 351 8119 90
www.schillergarten.de

In diesem traditionsreichen Restaurant wurde Geschichte geschrieben. Denn Friedrich Schiller war zwischen 1785 und 1787 selbst dort zu Gast und brachte dem Haus dadurch eine gewisse Berühmtheit. Das restaurierte Restaurant liegt idyllisch am Fuße des Blauen Wunders, mit Blick auf die Elbhänge. Bei schönem Wetter sitzt es sich gemütlich in einem der größten Biergärten Dresdens. Auf der Karte stehen gutbürgerliche Gerichte: Es gibt Wurstsalat und warmes Bratenbrot mit Senf genauso wie Sauerbraten, Rostbrätl vom Grill oder Schweinebraten mit Sauerkraut.

Empfohlen von
der Redaktion

WEINKULTURBAR

Wittenberger Straße 86,
01277 Dresden
T +49 (0) 351 3157 917
www.weinkulturbar.de

WEINZENTRALE

Hoyerswerdaer Straße 26,
01099 Dresden
T +49 (0) 351 8996 6747
www.weinzentrale.com

DOMKELLER

Domplatz 9, 01662 Meißen
T +49 (0) 3521 4576 76
www.domkeller-meissen.de

Die erste Urkunde stammt aus dem Jahr 1470 – und damit ist der Domkeller die älteste bewirtschaftete Gaststätte in Meißen. Er gehört zum historischen Bauensemble des Burgberges und liegt nahe an Albrechtsburg und Dom. Die Gäste nehmen Platz in der Domklause oder im Domherrenzimmer mit schöner Panoramaterrasse, von der man einen tollen Ausblick hat. Die Einrichtung in allen Räumen ist gemütlich und urig, die Speisekarte verspricht regionale Küche mit sächsischer Kartoffelsuppe, Schweinehaxe, Dresdner Sauerbraten, Würzfleisch, Altmeißner Brotsuppe oder der kräftigen Böttgerpfanne. Zu allem gibt es ein frisch gezapftes Bier, aber natürlich auch eine große Auswahl an Weinen von befreundeten Winzern aus der Region.

Empfohlen von
der Redaktion

RATSKELLER

Markt 1, 01662 Meißen
T + 49 (0) 3521 7274 740
www.ratskeller-meissen.de

Seit 1475 befindet sich der historische Ratskeller im spätgotischen Rathaus inmitten der Altstadt von Meißen. Das Meißner Rathaus gilt als das älteste seiner Art im sächsischen Raum. Besucher können das alte Kreuzgewölbe besichtigen, bevor sie sich etwas aus der Speisekarte von den sächsischen Gerichten, die zum Teil auf Meißner Porzellan serviert werden, aussuchen. So gibt es rustikale Pfannengerichte wie marinierte große Rippe mit Schwarzbiersauce oder Grillhaxe mit Klößen und Sauerkraut. Der Ratskeller bietet sich auch für Feiern und Gruppen an, die zum Beispiel Bier- oder Weinproben erleben können. Bei gutem Wetter sitzt man draußen in zentraler Lage von Meißen.

Empfohlen von
der Redaktion

FELSENBIRNE

Lange Straße 34,
01796 Pirna
T +49 (0) 3501 7599 791
www.felsenbirne-restaurant.de

LAZY LAURICH

Hauptplatz 4, 01796 Pirna
T +49 (0) 3501 7709 0788
www.lazylaurich.de

ATELIER SANSSOUCI

16 | 20

Augustusweg 48, 01445 Radebeul
T +49 (0) 351 7956 660
www.atelier-sanssouci.de

GAUMENKITZEL

Coswiger Straße 23,
01445 Radebeul
T +49 (0) 351 7951 4393
www.gaumenkitzel.eatbu.com

Internationale Slow-Food-Küche mit Zutaten aus der Region und saisonal basiert, regionale und handgemachte Käsesorten, dazu entweder ein Wein aus dem Elbtal oder ein frisch gezapftes Bier aus dem Radebeuler Brauhaus, und alles kreativ und fantasievoll angerichtet: Das alles steht auf der Karte dieses Gasthofes, zu dem auch ein Café gehört. Man kann wählen zwischen dem Wein-Menü mit Wildschwein, Klößen vom Edelfisch und Kalbsrücken, einem Veggie-Menü oder À-la-carte-Gerichten.

Empfohlen von
der Redaktion

RESTAURANT SCHLOSS WACKERBARTH

Wackerbarthstraße 1,
01445 Radebeul
T +49 (0) 351 89550
www.schloss-wackerbarth.de

Dies ist schon ein ganz besonderer Flecken in der Weinlandschaft von Sachsen: Das Weingut Wackerbarth bietet sich als Erlebnisweingut auf gleich mehreren Ebenen an. Eine davon ist die Kulinarik, die mit mariniertem Thunfischfilet, Bachsaibling der Teichwirtschaft Moritzburg, in Weißburgunder geschmortem Hähnchen und zum Abschluss Zwetschgenragout mit Frischkäsemousse befriedigt werden kann. Dazu werden hauseigene Weine zwischen Müller-Thurgau, Riesling und Weißburgunder serviert. Das Weingut bietet sich aber für noch wesentlich mehr Erlebnisse an: Freiluft-Musikveranstaltungen, private Feiern, Winzerbrunch sowie zahlreiche Führungen und Verkostungen auch in den Weinbergen.

Empfohlen von
der Redaktion

SPITZHAUS

Spitzhausstraße 36,
01445 Radebeul
T +49 (0) 351 8309 305
www.spitzhaus-radebeul.de

Als kleines Weinberghaus entstand dieses Gebäude im Jahr 1622, Kurfürst Johann Georg I. soll es gebaut haben. Nach vielen Umbauten, Besitzerwechseln und immer wieder anderer Nutzung wird es seit Mitte der 1990er-Jahre als Gasthaus bewirtschaftet. Geblieben ist aber immer eins: der grandiose Ausblick aufs Elbtal bis nach Dresden, den man von der großen Terrasse, aber auch aus dem Restaurant drinnen genießen kann. Auf der Karte steht eine gutbürgerliche Küche mit Maishähnchen, Sauerbraten, Ochsenbäckchen oder Schnitzel. Auch im Angebot: Sekt-Frühstück beziehungsweise schickes Dinner im Wohnwagen – im eigenen oder vom Haus gemieteten. Wer im Haus übernachten will, kann eine der Suiten mieten.

Empfohlen von
der Redaktion

GASTHOF BÄRWALDE

16 | 20

Kalkreuther Straße 10a,
1471 Radeburg
T +49 (0) 35208 3429 01
www.olav-seidel.de

Ein gemütlicher Gasthof, ganz in der Nähe von Schloss Moritzburg, bietet seinen Gästen mehr als deftige Landhausküche und nimmt in der sächsischen Gastro-Szene eine Ausnahmeposition ein. Auch ausgesprochene Gourmets kommen hier auf ihre Kosten, vor allem die, die französische Küche lieben. Küchenchef Olav Seidel ist Fan von Schmorgerichten aus Schwein, Rind oder Geflügel, gilt als Meister der Saucen, der vor allem viele regionale Produkte verwendet und daraus zum Beispiel „sächsisches Sashimi" mit Forelle aus der benachbarten Schönfelder Zucht zubereitet. Stammgäste lieben die großzügigen Portionen, die in diesem Restaurant zu einem tollen Preis-Leistungs-Verhältnis serviert werden.

Empfohlen von
Weingut Drei Herren

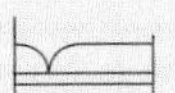

Schlafen

RESTAURANT LAUBENHÖHE
Köhlerstraße 77, 01689 Weinböhla
T +49 (0) 35243 36183
www.laubenhoehe.de
Saisonale Frischeküche und ausgesuchte Weine vor allem aus der Region stehen in diesem familiengeführten, gemütlichen Restaurant im Mittelpunkt. Küchenchef Chris Krause kauft regional und saisonal ein und legt Wert auf „handgemachte" Gerichte, die ohne künstliche Zusatzstoffe auskommen. So gibt es Rinderpökelzunge, Schwarzfederhuhn, Wolfsbarschfilet oder Kalbsbäckchen, die mit Gemüse der Saison auf den Teller kommen.
Empfohlen von
Weingut Drei Herren

BÜLOW PALAIS + BÜLOW RESIDENZ
Königstraße 14/Rähnitzgasse 19, 01097 Dresden
T +49 (0) 351 8003 100
www.buelow-palais.de
58 elegante und komfortable Zimmer und Suiten erwarten den Gast in diesem früheren Herrenhaus, das sich in seiner barocken Pracht als kleine stilvolle Oase hinter historischen Mauern anbietet und direkt gegenüber der Dreikönigskirche liegt. In diesem Fünf-Sterne-Hotel befindet sich auch das mehrfach ausgezeichnete Restaurant „Caroussel", ein Bistro, eine Cigar Lounge, die Palais-Bar sowie ein Spa. Das Vier-Sterne-Schwester-Hotel Bülow Residenz mit seinen 28 Zimmern und Suiten liegt nur rund 50 Meter entfernt, beide Häuser werden unter der Regie von Hoteldirektor Ralf J. Kutzner geführt. Sie sprechen auch die gleiche Designsprache, sie wurden vom Schweizer Designer Carlo Rampazzi eingerichtet.
Empfohlen von
der Redaktion

GRAND HOTEL TASCHENBERGPALAIS
Taschenberg 3, 01067 Dresden
T +49 (0) 351 49120
www.kempinski.com
1705 als barockes Adelspalais von August dem Starken erbaut, ist das Haus seit Mitte der 1990er-Jahre ein luxuriöses Hotel, das nach wie vor den üppigen Dresdner Barockstil repräsentiert. Es liegt zentral neben dem Residenzschloss, gegenüber des Zwingers, in Nähe von Semperoper, Theaterplatz und Hofkirche. Zum Hotel gehören mehr als 200 exklusiv eingerichtete Zimmer und Suiten, ein Fischrestaurant mit Sushi- und Austernbar, Bistro, Bar, Café, Spa mit Pool und Fitnessräumen. Und: Im barocken Gewölbekeller des Restaurants Sophienkeller wird unter anderem hausgebackenes Brot zum knusprigen Spanferkel und zum abendlichen Unterhaltungsprogramm serviert.
Empfohlen von
der Redaktion

SCHLOSSHOTEL DRESDEN PILLNITZ
August-Böckstiegel-Straße 10, 01326 Dresden-Pillnitz
T +49 (0) 351 26140
www.schlosshotel-pillnitz.de
Hier wird an wahrlich historischer und königlicher Adresse gewohnt, denn die frühere Sommerresidenz von König Friedrich August I. von Sachsen stammt aus dem 18. Jahrhundert. Das privat geführte Hotel mit seinen schicken Zimmern und Suiten liegt in der Schlossanlage von Dresden Pillnitz, nahe an den Weinbergen, ein guter Ausgangspunkt für Ausflüge in die Region. Kaminrestaurant, Wintergarten oder Biergarten laden ein, die Kochkunst der Küchencrew zu probieren: sächsische Gerichte, international inspiriert, dazu werden Weine aus Sachsen eingeschenkt.
Empfohlen von
Jan Ulrich

GOLDENES FASS
Vorbrücker Straße 1, 01662 Meißen
T +49 (0) 3521 7192 00
www.goldenes-fass-meissen.de
Eine wechselvolle Geschichte liegt hinter diesem Vier-Sterne-Hotel: Erst war es um 1650 ein Winzerhof, dann Gasthaus, Scheune, Turnhalle, Vorläufer eines Kinos, Zigarrenmanufaktur, Sattlerei und Wäscherei, bis vor 30 Jahren erst das Restaurant, später dann das Hotel entstand. 25 moderne Zimmer, alle unterschiedlich ausgestattet, zum Teil mit eigenem Spa-Bereich, stehen den Gästen nun zur Verfügung. Wellness gehört mit zum Angebot, eine Sauna gibt es sogar draußen in einem großen Fass. Im Restaurant wird ein täglich wechselndes Drei-Gang-Menü aus regionalen Zutaten serviert. Im Sommer nehmen die Gäste Platz im weinumrankten Innenhof, im Winter wird das Kaminfeuer angezündet.
Empfohlen von
der Redaktion

HOTEL KNORRE
Elbtalstraße 3, 01662 Meißen
T +49 (0) 3521 72810
www.meissen-hotel.com
Direkt an der Elbe und an der Sächsischen Weinstraße liegt dieses familiengeführte Drei-Sterne-Hotel mit seinen 23 Zimmern und bietet immer wieder den Blick auf Natur und Schifffahrt, auf die Albrechtsburg, den Meißner Dom und die Elbwiesen. Benannt ist das Hotel nach dem gleichnamigen Felsmassiv an der Elbe. Zum Haus gehört auch ein stilvolles Restaurant, in dem man nicht nur sächsische Weine und regionale Gerichte wie Würzfleisch, sächsischen Sauerbraten oder Soljanka probieren kann, sondern auch immer – nicht nur aus dem Biergarten – den Blick Richtung Elbe hat.
Empfohlen von
Weingut Drei Herren

PIRN'SCHER HOF

Am Markt 4, 01796 Pirna
T +49 (0) 3501 44380
www.pirnscher-hof.de

Hier übernachtet man in einem 300 Jahre alten „Hakenhaus". Kleinhändler und Handwerker haben der Legende nach früher dort ihre Warne „verhökert". Heute stehen den Gästen in diesem historischen Ambiente mit restaurierten Dachbalken, Kreuzgewölbe-Eingang und schmalem Innenhof 24 individuelle Themen-Zimmer zur Verfügung. Das Dachgeschoss ist der Sächsischen Schweiz gewidmet, die erste Etage der Stadt Pirna, im Braumeister-Zimmer zapft man sich sein Bier selber. Zum Hotel gehören die Brauerei „Zum Gießer" und eine kleine Galerie. Im Restaurant „Platzhirsch" wird regionale Küche, amerikanisch inspiriert, serviert, dazu gibt es ein hausgebrautes Bier.

Empfohlen von
der Redaktion

ROMANTIK HOTEL DEUTSCHES HAUS

Niedere Burgstraße 1, 01796 Pirna
T +49 (0) 3501 46880
www.romantikhotel-pirna.de

Dieses Vier-Sterne-Hotel, in der mittelalterlichen Altstadt von Pirna gelegen, gehört zu den schönsten Gebäuden der Stadt. Bereits das Eingangsportal, geschaffen von Wolf Blechschmidt im Stil der italienischen Renaissance, vermittelt einen ersten Eindruck vom Ambiente des Hauses, das vor 100 Jahren gebaut wurde. Die 40 Zimmer sind stilvoll und gemütlich eingerichtet, in den Restaurants stehen regionale genauso wie internationale oder vegetarische Spezialitäten, aber auch viele Gerichte vom heißen Stein auf der Karte. Die Weinkarte hält viele regionale Weine vor.

Empfohlen von
der Redaktion

HOTEL „GOLDENER ANKER"

Altkötzschenbroda 61, 01445 Radebeul
T +49 (0) 351 8399 0100
www.goldener-anker-radebeul.de

Jahrhundertealte Geschichte empfängt den Gast hier auf dem idyllischen Dorfanger Altkötzschenbrodas, einem Stadtteil von Radebeul. Zwischen Dresden und Meißen, direkt am Elberadweg, der Sächsischen Weinstraße und nahe des Sächsischen Staatsweingutes Schloss Wackerbarth kann man von hier aus ideal die Umgebung erkunden. Die 60 Zimmer sind zum Teil mit antiken Möbeln eingerichtet, zum Drei-Sterne-Superior-Haus gehören auch ein Restaurant, Ballsaal, Weinkeller, Gesellschafts- und Tagungsräume, aber auch ein Biergarten, in dem man unter Obstbäumen seinen Aufenthalt genießen kann.

Empfohlen von
der Redaktion

Einkaufen

RADISSON BLU PARK HOTEL DRESDEN RADEBEUL

Nizzastraße 55, 01445 Radebeul
T +49 (0) 351 83210
www.radissonblu.com
574 Zimmer und Suiten stehen in diesem komfortablen Hotel in toller Lage direkt an den Weinbergen zur Verfügung. Zum Hotel gehören zwei Restaurants, 17 Konferenzräume sowie ein 1000 Quadratmeter großer Spa.
Empfohlen von
der Redaktion

VILLA SORGENFREI

Augustusweg 48, 01445 Radebeul
T +49 (0) 351 7956 6660
www.hotel-villa-sorgenfrei.de
Vor den Toren Dresdens liegt dieses liebevoll restaurierte, denkmalgeschützte Herrenhaus inmitten einer 7000 Quadratmeter großen historischen Parkanlage idyllisch in der Natur und bietet sich mit seinen 14 individuell eingerichteten Zimmern und zwei Suiten zu einem stilvollen Aufenthalt an. Zum Hotel, das vor 200 Jahren als Weinschlösschen gebaut worden, gehört das mehrfach ausgezeichnete Restaurant „Atelier Sanssouci", in dem klassisch-französische Küche auf hohem Niveau serviert wird. Die Weinkarte ist eher ein Weinbuch und hält Tropfen aus der ganzen Welt, aber eben auch aus der Region vor.
Empfohlen von
Karl Friedrich Aust

HOFLADEN WEIXDORF

Pastor-Roller-Straße 42,
01108 Dresden-Weixdorf
T +49 (0) 351 8881 314
www.hofladen-weixdorf.de
Regionale und saisonale Produkte wie Obst, Kartoffeln, Tomaten, Eier, Kürbis und Möhren, aber auch Fleisch aus eigener Tierhaltung sowie Futter für Kleintiere werden in diesem Hofladen verkauft. Das Geschäft liegt direkt auf dem Gelände des Bauernhofs am Stadtrand von Dresden. Dort leben auch Wollschweine, Ziegen, Schafe, Meerschweinchen, Kaninchen und Hühner, die von Kindern besucht werden dürfen. Erdbeeren können auf einer Plantage selbst gepflückt werden, einmal im Monat wird in einem Steinofen Brot gebacken.
Empfohlen von
der Redaktion

MILCHLADEN DER MOLKEREI GEBRÜDER PFUND

Bautzener Straße 79,
01099 Dresden
T +49 (0) 351 8080 80
www.pfunds.de
Dieser Milchladen gilt als der „schönste Milchladen" der Welt. Weniger wegen der Produkte, sondern mehr wegen der ausgefallenen Innenarchitektur. Und die ist wirklich gigantisch: Handgemalte Kacheln und Stuckarbeiten haben das Geschäft bereits ins Guinness-Buch der Rekorde gebracht, außerdem wurden die Räume schon häufiger zur Filmkulisse. Zum Sortiment gehören unter anderem Milchgrappa, Kondensmilch, Fruchtsenfaufstriche, Hausweine, Käsespezialitäten, aber auch Pflegeprodukte wie die Milchseife, die seit 1892 verkauft wird.
Empfohlen von
der Redaktion

KONDITOREI ZIEGER
Rote Stufen 5, 01662 Meißen
T +49 (0) 3521 4531 47
www.konditorei-zieger.de
Hier wird seit 1844 die sächsische Kaffeehaus-Kultur gepflegt – bei Kaffee und Tee, Kuchen und Torten. Aber die Konditorei ist noch für etwas anderes berühmt: den Meißner Fummel. Das ist ein ausgesprochen luftiges Gebäck mit witziger Anekdote. Die Kuriere des Kurfürsten zerbrachen auf ihren Touren früher so viel Meißner Porzellan, dass August der Starke ihnen den fragilen Fummel mitgab. In der Hoffnung und mit dem Auftrag, diesen heil am Ziel abzugeben.
Empfohlen von
der Redaktion

Vinothek

Viele Winzer aus Sachsen öffnen die ganze Woche über ihre Türen, um ihre Weine in ihren hauseigenen Vinotheken direkt auf dem Weingut verkosten zu lassen. Ein Besuch lohnt in jedem der Weinorte in Sachsen – empfehlenswert ist vorher aber ein Blick auf die Internetseite oder ein Anruf. Weitere Infos zu Vinotheken gibt es auch auf der Internetseite unter www.weinwandern-sachsen.de/genuss-unterkuenfte

SÄCHSISCHE VINOTHEK AN DER FRAUENKIRCHE
Salzgasse 2, 01067 Dresden
T +49 (0) 351 4845 200
www.saechsische-vinothek.de
130 Weine sowie mehr als 40 regionale Brände und Liköre oder Sekte sind hier im Angebot. Dabei sind vor allem die kleinen Familien-Weinbaubetriebe vertreten, die dann auch selbst zu Verkostungen einladen. Außerdem sind Raritäten wie Goldriesling, Perle von Zala, Hibernal, Kernling, Acolon oder Dunkelfelder im Sortiment. In der Vinothek gibt es 16 Plätze, draußen acht.
Empfohlen von
der Redaktion

MEISSENS WEINERLEBNISWELT
Bennoweg 9, 01662 Meißen
T +49 (0) 3521 7809 70
www.winzer-meissen.de
Im ehemaligen Kurfürstlichen Weingut von Bischof Benno entstand diese Erlebnis-Welt, in der sich die Mitglieder der Sächsischen Winzergenossenschaft in der modernen Vinothek präsentieren. Und so kann man dort den sächsischen Landwein ebenso verkosten wie Goldriesling, Regent oder Domina. Übers Jahr finden zahlreiche Veranstaltungen zum Thema Wein in der Erlebnis-Welt statt, unter anderem auch im Kellerlabyrinth mit seinen alten Fässern.
Empfohlen von
der Redaktion

Fotocredit: Deutsches Weininstitut

Saale-Unstrut

SAALE-UNSTRUT

Eine über 1000-jährige Weinbau-Geschichte prägt das Gebiet Saale-Unstrut, das sich durch drei Bundesländer zieht und das nördlichste Weinanbaugebiet Deutschlands ist. Die Kulturlandschaft präsentiert sich mit Terrassenweinbergen und zahlreichen Weinbergshäuschen, vielen Burgen, Schlössern, Kirchen und Klöstern. Mehr als 60 Rebsorten werden hier angepflanzt.

DIE BESTEN WEINE BIS 15€

Im **nördlichsten Anbaugebiet Deutschlands** wächst eine besondere Vielfalt an Rebsorten. Die hier gelisteten Weine bieten große Abwechslung in besten Qualitäten!

WEISSWEIN

2019 Poetenweg Cuvée „Mashk“
15€ · 12% · Joern Goziewski

2020 Riesling
9,90€ · 14% · Winzerhof Gussek

2019 Weimarer Poetenweg Grauburgunder „Werkstück Weimar“ Spätlese trocken
10,40€ · 13,5% · Winzervereinigung Freyburg-Unstrut

2020 Rappental Riesling Spätlese trocken
11,50€ · 13% · Klaus Böhme

2019 Kaatschener Dachsberg Weißburgunder „sur lie“
12,50€ · 11,5% · Carl-Friedrich L. Walther

2020 Cuvée „Weißer Hey“
12,90€ · 12% · Weingut Hey

2020 Weißburgunder
7€ · 12% · Winzervereinigung Freyburg-Unstrut

2020 Cuvée „Passion Z Weiß“ feinherb
10€ · 12% · Thüringer Weingut Zahn

2020 Rappental Weißburgunder Spätlese trocken
11,50€ · 12,5% · Klaus Böhme

2019 Naumburg Weißburgunder
14€ · 12% · Weingut Hey

2019 Kaatschener Dachsberg Riesling „R“
14,50€ · 13% · Carl-Friedrich L. Walther

2019 Silvaner „KD pur – kleines Holz“
15€ · 10,5% · Carl-Friedrich L. Walther

2020 Tultewitzer Bünauer Berg Grauburgunder
15€ · 13,5% · Thüringer Weingut Zahn

2020	Weimarer Poetenweg Sauvignon Blanc „Werkstück Weimar“	🍇
	8,90€ · 11,5% · Winzervereinigung Freyburg-Unstrut	
2020	Bacchus	🍇
	10,50€ · 12,5% · Thüringer Weingut Zahn	
2020	Tultewitzer Weißburgunder	🍇
	12,50€ · 12,5% · Thüringer Weingut Zahn	

SEKT

	Riesling trocken	🍇🍇
	5,99€ · 12% · Rotkäppchen-Mumm Sektkellereien	
2019	Spätburgunder extra trocken	🍇🍇
	13,80€ · 12,5% · Winzervereinigung Freyburg-Unstrut	
	Weißburgunder extra trocken	🍇🍇
	15€ · 12,5% · Rotkäppchen-Mumm Sektkellereien	

WO HÄUSER IM WEINBERG DIE GESCHICHTE ERZÄHLEN

Von Anke Kronemeyer

Drei Länder, zwei Flüsse, **Weinberge auf Steilterrassen**, Hunderte von urigen Weinbergshäuschen und eine **Straße der Romanik** mit vielen Schlössern und Burgen, Kirchen und Klöstern: Das ist Saale-Unstrut, das Weinanbaugebiet **im Norden von Deutschland**. Mit knapp 800 Hektar liegt es an neunter Stelle im Ranking der deutschen Anbaugebiete.

Hier ist irgendwie alles ganz besonders. Allein, dass in diesen nördlichen Breitengraden Wein wächst, ist schon besonders. Dass sich Sachsen-Anhalt, Thüringen und Brandenburg das Gebiet „Saale-Unstrut" teilen, ebenso. Dann diese Landschaft mit den von Menschenhand angelegten Weinterrassen, viele davon in Steillage – optisch wunderbar, zum Arbeiten im Weinberg ziemlich anstrengend. Dann diese Fülle an geschichtsträchtigen Bauten – der Dom in Naumburg, Schloss Neuenburg oder Rudelsburg, die Dornburger Schlösser, die Leuchtenburg, Kloster Memleben oder Kloster Pforta. Und dann diese Vielzahl an Rebsorten. Rund 80 sollen es sein, sagen Experten, ungefähr 60 werden jedes Jahr offiziell gelistet. Fehlt da nicht das Profil eines Anbaugebiets? Mag sein, sagen wiederum andere Experten. Und werfen ein entscheidendes Argument in die Waagschale: Am Ende des Weinjahres sind alle Weine ausverkauft und ausgetrunken. Egal, ob Rondo, Cabernet Dorio, Phönix, Rieslaner oder Ortega. Dabei gibt es natürlich Lieblingsweine: Müller-Thurgau steht traditionell ganz oben, gefolgt von Weißburgunder und Riesling, Bacchus und Silvaner, bei den Roten verkauft sich am meisten der Dornfelder, gefolgt von Portugieser, Spätburgunder und Zweigelt. Außerdem gibt es zwei autochthone Rebsorten, die im Lande ebenfalls sehr beliebt sind: bei den Weißweinen der Hölder, der als absolute Besonderheit

Drei Bundesländer, zwei Flüsse, ein Weinbaugebiet

gilt und zwischen Grauburgunder und Riesling angesiedelt ist, sowie beim Rotwein der André.
Und das „Aller-Besonderste" in diesem Anbaugebiet, wenn es das denn überhaupt gibt, sind einfach nur sehr kleine Häuser: Weinbergshäuschen, genauer gesagt. Die stehen zu Hunderten – keiner weiß genau, wie viele es tatsächlich sind – ganz malerisch und idyllisch in den Weinbergen, viele von ihnen gelten als Kleinode ihrer jeweiligen Epoche. Als ältestes datiertes Beispiel gilt ein Fachwerk-Türmchen in der Lage Steinmeister bei Roßbach (Naumburg) – der „Steinkauz" aus dem Jahre 1555. Die meisten Häuser aber stehen im Freyburger Schweigenberg: Auf rund 20 Hektar allein 90, die zwischen 1700 und 1800 gebaut wurden. Alle Weinbergshäuschen gaben ursprünglich den Arbeitern Schutz oder auch Platz fürs Werkzeug. Später entwickelten sie sich zu Locations für Gesellschaften, die dort feierten. So wurden im Laufe der Zeit die kleinen Hütten architektonisch angepasst und es entstanden reine Repräsentationsgebäude, zum Beispiel die 1722 erbaute Villa des Hofjuweliers Carl Gottlieb Steinauer. Das Rokoko-Weinbergshaus im Herzoglichen Weinberg in Freyburg gilt ebenso als beeindruckendes Beispiel für Vorzeige-Architektur im Weinberg. Das Wahrzeichen aller Weinbergshäuschen aber ist das Toskana-Schlösschen im Freyburger Schweigenberg. Kultur und Geschichte, Natur, Romantik und Wein – all das sowie ein gut ausgebautes Rad-, Wander- und Wasserwegenetz machen aus dem Gebiet längs von Saale und Unstrut ein beliebtes Ziel für Touristen. Sie können ungestört die meist unberührte Natur erleben, Weine direkt beim Winzer genießen, sich aktiv beim Wandern oder Radfahren bewegen, mit dem Kanu oder dem Floß fahren. Das Gebiet ist vor allem bei den Besuchern beliebt, die aus dem direkten Umland kommen, in Leipzig, Halle, Erfurt, Jena oder Weimar leben. Sie können entlang der „Straße der Romanik", die an der 60 Kilometer langen Weinstraße Saale-Unstrut verläuft, sowie an der archäologischen Route der „Himmelswege" die Region entdecken und dabei

Die Wiege des Schaumweins

nicht nur den Naumburger Dom besichtigen, sondern auch den Fundort der „Himmelsscheibe von Nebra" erkunden. Oder einen Stopp am „Steinernen Bilderbuch" einlegen. Auch das etwas Besonderes: In der Nähe des Naumburger Ortsteils Großjena prangen an einer großen Sandstein-Terrassenmauer zwölf mehr als mannshohe Bildreliefs aus der Steinwand und zeigen über eine Länge von 150 Metern Geschichten aus der Bibel. Das „Steinerne Album" ist eines der ungewöhnlichsten Denkmäler für Wein und das größte Bildrelief im europäischen Kulturraum, das je in ein stehendes Felsgestein gearbeitet wurde.

Außergewöhnlich ist auch das Thema Sekt beziehungsweise Champagner in diesem Anbaugebiet: So wurde 1824 bei Naumburg die erste deutsche Champagnerfabrik gegründet, außerdem wird seit 1856 Sekt in der Rotkäppchen Sektkellerei in Freyburg hergestellt. Entstanden aus einer Weinhandlung wurde erst moussierender Wein hergestellt, später dann die Freyburger Champagner Fabrik-Gesellschaft beurkundet. Die Kellerei wurde über die Jahrzehnte immer weiter ausgebaut, der Sekt wurde immer berühmter und bekam viele Auszeichnungen. 1894 wurde die rote Kapsel der Flasche zum Namensgeber. Es folgt eine wechselvolle Geschichte, die auch durch politische Umbrüche und Besitzerwechsel, Umsatzeinbrüche und den Weg zur letztendlich erfolgreichsten Sektmarke von Deutschland geprägt wurde. Heute steht Rotkäppchen auch für Spirituosen, alkoholfreien Sekt und Wein. Darüber informieren können sich die Besucher bei zahlreichen Führungen und Verkostungen in der Kellerei.

Hunderte von malerischen Weinbergs-Häusern

Noch etwas Besonderes gefällig? Das ist der Saale-Unstruter selbst, der Mensch, der hier in dieser Region lebt, die sich auch „Land zwischen Stein und Wein" nennt. Er ist stolz auf seine Heimat, ist freundlich und gesellig, ist familienorientiert, neugierig-interessiert, offen und erzählt gerne, so heißt es. Und bewirtet gerne seine Gäste – egal, ob im eigenen Zuhause oder in der Gastronomie. Dann kommen Klöße und Bratwurst oder deftige Bratkartoffeln mit Rotkraut auf den Tisch. Die traditionelle Küche ist durch die Nähe zu Thüringen geprägt, es gibt aber auch die Naumburger Kirschpfanne, Milben-Käse, Quark-Keulchen oder die Fett-Bemme, ein klassisches Schmalzbrot. Und zu alldem schmeckt – nicht nur den Menschen von Saale und Unstrut – diese große Vielfalt besonderer Weine. Egal, ob sie Pinotin, Domina oder Helios heißen.

INTERNETADRESSEN
www.weinregion-saale-unstrut.de
www.saale-unstrut-tourismus.de

Zahlen & Fakten

LAGE
Das Anbaugebiet liegt in den Tälern von Saale und Unstrut; die Weinberge liegen in Sachsen-Anhalt, einige Thüringen und Brandenburg.

REBFLÄCHE
798 Hektar, Weißwein 75 %, Rotwein 25 %

REBSORTEN
Müller-Thurgau, Weißburgunder, Riesling, Bacchus, Dornfelder, Portugieser, Spätburgunder, Blauer Zweigelt

BODEN
Kalksteinverwitterungsboden, Ton, Lehm sowie Buntsandstein

BESONDERHEITEN
In der Region wurde 1824 die erste Fabrik Deutschlands für moussierenden Wein gegründet.

TOP 6 – LIEBLINGSWEINE

Steilterrassen, alte Trockenmauern und gleich zwei Flüsse: Von hier kommen **eigenständige** und **vielschichtige** Weine.

2018 Hopfgarten Cuvée „Crucissteig“

Joern Goziewski, Weimar

Im Auftakt Schwarzkirsche pur, dann Aromen von Weichsel, Mokka, dunkler Schokolade. Mollig, samtig, intensiv würzig am Gaumen mit Nachhall und Kraft. Ein Wein wie gemacht für den Abend vor dem Kamin.

119€ · 13,5%

2020 Rappental Riesling „Bergstern GG“ Auslese trocken

Klaus Böhme,
Laucha an der Unstrut

Der Riesling comme il faut trägt eine Geschmacksgirlande aus reifen Aprikosen, gelben Pfirsichen, Limetten und Lindenblüten, umrahmt von graziler Säure.

19€ · 13,5%

2018 Naumburger Göttersitz Riesling

Winzerhof Gussek, Naumburg

Butterkrokant trifft Walnuss. Mundwässernde Trinkfreude, bei der es nicht bei einem Glas bleibt.

17,50€ · 13,5%

2019 Naumburger Sonneck Riesling 1. Lage

Weingut Hey, Naumburg

Feine Mineralik, dezente Kreidenote, Balance und Struktur. Im Mund verschlankt sich der Wein und begeistert mit flirrenden Aromen.

19€ · 12,5%

2019 Edelacker Riesling GG

Weingut Pawis, Freyburg-Zscheiplitz

Ein Hauch von attraktiver Restsüße, die animierend wirkt, verleiht dem Wein trotz der rassigen Säure weiche Rundungen. Eher Rubens als Manet.

24€ · 13%

2019 Cuvée „Missgunst“ Auslese trocken

Weinhaus Siegmund & Klingbeil, Naumburg

Fein gezeichnete süße Note und zart definierte Säure. Litschi, Ananas, Orangenmarmelade, duftig, florale Muskatteller-Aromen, Rosengarten, Malvenbouquet und Muskatnuss. Die Muskaris-Riesling-Cuvée zeigt sich von ihrer besten Seite.

50€ · 14,2%

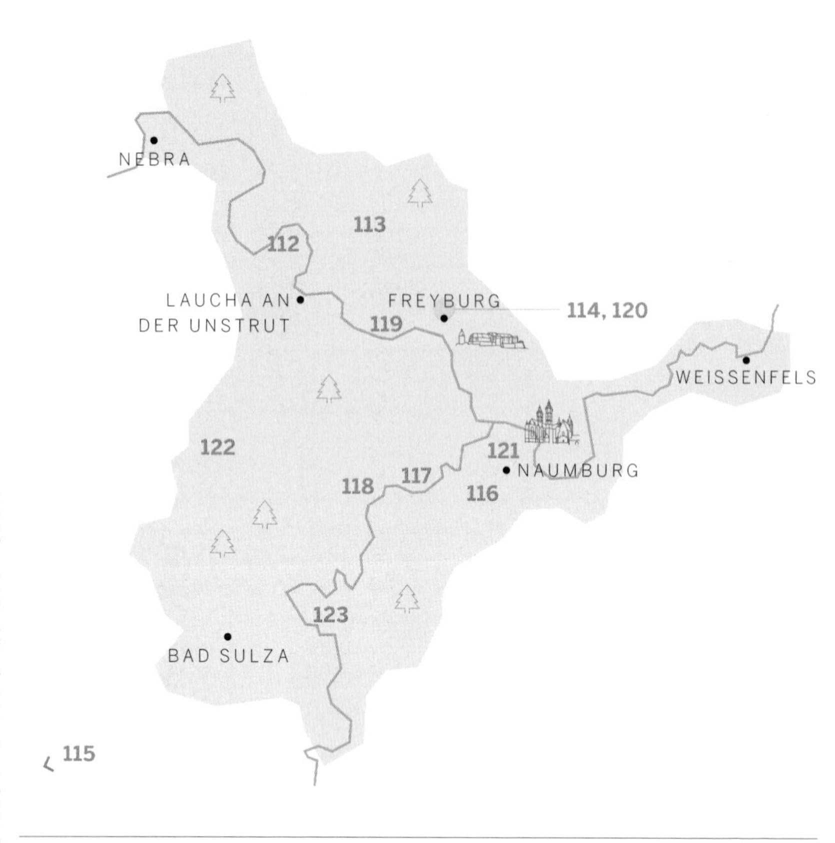

Dass hier im Norden von Deutschland toller Wein wächst, ist kein Geheimtipp mehr. Die Weine aus Freyburg, Bad Kösen oder Bad Sulza gelten schon lange nicht mehr als Exoten im Glas. Hier wachsen Rieslinge, Müller-Thurgau oder kraftvolle Spätburgunder. Saale-Unstrut nimmt mit seinen 798 Hektar den neunten Platz im Ranking der deutschen Anbaugebiete ein.

Geografische Lage Das Anbaugebiet liegt am 51. Breitengrad in den Tälern von Saale und Unstrut; die meisten Weinberge liegen in Saale-Unstrut-Anhalt, einige wenige zudem in Thüringen und Brandenburg.

Klima Im Grenzbereich zwischen dem feuchtwarmen Golfstrom-Klima im Westen und trockenem Kontinentalklima aus dem Osten; Jahresdurchschnittstemperatur 10,2 Grad, 1.600 Stunden Sonnenscheindauer, Niederschlagsmenge: 559 mm

Boden Kalksteinverwitterungsboden, Ton und Lehm sowie Buntsandstein

Rebfläche 798 Hektar, Weißwein 75 % , Rotwein 25 %

Rebsorten Müller-Thurgau, Weißburgunder, Riesling, Bacchus, Dornfelder, Portugieser, Blauer Spätburgunder, Blauer Zweigelt

Besonderheiten An Saale-Unstrut werden mehr als 60 Rebsorten angepflanzt und sorgen damit für eine große Vielfalt im Rebsortenspiegel. In der Region wurde 1824 die erste Fabrik Deutschlands für moussierenden Wein gegründet, heute ist das Gebäude Sitz der Naumburger Wein & Sekt-Manufaktur.

WEINGÜTER

112
KLAUS BÖHME

Lindenstraße 42
06636 Laucha an der Unstrut

113
WEINGUT BÖHME & TÖCHTER

Ölgasse 11
06632 Gleina

114
WINZERVEREINIGUNG FREYBURG-UNSTRUT

Querfurter Straße 10
06632 Freyburg

115
JOERN GOZIEWSKI

Zum Dorotheenhof 2
099427 Weimar

116
WINZERHOF GUSSEK

Kösener Straße 66
06618 Naumburg

117
WEINGUT HEY

Weinberge 1d
06618 Naumburg

118
UWE LÜTZKENDORF

Saalberge 51
06628 Naumburg

119
WEINGUT PAWIS

Auf dem Gut 2
06632 Freyburg-Zscheiplitz

120
ROTKÄPPCHEN-MUMM SEKTKELLEREIEN

Sektkellereistraße 5
06632 Freyburg (Unstrut)

121
WEINHAUS SIEGMUND & KLINGBEIL

Markt 13
06618 Naumburg

122
CARL-FRIEDRICH L. WALTHER

Naumburger Straße 29
06647 An der Poststraße

123
THÜRINGER WEINGUT ZAHN

Weinbergstraße 3
099518 Großheringen

Klaus Böhme

Lindenstraße 42,
06636 Laucha an der Unstrut
T +49 (0) 34462 20395
www.weingut-klaus-boehme.de

Inhaber Klaus Böhme
Betriebsleiter Klaus Böhme
Kellermeister Klaus Böhme & Roland Bähler
Verbände Breitengrad51
Rebfläche 13 ha
Produktion 130.000 Flaschen
Verkaufszeiten
Mo–Fr 9–17 Uhr
Sa 10–14 Uhr

Im kleinen Bauerndorf Kirchscheidungen, in Laucha direkt an der Unstrut, liegt das Weingut von Klaus Böhme. Schon seit Generationen wird hier Weinbau betrieben, heute stehen rund 13 Hektar im Anbau. Bewirtschaftet werden von Klaus Böhme und seinem Team Weinberge in unterschiedlichen Lagen, die ausschließlich an der Unstrut liegen, wie etwa die Burgscheidunger Veitsgrube und das Dorndorfer Rappental. Klaus Böhme hat seine Parzellen mit einer Vielzahl an unterschiedlichen Rebsorten bestockt, eine wichtige Rolle in seinem Portfolio spielt neben Riesling und Silvaner der klassische Müller-Thurgau. Jährliche Highlights sind das Weinfest und die Tage des offenen Hofes, bei denen man die Gastlichkeit des Weinguts und die Qualität der Weine vor Ort erleben kann.

2020 Rappental Riesling Spätlese trocken
11,50€ · 13%
Säure, Würze, Länge, alles am richtigen Platz, in der Nase zeigt der Allrounder eine klare präzise Frucht.

2020 Rappental Riesling „Bergstern GG" Auslese trocken 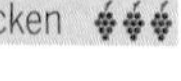
19€ · 13,5%
Der Riesling comme il faut trägt eine Geschmacksgirlande aus reifen Aprikosen, gelben Pfirsichen, Limetten und Lindenblüten, umrahmt von graziler Säure.

2020 Rappental Weißburgunder Spätlese trocken
11,50€ · 12,5%
Verspielter und lebendig tänzelnder Weißburgunder mit kräftig zupackender Art am Gaumen und dicht verwobener Struktur.

2020 Rappental Weißburgunder „Bergstern GG" Auslese trocken
19€ · 13,5%
Intensiv duftig mit Noten von Rosen und Holunderblüten. Spannend kombiniert zum Spargel mit gehacktem Ei.

Weingut Böhme & Töchter

Ölgasse 11, 06632 Gleina
T +49 (0) 34462 22043
www.boehme-toechter.de

Etwas mehr als fünf Hektar groß ist das Weingut der Familie Böhme, in dem drei Generationen Hand in Hand arbeiten. Das garantiert natürlich unterschiedliche Standpunkte und Ideen, nicht immer eine leichte Aufgabe für die Tochter des Hauses Marika Sperk und ihren Mann Sandro, die für das Tagesgeschäft zuständig sind und das alles unter einen vinologischen Hut bringen müssen. Aber es gelingt ihnen bestens, alle Weine, die aus ihrem Keller kommen, haben sortentypischen Charakter und Format. Der Großteil der Reben, zu denen auch Müller-Thurgau zählt, steht in Steil- und Terrassenanlagen, die ausschließlich von Hand bewirtschaftet werden. Um das Portfolio

Inhaber Frank Böhme & Marika Sperk & Toska Grabowski
Betriebsleiter Marika Sperk
Kellermeister Marika & Sandro Sperk
Verbände Breitengrad51
Rebfläche 5,2 ha
Produktion 40.000 Flaschen
Gründung 2003
Verkaufszeiten
Mo–Fr 8–17 Uhr
Sa 10–16 Uhr
So nach Vereinbarung

für die Zukunft zu erweitern, wurde in den vergangenen Jahren die Anbaufläche im Freiburger Schweigenberg vergrößert und damit auch das Segment im Lagenweinbereich ausgedehnt.

2019 Freyburger Schweigenberg Riesling „S37"
22€ · 13%
Zupackend und straff mit einer Aromatik, die an Multivitaminsaft erinnert. Perfekter Partner fürs Kalbsbries.

2020 Freyburger Schweigenberg Chardonnay
17€ · 13,5%
Schmelziger Chardonnay mit Noten von Buttertoast und Speck. Schafft es dennoch, schlank zu bleiben und hält seine Balance.

2020 Freyburger Schweigenberg Weißburgunder
16€ · 13%

2019 Freyburger Schweigenberg Spätburgunder „Breitengrad51"
30€ · 14%
Mit seinen Noten von Schokolade und Kirschkonfitüre bietet sich dieser Spätburgunder zum Käsegang an – da braucht es keinen Portwein mehr.

Winzervereinigung Freyburg-Unstrut

Neueinsteiger

Querfurter Straße 10,
06632 Freyburg
T +49 (0) 34464 3060
www.winzervereinigung-freyburg.de

Betriebsleiter
Hans Albrecht Zieger
Kellermeister
Kathleen Romberg
Rebfläche 394 ha
Gründung 1934
Verkaufszeiten
Mo–Fr 7–18 Uhr
Sa 10–18 Uhr
So und Feiertag 10–16 Uhr

Wenn die Winzervereinigung ihre Zahlen auf den Tisch legt, kommt man aus dem Staunen kaum mehr heraus. Rund 400 Winzer mit fast genauso viel Hektar Rebfläche gehören aktuell dem Zusammenschluss an, der im Jahre 1934 von 27 Weinbauern gegründet wurde und heute rund die Hälfte des gesamten Anbaugebietes bewirtschaftet. Eine echte Wein-Macht, die in Freyburg sitzt und auf 20 verschiedene Rebsorten zurückgreifen kann. Entsprechend groß und vielfältig ist das Sortiment, hier wird jeder fündig, der sich für Gewächse von Saale und Unstrut interessiert. Auch in Sachen Sekt hat die Genossenschaft einiges zu bieten, dazu kommen feine Destillate und Liköre aus eigener Brennerei. Erleben kann man den Betrieb bei öffentlichen Weinbergführungen oder einem Abstecher in den historischen Fassweinkeller.

♥ **2019** Weimarer Poetenweg Grauburgunder „Werkstück Weimar" Spätlese trocken
10,40€ · 13,5%
Süße Kraft der Reife und kühle Aromatik, nussig, kandierte Walnuss, rosinierte Trauben. Auch süße Speisen vertragen einen kraftvollen, trocken ausgebauten Wein. Wir empfehlen Buttercremetorte, vielleicht einen Frankfurter Kranz.

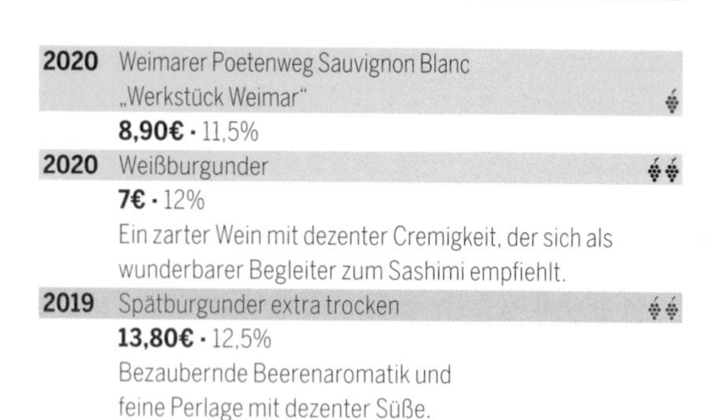

2020 Weimarer Poetenweg Sauvignon Blanc „Werkstück Weimar"
8,90€ · 11,5%

2020 Weißburgunder
7€ · 12%
Ein zarter Wein mit dezenter Cremigkeit, der sich als wunderbarer Begleiter zum Sashimi empfiehlt.

2019 Spätburgunder extra trocken
13,80€ · 12,5%
Bezaubernde Beerenaromatik und feine Perlage mit dezenter Süße.

Joern Goziewski

Neueinsteiger

 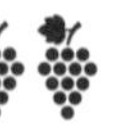

Zum Dorotheenhof 2,
099427 Weimar
T +49 (0) 172 4776 942
www.joernwein.de

Inhaber Jörn Goziewski
Produktion 2.000 Flaschen
Verkaufszeiten
nach Vereinbarung

Jörn Goziewski ist Winzer aus Leidenschaft, was erst einmal nichts Außergewöhnliches ist. Doch sein Weingut liegt zwischen Erfurt und Weimar, was ihn in der Weinszene zu einem Exoten macht. Angefangen hat Jörn Goziewski als Kellermeister im Rheingau, in der klassischen Rieslingregion sorgte er mit seinen unfiltrierten und ungeschönten Naturweinen für Aufmerksamkeit. Jetzt also Weinbau in Thüringen, seiner angestammten Heimat. Am liebsten mit Rieslingen, dazu etwas Chardonnay und einige Partien Spätburgunder. Nur 2000 Flaschen verlassen jährlich den Keller von Jörn Goziewski, ein überschaubares Angebot für Kenner und Entdecker. Alle Thüringer Gewächse sind biodynamisch an- und ausgebaut, dahinter steckt nicht nur Goziewskis Leidenschaft für die Natur, sondern auch die Idee, die Heimat der Rebe mit jedem Schluck ins Bewusstsein zu rücken.

2019 Poetenweg Cuvée „Mashk" 
15€ · 12%
Noten von Heu und reifem Apfel treffen am Gaumen auf eine spannende Symbiose von Säure und Bitternis. Eine Cuvée für Neugierige mit viel Ausdruck und hohem Wiedererkennungswert.

2019 Poetenweg Grauburgunder „Mashk"
25,50€ · 12%
Verführerischer Duft von hellem Karamell und Bittermandel. Am Gaumen volle Kraft voraus mit kräftiger Säure und deutlich spürbaren Gerbstoffen. Spannend vom Anfang bis zum Ende.

2018 Hopfgarten Cuvée „Crucissteig"
119€ · 13,5%
Im Auftakt Schwarzkirsche pur, dann Aromen von Weichsel, Mokka, dunkler Schokolade. Mollig, samtig, intensiv würzig am Gaumen mit Nachhall und Kraft. Ein Wein wie gemacht für den Abend vor dem Kamin.

Winzerhof Gussek

Kösener Straße 66,
06618 Naumburg
T +49 (0) 3445 7810 366
www.winzerhof-gussek.de

Inhaber André Gussek
Betriebsleiter André Gussek & Thomas Gussek
Kellermeister Hella Päger
Verbände Breitengrad51
Rebfläche 10 ha
Produktion 55.000 Flaschen
Verkaufszeiten
Mo–Fr 10–18 Uhr
Sa, So 14–18 Uhr
und nach Vereinbarung

Ihr zehn Hektar großes Weingut haben André und Thomas Gussek gut aufgestellt, der erst 1993 gegründete Betrieb bietet eine beeindruckende Phalanx an unterschiedlichen Weinen aus einer Vielzahl von Rebsorten. Da kann Kellermeisterin Hella Päger aus dem Vollen schöpfen, vorwiegend sind es trocken ausgebaute Weine mit feiner Säurestruktur, die das gute Image des Weinguts prägen. Aber auch feinherbe und edelsüße Spezialitäten gehören zum Angebot bei den Weißweinen. Im Rotweinbereich heißt die Ausbaudevise Fass, hier kommen ganz konventionell große Holzfässer oder Barriques zum Einsatz, je nach gewünschter Stilistik und Reifepotenzial. Als einer der Gründer des Vereins Breitengrad51 ist das Weingut nach wie vor ein unverzichtbarer Motor des Qualitätsweinbaus im Anbaugebiet Saale-Unstrut.

2018 Naumburger Göttersitz Riesling
17,50€ · 13,5%
Butterkrokant trifft Walnuss. Mundwässernde Trinkfreude, bei der es nicht bei einem Glas bleibt.

2019 Naumburger Steinmeister Riesling
17,50€ · 12%
Ein Jungspund, der von einem großen Glas profitiert, zeigt animierenden Trinkfluss und verbreitet Spaß für einen langen Abend unter Freunden.

2020 Riesling
9,90€ · 12,5%
Duftig, feine Herbe im Mund, Riesling-Würze bricht sich Bahn zu winterlichen Gerichten wie Kohlroulade.

2018 Naumburger Göttersitz Frühburgunder
22€ · 13,5%
Wacholder, Speck und Vanille im Auftakt, am Gaumen dann leise Süße und viel Frucht. Dazu gerne Deftiges, eine Brotzeit mit Gänseschmalz zum Beispiel.

Weingut Hey

Weinberge 1d, 06618 Naumburg
T +49 (0) 3445 6774 165
www.weinguthey.de

Inhaber Matthias Hey
Verbände VDP, Breitengrad51
Rebfläche 6 ha
Produktion 35.000 Flaschen
Verkaufszeiten
April–Okt.
Do–So 12–18
Nov.–Dez.
Fr–Sa 12–17 Uhr
und nach Vereinbarung

An der Weinstraße zwischen Roßbach und Bad Kösen gelegen, ist das kleine Familienweingut einen Abstecher wert. Einerseits präsentiert sich die Landschaft am Fuße des Naumburger Steinmeisters besonders idyllisch und lässt den Reisenden den besonderen Zauber spüren, der die Region umgibt. Andererseits lohnt die Probe der Weine, die der junge Mathias Hey seit 2007 auf die Flaschen bringt. Heys Weine haben dazu Tiefgang und Komplexität. Meist sind die Gewächse spontan vergoren, damit sie in ihrer Authentizität greifbar und aromatisch vielfältig sind. Aber auch wandelbar erscheinen, so wie das Terroir zwischen Muschelkalk und Sandstein variiert und damit dem kleinen Familienweingut eine ideale Basis für ausdrucksstarke Weine bietet.

2019 Naumburg Weißburgunder
14€ · 12%
Toller Auftakt mit Karamell und Steinobst. Ein geradezu knuspriges Mundgefühl, viel Frische und Animation am Gaumen.

2019 Naumburger Sonneck Riesling 1. Lage
19€ · 12,5%
Feine Mineralik, dezente Kreidenote, Balance und Struktur. Im Mund verschlankt sich der Wein und begeistert mit flirrenden Aromen.

2019 Naumburger Steinmeister Riesling GG
28€ · 13%
Aromen von Aprikosenröster und Marzipan freuen sich über eine besonders elegante Begleitung wie Jakobsmuscheln.

2019 Naumburger Steinmeister Weißburgunder „Steinmeister" GG
28€ · 13,5%
Schon in der Nase deutliche Noten von Hefegebäck und grüner Birne. Am Gaumen bleiben diese Cremigkeit und der Schmelz voll da und werden durch eine sehr angenehme und dezente Bitternis abgerundet. Ein sehr ernsthafter Weißburgunder mit Anspruch.

2020 Cuvée „Weißer Hey"
12,90€ · 12%
Schlank, dezent rauchig und mit straffer Säure lädt dieser Wein zum Nachmittag am Pool ein.

2018 Naumburger Steinmeister Blauer Zweigelt „Breitengrad 51"
28€ · 15%
Kirsche und Vanille wirken charmant und weich. Zweigelt im deutschen Stil, der regionaltypisch mit einem sächsischen Sauerbraten serviert werden darf.

Uwe Lützkendorf

Saalberge 51, 06628 Naumburg
T +49 (0) 175 4045 156
www.weingut-luetzkendorf.de

Inhaber Uwe Lützkendorf
Verbände VDP
Rebfläche 8,8 ha
Produktion 50.000 Flaschen
Gründung 1991
Verkaufszeiten
Mo–Fr 10–18 Uhr
Sa–So 11–18 Uhr
und nach Vereinbarung

Vor 30 Jahren wurde der frisch diplomierte Ingenieur für Getränketechnologie Uwe Lützkendorf Winzer, als seine Familie das im Rahmen der Zwangskollektivierung in den 1950er-Jahren verstaatliche Weingut zurückbekam, dessen Tradition bis ins 19. Jahrhundert zurückreicht. Damit begann eine Erfolgsstory, die bis heute anhält und die Uwe Lützkendorf zu einem bekannten und renommierten Winzer in Deutschland gemacht hat. Aus seiner Paradelage Karsdorfer Hohe Gräte kommen in verlässlicher Regelmäßigkeit bemerkenswerte Weine, die von den einzigartigen Doppelquarzitböden geprägt sind, einer Gesteinsformation, die sonst nur in den Grand-Cru-Lagen des Burgund zu finden ist. Lützkendorf hat hier Weißburgunder, Silvaner und Riesling stehen, deren sorgfältig ausgebauten Weine allesamt ihre Herkunft in nachhaltigen mineralischen Zwischentönen präsentieren.

2018 Hohe Gräte Riesling Auslese halbtrocken
16€ · 12%
Pfirsich und Apfel treffen auf leise Bitternis, die animierend und mundwässernd wirkt. Dazu kommt ein geradezu bezauberndes Aroma von Gewürznelke.

2018 Hohe Gräte Traminer Auslese
20€ · 13%
Earl Grey im Auftakt, dann sehr angenehm elegant und in seiner leisen Zurückhaltung ein richtiger Charmeur.

2018 Hohe Gräte Traminer GG
25€ · 13%
Litschi-Kompott trifft Williamsbirnenbrand. Klassischer Traminer sucht klassische Begleitung: gereiften Mimolette-Käse.

2018 Hohe Gräte Silvaner Auslese
20€ · 13%
Im Auftakt Aromen von Rosen- und Orangenblüten. Spannender Begleiter zu rohem Lachs mit Salzzitrone.

Weingut Pawis

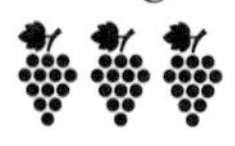

Auf dem Gut 2,
06632 Freyburg-Zscheiplitz
T +49 (0) 34464 28315
www.weingut-pawis.de

Inhaber Bernard Pawis
Verbände VDP, Weinbauverband
Rebfläche 16 ha
Produktion 80.000 Flaschen
Gründung 1991
Verkaufszeiten
Mo–Fr 10–12 Uhr und 13–18 Uhr
Sa 10–12 Uhr und 14–18 Uhr
So 10–12 Uhr

Entstanden aus einem kleinen Nebenerwerbsbetrieb mit einem halben Hektar Rebfläche, hat das Weingut von Familie Pawis in den letzten Jahren eine rasante Entwicklung hingelegt und sich zu einer der besten Adresse entlang der Unstrut und im Saaletal entwickelt. Chapeau, heute ist nicht nur die ganze Familie im Weingut aktiv, auch ein engagiertes Team teilt den besonderen Spirit und den unbedingten Qualitätswillen, den Inhaber Bernard Pawis in seinem Weingut lebt. Aus eigener Kraft hat die Familie ein ehemaliges Klostergut auf der Anhöhe des Zscheiplitzer Martinsberges vorbildlich restauriert, hier, mitten in einem Dreiklang von Kunst, Kultur und Genuss, ist heute die Zentrale des ambitionierten Weinbaubetriebs. Traditionell werden die Pawis-Weine trocken und in rebsortentypischer Aromatik ausgebaut, charakteristisch für die Saale-Unstrut-Region ist der Anbau einer Vielzahl unterschiedlichster Rebsorten.

2019 Edelacker Riesling GG 
24€ · 13%
Ein Hauch von attraktiver Restsüße, die animierend wirkt, verleiht dem Wein trotz der rassigen Säure weiche Rundungen. Eher Rubens als Manet.

2019 Edelacker Weißburgunder GG 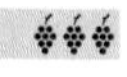
24€ · 13%
Duftig wie ein Spaziergang im Kräutergarten, dann gesellt sich das Aroma von Nussecken dazu. Ein klassischer Wein zum Garden Table im Sommer.

2019 Naumburger Sonneck Riesling „Zauberlehrling" 
22€ · 12,5%
Noten von Brotkruste und Karamell wirken zuerst opulent, am Gaumen zeigt sich dieser Riesling dann schlank und feingliedrig. Dazu ein Risotto mit karamellisiertem Radicchio.

Rotkäppchen-Mumm Sektkellereien

Neueinsteiger

Sektkellereistraße 5,
06632 Freyburg (Unstrut)
T +49 (0) 6123 6065 00
www.rotkaeppchen-mumm.de

Als die Brüder Moritz und Julius Kloos zusammen mit ihrem Freund Carl Foerster im Jahre 1856 in Freyburg ihre Weinhandlung gründeten, ahnte niemand, dass daraus einmal ein Weltunternehmen werden würde, unter dessen Dach sich renommierte und illustre Sekt- und Spirituosen-Firmen versammeln werden. Heute ist das Unternehmen Heimat bekannter Genussmarken, in Freyburg ist der Sitz der Rotkäppchen Sektkellerei, die jährlich Tausende von Besuchern aus aller Welt anzieht. Denn neben der Möglichkeit, die Rotkäppchen Sekte zu verkosten, gibt es Führungen durch die historische Kellerei und das Kulturprogramm „Rotkäppchen Sektiva", das mit Konzerten, Kabarettvorstellungen und anderen kulturellen Veranstaltungen die Stadt an der Unstrut zu einem prickelnden Hotspot macht.

Verkaufszeiten
nach Vereinbarung

Riesling trocken
5,99€ · 12%
Feinfruchtige Nase, Limette und Minze, fruchtiger weißer Pfirsich und Ananas, perfekte Perlage, sehr fein und ausgewogen, cremig, Biskuit und Sahnebaiser.

Riesling „Sondercuvée 1894" brut
18,94€ · 11,5%
Typische Rieslingfrucht, sehr mineralisch. Frischer Auftritt im Mund, zitrische Aromen, cremige Struktur. Perlage, Eleganz und Bellezza einer Grande Dame.

Weißburgunder „Rotkäppchen" extra trocken
15,99€ · 12%
Ein klassischer Weißburgunder-Sekt mit Vanillenoten und feinem Schmelz.

Weinhaus Siegmund & Klingbeil Neueinsteiger

Markt 13, 06618 Naumburg
T +49 (0) 176 6407 7879
www.weinhaus-siegmund-klingbeil.com

Rebfläche 0,6 ha
Produktion 9.000 Flaschen
Gründung 2013
Verkaufszeiten
nach Vereinbarung

Sören Siegmund und Sebastian Klingbeil kommen beide aus Berlin und haben beschlossen, an Saale und Unstrut ein Weinhaus zu gründen. Gesagt, getan, mit viel Enthusiasmus und Experimentierfreude haben die beiden Freunde ihr Projekt mit knapp einem halben Hektar Steillage im Dorndorfer Rappental auf dem Naumburger Göttersitz gestartet. Daneben kaufen sie Trauben aus den unterschiedlichen Lagen des Saale-Unstrut-Gebiets zu, doch keine Weinpartie ist größer als 1000 Flaschen. Das gehört zum Konzept der jungen Winzer, genauso wie die geschickte Kombination moderner und alter Produktionsmethoden im Keller. Zurück zu den Ursprüngen lautet denn auch das Motto, da ist schon mal Geduld gefragt, damit sich die Weine in langen Maischestandzeiten, traditionellem Ausbau in der Tonamphore oder im Sandstein-Ei in ihrer Ursprünglichkeit entwickeln können. Weine für Kenner, Genießer und Wein-Freaks sind das Ziel der zwei Berliner, die damit schon jetzt auf einem guten Weg sind.

♥ **2017** Cuvée „Kellerkunst" 
20€ · 12%
Ein richtiges Kraftpaket mit Noten von frischer Butter und Honig. Wir empfehlen dazu Steinpilze in Rahmsauce und sind selig.

2019 Cuvée „Missgunst" Auslese trocken

50€ · 14,2%

Fein gezeichnete süße Note und zart definierte Säure. Litschi, Ananas, Orangenmarmelade, duftig, florale Muskatteller-Aromen, Rosengarten, Malvenbouquet und Muskatnuss. Die Muskaris-Riesling-Cuvée zeigt sich von ihrer besten Seite.

2019 Dornfelder

14€ · 11,5%

Erdbeernoten unterstreichen die belebende Frische. Etwas pausbackig kommt der feinherbe Gastro-Liebling ins Glas.

Carl-Friedrich L. Walther Neueinsteiger

Naumburger Straße 29,
06647 An der Poststraße
T +49 (0) 157 5076 1790
www.weingut-walther.de

Inhaber Carl-Friedrich Walther
Rebfläche 0,9 ha
Produktion 4.000 Flaschen
Gründung 2018
Verkaufszeiten nach Vereinbarung

Alles fing vor rund drei Jahren mit einer kleinen Parzelle Silvaner an. Nicht mehr als 3000 Quadratmeter, aber dort packte Carl-Friedrich Walther das „Weinfieber" und er beschloss, sein eigenes Weingut zu gründen. Mittlerweile ist der ambitionierte Winzer bei knapp einem Hektar Rebfläche angekommen, doch „the show must go on" und es sind weitere Parzellen geplant. Doch auf der Agenda steht nicht nur das behutsame Wachsen des Betriebs, sondern vor allem der schonende Umgang mit den Böden und den darauf wachsenden Trauben, um einen möglichst authentischen Abdruck des Terroirs ins Glas zu bekommen. Ausgebaut werden die Weine in französischen Barriques und Edelstahltanks, seit dem Jahrgang 2020 ist der Betrieb von Carl-Friedrich Walther biozertifiziert!

2019 Kaatschener Dachsberg Riesling „R"

14,50€ · 13%

Reifer Boskop-Apfel, Säure straff, Röstaromen, Honig am Gaumen. Wunderbar zu gratiniertem Gemüse.

2019 Kaatschener Dachsberg Weißburgunder „sur lie"

12,50€ · 11,5%

Gut ausgereifte Nase, Quittengelee, entspannt, feinwürzig, salzig, hat auch noch feinperliges CO_2.

♥ **2019** Silvaner „KD pur – kleines Holz"

15€ · 10,5%

Vanille trifft Darjeeling. Sehr spannender Silvaner, vor allem in Begleitung eines gebratenen Schwertfisch-Steaks mit Kapern und Zitrone.

Thüringer Weingut Zahn Neueinsteiger

Weinbergstraße 3,
099518 Großheringen
T +49 (0) 34466 1799 84
www.erlebnisweingut.de

Inhaber André Zahn
Betriebsleiter André Zahn
Kellermeister André Zahn
Verbände Breitengrad51
Rebfläche 13,5 ha
Produktion 80.000 Flaschen
Gründung 1998
Verkaufszeiten
Di–So 10–17 Uhr

An der Qualität seiner Trauben erkennt André Zahn genau, wohin die Reise gehen wird. Dafür hat er das richtige Gespür und ist mit seinen Weinbergen verwachsen, kennt die unterschiedlichen Bodenbeschaffenheiten und betreibt umweltschonenden Weinbau, zu dem auch die Lese von Hand gehört. Nur reife und gesunde Trauben lässt Zahn in seinen Keller, wo er die Moste sortentypisch zu charaktervollen Weinen ausbaut. Dafür nutzt er das gesamte Equipment der Weinbereitung, mal vinifiziert André Zahn seine Weine im Edelstahl, mal im Holzfass oder im Barrique. Ziel des Familienbetriebs sind individuelle Weine von höchster Qualität, die ihre geografische Herkunft genauso zeigen wie das Aroma der Rebsorte, aus der sie gekeltert wurden.

2020 Bacchus
10,50€ · 12,5%

2020 Cuvée „Passion Z Weiß" feinherb
10€ · 12%

2020 Tultewitzer Bünauer Berg Grauburgunder
15€ · 13,5%

2020 Tultewitzer Weißburgunder
12,50€ · 12,5%

2018 Kaatschener Dachsberg Acolon
22,50€ · 13%
Der Wein für den gemütlichen Abend zu zweit. Das Aromenspiel von Vanillekipferln und Pflaumenkompott wirkt schon ab dem ersten Schluck entspannend.

2020 Cuvée „Passion Z Rosé"
10€ · 12,5%

2017 Kerner „Vivien" brut
15,90€ · 12,5%
Ein Schluck Zitronenkuchen mit Glasur? Voilà!
Noch ein Schluck? Immer!

2017 Weißburgunder „Saskia" brut
15,90€ · 12,5%
Reifer, stoffiger Winzersekt: präzise, dichte, viel reife gelbe Früchte, weiniger Essensbegleiter.

Fotocredit: Saale-Unstrut-Tourismus e.V. / Christoph Keller

DIE TIPPS DER WINZER

Wo gibt es das beste Schkölener Welsfilet oder die besten Klöße? Wo den besten Blick in die Weinberge, wo das schönste Hotel? Wo kann ich Weine verkosten, regionale Produkte einkaufen? Wer, wenn nicht der **Winzer vor Ort** kennt sich bestens in seiner Region aus? Darum haben wir Winzer und ihre Familien nach **ihren persönlichen Tipps** gefragt.

P.S. Prüfen Sie bitte vor Ihrem Besuch, ob alle Lokale und Geschäfte wieder geöffnet haben und welche aktuellen Öffnungszeiten gelten.

Essen

GASTHOF ZUFRIEDENHEIT

Steinweg 26, 6618 Naumburg
T +49 (0) 3445 7921 051
www.gasthof-zufriedenheit.de
Eine perfekte gastliche Adresse, nur zwei Minuten vom berühmten Weltkulturerbe Dom entfernt. Hier kann man hinter historischen Mauern in charmantem Interieur unangestrengt modern speisen, etwa Jakobsmuschel-Ceviche mit Salicorn, Salz-Zitrone und Fenchel oder Ochsenbäckchen mit Pastinake, Urkarotte und Süßkartoffel. Ungewöhnlich: Es gibt eine eigene vegetarische Speisekarte. Die Weinkarte zeigt das Spektrum des Anbaugebiets und hält Weine von rund 50 Winzern aus der Umgebung bereit. Zur „süßen Zufriedenheit" wird jeden Nachmittag mit Kuchen, Tartes, Eis, Tee und Kaffee eingeladen. Zum Haus gehört außerdem ein Boutique-Hotel mit 15 Zimmern und zwei Suiten.

Empfohlen von
Carl-Friedrich Walther

KANZLEI CAFÉ

Markt 9/10, 06618 Naumburg
T +49 (0) 3445 6990 773
www.cafe-kanzlei.de
Im Zentrum von Naumburg, am mittelalterlichen Platz, hat man hier mit Blick auf die Wenzelskirche und das Rathausportal die Auswahl zwischen Kaffeespezialitäten, regionaler Küche und natürlich Weinen von Winzern aus der Region. Auf der Karte stehen Naumburger Bratwurst oder Thüringer Rostbrätle, Kalbsleber auf Kartoffelpüree und in der Saison der einheimische Spargel, aber auch Winzergulasch und das „beschwipste Rindvieh" in Whiskey-Hollandaise.

Empfohlen von
Weingut Pawis

MAX-KLINGER-WEINBERG CAFÉ

Blütengrund 3, 06618 Naumburg
T +49 (0) 3445 2023 24
www.klinger-weinberg.de
Hier, im Blütengrund Großjena, sitzt man unter Apfelbäumen direkt in den Weinbergen und kann sowohl die Aussicht als auch die kleine Karte genießen. Zum Restaurant gehört ein romantisches Kaminhäuschen, in dem Gruppen von rund 15 Personen Platz finden und sich zur Kaffeetafel oder Weinverkostung treffen können. Es gibt Grillabende, Führungen durch die Weinberge und sogar Schlachtefeste in der hauseigenen Fleischerei. Ursprünglich war der Weinberg Alterswohnsitz des 1920 verstorbenen Leipziger Bildhauer und Grafiker Max Klinger. Besucher können dort seine Grabstätte sowie das Museum mit seinen Werken besichtigen. Zum Betrieb gehören auch fünf Ferienwohnungen sowie ein Ferienhaus.

Empfohlen von
Weingut Pawis

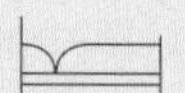

Schlafen

GASTHAUS PRETZSCH

Am Anger 6, 06632 Zscheiplitz
T +49 (0) 34464 27311
www.gasthaus-pretzsch.de

1893 erbaut, zeigt sich das Backsteingebäude heute noch genauso wie damals. Aber das Haus wurde natürlich unter den über Jahrzehnte wechselnden Betreibern immer wieder umgebaut und modernisiert. Im Gastraum mit seinen zwei Nebenzimmern haben 60 Gäste Platz, im Saal noch einmal 120. Auf der Terrasse sitzt es sich bei gutem Wetter mit Blick zur Neuenburg. Egal, ob jemand mit Freunden grillen oder zu zweit ein Candlelight-Dinner bucht: Die Karte bietet viele Spezialitäten wie Wagyu, Bison, Hummer oder Jakobsmuscheln.

Empfohlen von
Weingut Pawis

HOTEL RESORT SCHLOSS AUERSTEDT

Schlosshof, 99518 Auerstedt
T +49 (0) 36461 87762
www.toskanaworld.net

Futuristisches Design auf der einen, traditioneller Charme in einem früheren Schloss aus dem 19. Jahrhundert auf der anderen Seite: Diese Kombination erwartet den Gast in diesem Haus, das fünf Kilometer von Bad Sulza entfernt liegt, 15 Appartements, drei Ferienhäuser und ein Gästehaus bietet und direkt an der dazugehörigen Toskana-Therme auf einem weitläufigen Gelände liegt. Im Restaurant Reinhardt's im Schloss, eingerichtet in alten Stallungen, gibt es nicht nur eine Weimarer Landmahlzeit mit Kartoffelstrudel und Kutscherbrot, sondern auch Zanderfilet in grüner Sauce, Currywurst von der Zucchini oder Hirschsauerbraten.

Empfohlen von
der Redaktion

WEINBERGHOTEL EDELACKER

Schloss 25, 06632 Freyburg
T +49 (0) 34464 350
www.edelacker.de

Schon 1898 wurden an dieser historischen Adresse Fremdenzimmer vermietet, seit Mitte der 1990er-Jahre gibt es das Hotel nach großem Umbau als Vier-Sterne-Hotel und mit gut 80 Zimmern als größtes Hotel in Freyburg. Es liegt inmitten der Weinberge und ist trotzdem nur fünf Minuten vom Zentrum entfernt. Die Zimmer in unterschiedlichen Kategorien – unter anderem als Panoramazimmer – sind modern und komfortabel eingerichtet. Die Speisekarte des Hotel-Restaurants ist umfangreich: Es gibt Schkölener Welsfilet oder Wildgulasch, Wiener Schnitzel oder Dry Aged Färsenfilet ebenso wie kleine Gerichte zum Wein aus der Region.

Empfohlen von
Weingut Pawis

Einkaufen

WEINHOTEL FREYLICH ZAHN
Schützenstraße 9,
06632 Freyburg
T +49 (0) 34464 3593 90
www.freylich-zahn.de
Lässig und trotzdem schick, praktisches und modernes Design, mit Elvira Zahn und Torsten General junge Chefs mit frischen Ideen: Das ist das noch relativ neue Hotel mit seinen 26 Zimmern, das im Alten Speicher von Freyburg entstand. Neben dem umfangreichen Hotel-Frühstück wird im 51°-Restaurant eine kleine Karte angeboten: Lachs, Lammhaxe, Roulade mit Thüringer Klößen, Gnocchi mit Spargel oder eine Soul Chicken Bowl stehen zur Auswahl. Dazu – und auch in der 24 Stunden zugänglichen Weinbar – gibt es Weiß- und Grauburgunder, Traminer oder Scheurebe. Sie sind in der direkten Nachbarschaft gewachsen – nicht nur, aber auch im Weingut der Familie Zahn, die das Hotel betreibt.
Empfohlen von
Weingut Böhme und Töchter

MÜHLE ZEDDENBACH
Mühle Zeddenbach 1,
06632 Freyburg
T +49 (0) 34464 27380
www.muehle-zeddenbach.de
120 Jahre alt ist diese Mühle, die nach wie vor in Betrieb ist. Sie ist beliebtes Ziel nicht nur für Liebhaber alter Technik, da sowohl die Weinstraße, die Straße der Romanik, ein Radwanderweg und die Unstrut direkt an der Mühle vorbeiführen. Im Mühlenladen kann man viele Getreideprodukte, Mehl, Backzutaten oder Müsli, aber auch Wein, Senf, Honig oder spezielle Dinkelprodukte kaufen.
Empfohlen von
Weingut Pawis

LANDWIRT FRANK SCHNEIDER
Dorfstraße 4,
06632 Gleina-Müncheroda
T +49 (0) 34462 1390 11
www.schneider-tradition.de
Seit den 1930er-Jahren ist dieser Bauernhof, den jetzt Frank Schneider betreibt, in Familienbesitz. Das Getreide wird auf 34 Hektar Ackerland angebaut, auf dem Hof leben 150 „glückliche“ Schweine, die Schneider gemeinsam mit einem Metzger selbst zu Wurst und Fleisch verarbeitet. Und so verkauft er Bratwurst, Sülze, Leber- und Rotwurst, Schinken, Gehacktes sowie Speck ab Hof beziehungsweise auf Bestellung.
Empfohlen von
Weingut Pawis

MEIN KLEINER ZIEGENHOF
Dorfstraße 41,
06632 Gleina-Ebersroda
T +49 (0) 34632 24692
www.ziegenhof.eichardt.com
Hier ist die Anglo-Nubier-Ziege zu Hause: Diese Tiere, zu erkennen an ihren langen Beinen und Hängeohren, werden auf dem Ziegenhof von Sabine Oeppert speziell zur Milch- und Fleischproduktion gehalten. Sie geben 600 bis 1.000 Liter Ziegenmilch im Jahr, daraus werden in der Käserei direkt auf dem Hof verschiedene Frisch- und Weichkäse, Ziegencamembert, Joghurt oder Schnittkäse hergestellt und im hofeigenen Laden verkauft.
Empfohlen von
Weingut Pawis

Empfehlenswerte Metzgerei

Landfleischer Hubert Portius
Balgstädt (Lauchaer Straße 1)

Vinothek

Viele Winzer öffnen die ganze Woche über ihre Türen, um ihre Weine in ihren hauseigenen Vinotheken direkt auf dem Weingut verkosten zu lassen. Ein Besuch lohnt in jedem der Weinorte – empfehlenswert sind vorher aber ein Blick auf die Internetseite oder ein Anruf. Weitere Infos zu Vinotheken gibt es auch auf der Internetseite unter
www.weinregion-saale-unstrut.de

DER WEINKENNER – WEINE VON SAALE-UNSTRUT

Marienstraße 28,
06618 Naumburg
T +49 (0) 3445 2017 57

Egal, ob Spirituosen, Tresterbrand oder Sekt: Kerstin Kermeß bietet sich als Kennerin für alle Getränke an. Die Hauptrolle in ihrem Sortiment spielt aber der Wein. Und den bezieht sie von zwei Dutzend Weingütern ausschließlich aus der Region Saale-Unstrut. Sie verkauft auch Rum und Gin aus der Edelbrennerei von Schloss Neuenburg, außerdem Wodka und Whiskey sowie Süßwaren und Honig.

Empfohlen von
Weingut Pawis

SAALE-UNSTRUT-VINOTHEK

Steinweg 9+19, 06618 Naumburg
T +49 (0) 3445 6592 819
www.saale-unstrut-vinothek.de

Rainer Albert Huppenbauer verkauft Weine – zum größten Teil die von Saale-Unstrut, auch ein bisschen aus Sachsen. Aber: Er bietet nicht jeden Wein an, sondern nur die von Winzern, die in „Demut zur Natur" arbeiten. Das sei sein Credo, sagt er. Und so hat er ein Dutzend Weine im Sortiment, zu denen er im Haus gegenüber bei Verkostungen auch kleine mediterrane Speisen anbietet.

Empfohlen von
Weingut Gussek

Index

Weingüter

Tipps

SACHSEN

SAALE-UNSTRUT

NOTIZEN

NOTIZEN

NOTIZEN

MOSEL, SACHSEN & SAALE-UNSTRUT 2021

Leitung der Verkostungen sowie des Expertenrats Otto Geisel
Executive Publisher Ursula Haslauer
Geschäftsführung Hans Fink (v.i.S.d.P.)
Beratung Produktion Kerstin Böhning
Projektleitung Pia Epp

Anzeigenvermarktung Burda Community Network GmbH, Geschäftsführer Burkhard Graßmann (Sprecher), Michael Samak
Publisher Management Meike Nevermann (Ltg.), Anja Kallmeier
Verantwortlich für den Anzeigenteil Tobias Albrecht
AdTech Factory GmbH & Co. KG, Hauptstraße 127, 77652 Offenburg
Es gilt die aktuelle Preisliste, bcn.burda.de

Vertrieb MZV GmbH & Co. KG, 85716 Unterschleißheim, www.mzv.de
Münchner Verlagsgruppe GmbH, Türkenstraße 89, 80799 München

Verkostungsteam der vorliegenden Ausgabe Eva Adler, Katja Apelt, Jochen Benz, Gerhild Burkard, Thomas Hausmann, Thorsten Firlus, Jochen Kreppel, Astrid Löwenberg, Jossi Loibl, Andreas Lutz, Nina Mann, Jens Pietzonka, Thomas Sommer, Herbert Stiglmaier, Melanie Wagner, Klaus Wählen, Ronny Weber, Andreas Winkelmann
Verkostungslogistik Laura Endres, Maximilian Fröhlich, Michael Sauer

Redaktion Kerstin Böhning, Anke Kronemeyer
Autoren Eva Adler, Katja Apelt, Thorsten Firlus, Anke Kronemeyer, Astrid Löwenberg, Jana Schellenberg, Ingo Swoboda, Melanie Wagner
Fotoredaktion Mandy Giese
Fotocredits Daniel Bahrmann, Deutsches Weininstitut DWI, Dominik Ketz/ Rheinland-Pfalz Tourismus GmbH, Armin Faber, Martin Förster/Dresden Marketing, Oliver Killig, Saale-Unstrut-Tourismus e.V./ Christoph Keller, Van Volxem/Wiltingen/Roman Niewodniczanski

Gestaltungskonzept Daniel Pietsch
Icons Illustration Ludwig Haslberger
Layout und Satz brand unit GmbH, Lehargasse 7, A-1060 Wien
Kartografie brand unit GmbH, Lehargasse 7, A-1060 Wien
Lithografie Mario Rott, brand unit GmbH, Lehargasse 7, A-1060 Wien
Lektorat Print Company Verlagsgesellschaft m.b.H., Gumpendorfer Str. 41/6, A-1060 Wien

Datenmanagement Sebastian Schäfer, Katharina Weber
Projektmanagement Kerstin Lallinger
Weitere Mitarbeiterin Draga Vukojevic

Printed in Germany by Parzeller print & media GmbH
Verlag Burda Studios Pictures GmbH, Arabellastraße 23, 81925 München, www.burda.com

28. Jahrgang

ISBN 978-3-7423-1977-7
ISBN Ebook pdf 978-3-7453-1715-2
ISBN Ebook epub 978-3-7453-1717-6
GTIN: 419322511690105

Die Genusswelt der Weine und Restaurants finden Sie auch auf Facebook www.facebook.com/ gaultmillaudeutschland und Instagram www.instagram.com/ gaultmillau_deutschland

Jetzt zu unserem Newsletter anmelden und immer auf dem Laufenden bleiben **www.gaultmillau.de**